3-2

초등 과학 실험 관찰 자습서 & 평가문제집

금성출판사

이 책의 구성과 특징

이 책은

교과서 내용 해설 + 시험 대비 평가 문제 + 부록: 창의력 문제

로 구성되어 있습니다.

하나 교과서 내용 해설

교과서 개념 알기

단원에서 배울 내용을 알아봅니다.

교과서 개념 알기

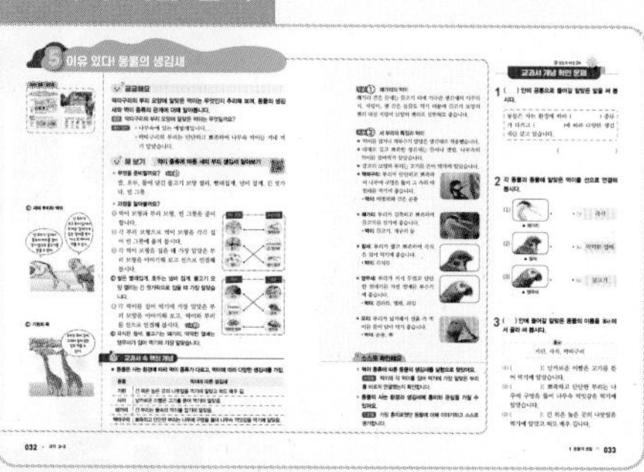

교과서에 나온 개념을 알아보고, 개념 확인 문제를 풀면서 이해력을 높입니다.

실험 관찰 해설

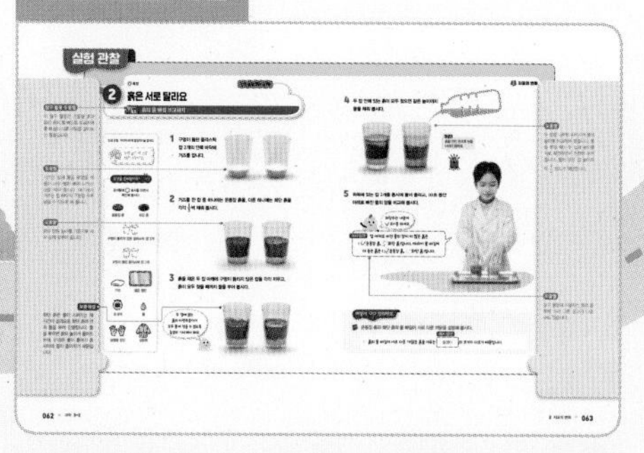

실험 관찰의 탐구 활동을 꼼꼼하게 정리합니다.

교과서 평가 문제

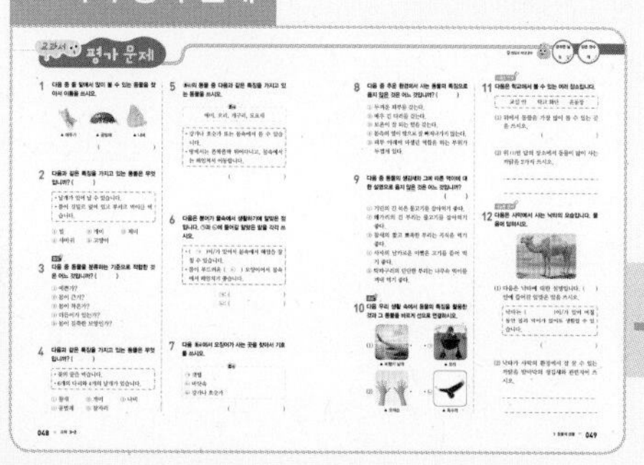

평가 문제로 익힌 개념을 다시 확인하고, 단원을 마무리합니다.

둘 우리학교 시험 대비 평가 문제

학교 시험을 완벽히 대비할 수 있도록 단계별로 평가 문제를 구성하였습니다.

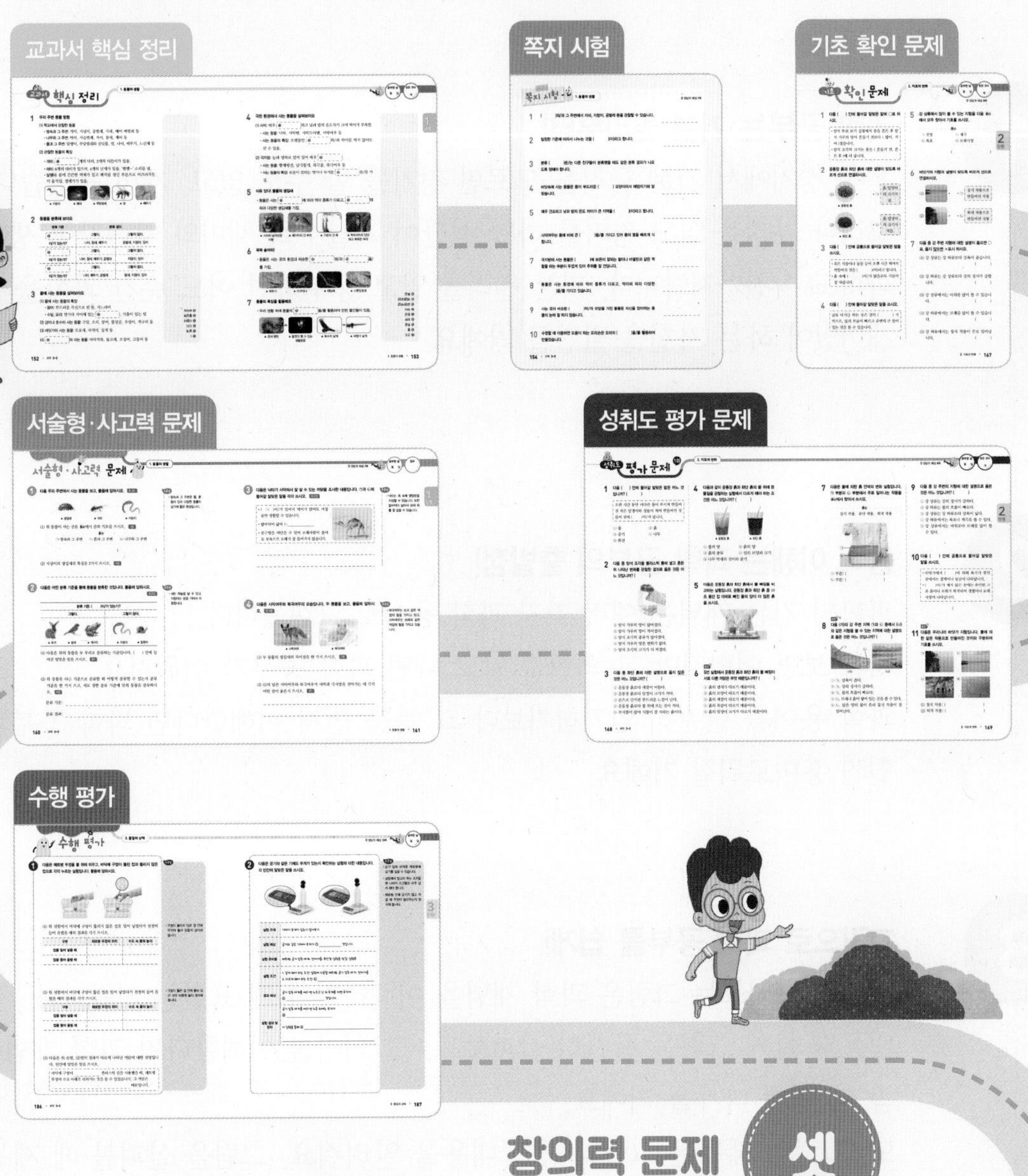

셋 창의력 문제

재미있고 다양한 창의력 문제로 창의력을 높여 봅니다.

과학 학습 비법

1

과학 공부는 기본 원리부터!

운동 경기에서 기본 규칙을 모르면 경기를 할 수도 없고, 재미도 없습니다.
그러나 규칙을 알고 경기를 하면 시간이 지날수록 재미와 자신감이 생겨요.
과학도 마찬가지랍니다. 기본 원리를 알고 공부하면 어느 순간 과학을
재미있어 하는 자신을 발견할 거예요.

2

용어 이해는 과학 공부의 출발점!

과학의 기본 개념은 여러 가지 과학 용어로 표현됩니다.
처음 보면 어렵지만 그 의미를 알고 나면 과학 공부가 쉬워져요.
과학 용어를 단순히 암기하기보다 그 뜻을 먼저 이해한다면 과학 공부가
훨씬 흥미로워질 거예요.

3

그림으로 과학 공부를 쉽게!

과학책에 나오는 그림은 과학 개념을 이해하기 쉽게 표현한 거랍니다.
내용과 함께 그림을 찬찬히 살펴보고, 그 의미를 이해한다면 과학 개념이
좀 더 쉽게 다가올 거예요.
또, 그림의 제목은 그림의 중요 내용을 알려줘요. 그림을 살펴볼 때 제목도
꼭 확인하도록 해요.

이 책의 차례

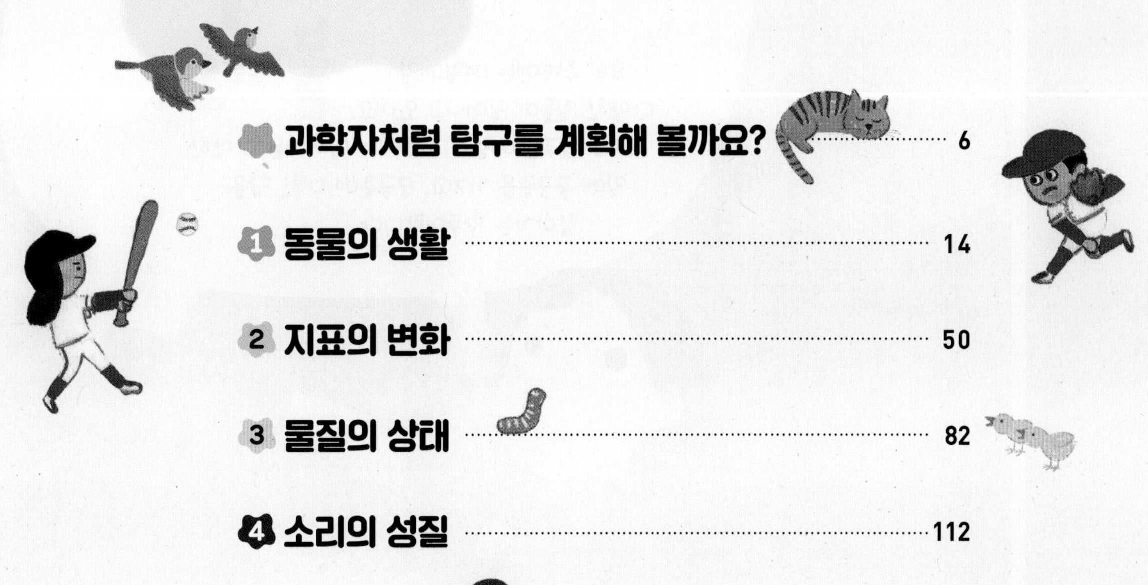

우리학교 시험대비 평가 문제

과학자처럼 탐구를 계획해 볼까요?

우리 주변에는 매일매일 다양한 일들이 일어나고 있어요.
과학 탐구는 이렇게 주변에서 일어나는 다양한 일에 궁금증을 가지고, 궁금증에 대한 답을 찾아가는 활동이랍니다.

주변에서 일어나는 다양한 일에 대해 궁금증을 가지고, 궁금증에 대한 답을 찾아가는 과정에서 새로운 과학 지식을 발견하거나 쌓아가는 활동을 과학 탐구라고 합니다.

평소 주변에서 일어나는 일에 대해 궁금했던 경험을 떠올려 보면서, 이에 대한 답을 찾는 과정인 과학 탐구 과정에 대해 생각해 봅니다.

깎은 사과의 색깔이 안 변하게 할 수는 없을까?

깎은 사과는 공기와 만나면 색이 갈색으로 변합니다. 따라서 공기를 차단하면 색이 변하는 것을 막을 수 있습니다.

과학자처럼 탐구를 계획해 볼까요?

1 과학 탐구와 과학 탐구 과정

과학 8~10쪽

과학 11~13쪽

(1) **과학 탐구:** 주변의 다양한 일에 대해 궁금증을 가지고, 그 궁금증에 대한 답을 찾으면서 새로운 과학 지식을 발견하거나 쌓아가는 활동입니다.

(2) **과학 탐구 과정:** 과학 탐구는 일반적으로 탐구 문제 정하기, 탐구 계획 세우기, 탐구 실행하기, 탐구 결과 발표하기의 과정을 거쳐 진행됩니다.

(3) **과학 탐구 과정의 특징:** 과학 탐구 과정은 순환적입니다. 탐구 뒤의 결과나 탐구 중 생긴 새로운 궁금증을 바탕으로 처음으로 되돌아가 새로운 탐구를 하거나 추가로 탐구할 수 있습니다.

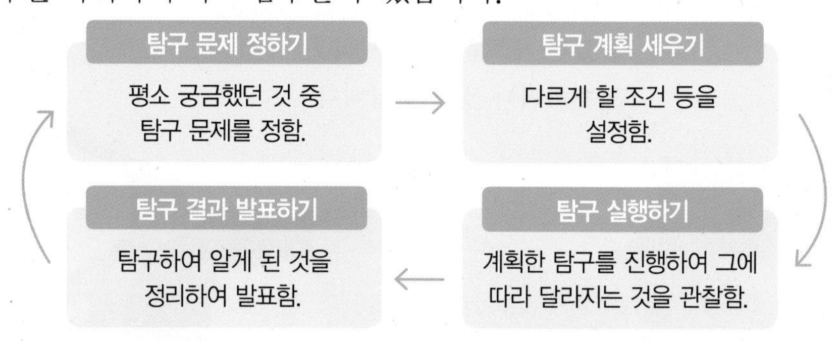

2 탐구 문제 정하기

과학 14~15쪽

(1) **탐구 문제 정하는 방법**

❶ 궁금한 것 떠올리기: 생활 속에서 관찰한 것이나 수업 시간에 배운 것 중 궁금했던 것을 기록해 두고 자유롭게 떠올립니다.
예 깎은 사과의 색깔이 안 변하게 할 수는 없을까?

❷ 탐구 문제 정하기: 떠올린 궁금증 중 한 가지를 골라 탐구 문제로 정합니다.
예 어떤 물질에 사과를 담그면 색깔이 잘 변하지 않을까? 도움 ❶

(2) **탐구 문제를 정할 때 유의할 점**

- 이미 답을 알고 있는 것이면 안 됩니다.
- 흥미와 호기심을 가질 수 있는 것이어야 합니다.
- 다른 사람들이 이해하기 쉽도록 간단하고 명확해야 합니다.
- 스스로 관찰이나 실험 등을 통해 확인이 가능한 것이어야 합니다.

3 탐구 계획 세우기

과학 16~17쪽

(1) **탐구 문제 해결 방법 정하기**

❶ 탐구 문제 해결을 위해 실험을 할 경우 어떻게 할지 먼저 정합니다.

❷ 다르게 해야 할 것과 그에 따라 달라지는 것이 무엇인지 생각합니다.

(2) **탐구 계획 세우기:** 탐구 문제, 탐구 문제를 해결할 방법(다르게 해야 할 것, 그에 따라 달라지는 것), 탐구 순서, 준비물, 예상 결과를 포함해야 합니다.

(3) **탐구 계획 확인하기:** 탐구 순서가 자세하고 실행 가능한지, 탐구 문제를 해결하기에 적절한지를 확인한 뒤 고쳐야 할 부분이 있다면 고칩니다.

4 탐구 실행하기

과학 18쪽

(1) **탐구 실행하기:** 탐구를 주의 깊게 실행하고, 관찰한 현상을 있는 그대로 빠짐없이 기록해야 합니다. 도움②

(2) **탐구를 하여 알게 된 것 정리하기:** 탐구 결과를 바탕으로, 탐구로 알게 된 사실을 정리합니다.

5 탐구 결과 발표하기

과학 19쪽

(1) **발표 방법 정하기:** 다른 사람들에게 쉽게 전달할 수 있는 발표 방법을 정합니다.

(2) **발표 자료 만들기**

- 발표 자료에 탐구 문제, 탐구한 사람, 탐구한 때와 장소, 준비물, 탐구 순서, 탐구 결과, 탐구하여 알게 된 것 등이 들어가도록 합니다.
- 다른 사람들에게 전달하기 쉽도록 표나 그림, 사진 자료를 활용할 수 있습니다.

(3) **탐구 결과 발표하기**

- 탐구 결과를 발표하고, 친구들의 질문에 대답합니다.
- 친구들이 발표할 때는 주의 깊게 듣고, 궁금한 것을 질문합니다.

도움① 탐구 문제 정하기

탐구 문제

- **탐구 가능한 문제:** 탐구 과정으로 답을 확인할 수 있는 문제
- **탐구 불가능한 문제:** 탐구 과정으로 답을 확인할 수 없는 자연 현상을 넘어선 문제, 개인 의견, 생각과 관련된 문제

도움② 탐구 실행 준비하기

- 준비물을 확인한 뒤 준비합니다.
- 실험하면서 결과를 기록할 수 있도록 기록장을 준비합니다.
- 탐구 계획서를 보고 빠진 것이 없는지 확인합니다.

정답과 해설 2쪽

1 다음 중 탐구를 실행하기 전에 해야 할 일을 옳게 설명한 사람을 골라 봅시다.

- **아띠:** 탐구 계획서는 확인할 필요가 없어.
- **민지:** 탐구 결과를 기록할 기록장을 준비해.

(　　　　　　　　　)

2 다음 중 발표 자료에 들어갈 내용으로 옳지 <u>않은</u> 것은 어느 것입니까? (　　　　)

① 탐구 장소　　② 탐구 결과
③ 탐구한 때　　④ 탐구한 사람
⑤ 탐구할 때 입은 옷의 색깔

관찰 예상 의사소통

실험 관찰 8~11쪽

과학자처럼 탐구를 계획해 볼까요?

탐구 활동 사과의 색깔 변화 막기

탐구 활동 도움말

이 탐구 활동은 봄이와 친구들이 가장 궁금해하는 것을 탐구 문제로 정해 탐구 계획을 세운 뒤 탐구 계획에 따라 탐구를 실행하고, 탐구 결과를 정리해 발표하는 활동입니다.

『실험 관찰』 꾸러미 69쪽 붙임딱지를 붙여요.

실험 기구를 조심히 다뤄요.

봄이와 친구들이 사이좋게 사과를 나눠 먹고 남은 사과 조각을 잠시 식탁에 두었어요. 그런데 시간이 지나면서 남은 사과 조각이 점점 갈색으로 변했어요.

보충해설

정한 탐구 문제가 탐구 가능한 문제인지, 직접 탐구로 확인할 수 있는 문제인지 확인해 보도록 합니다.

탐구 문제 정하기

1 다음 과정을 따라 탐구 문제를 정해 봅시다.

❶ 봄이와 친구들이 가장 궁금해하는 것을 써 봅시다.

예시 답안 사과의 색깔을 안 변하게 할 수는 없을까?

❷ ❶을 확인하기 위해 탐구를 계획한다면 탐구 문제를 무엇으로 정하면 좋을지 써 봅시다.

예시 답안 어떤 물질에 사과를 담그면 색깔이 잘 변하지 않을까?

❸ 탐구 문제로 정한 내용이 적절한지를 확인해 보고, 고쳐야 할 부분이 있다면 고쳐 봅시다.

확인할 내용

- 간단하고 명확한가요? (☑그렇다. ☐그렇지 않다.)
- 답을 이미 알고 있나요? (☐그렇다. ☑그렇지 않다.)
- 흥미와 호기심을 가질 수 있는 내용인가요? (☑그렇다. ☐그렇지 않다.)
- 관찰이나 실험 등 탐구 과정을 통해 확인이 가능한가요? (☑그렇다. ☐그렇지 않다.)

도움말

봄이와 친구들이 궁금해하는 것 외에 봄이와 친구들의 이야기를 읽고 각자가 궁금한 점, 떠오른 점을 바탕으로 탐구 문제를 정할 수도 있습니다.

탐구 계획 세우기

2 다음 과정을 따라 탐구 계획을 세워 봅시다.

❶ 봄이는 탐구를 통해 사과의 색깔이 변하는 것을 막을 방법을 찾기로 했어요. 탐구를 어떻게 실행할지 모둠원과 이야기를 나눠 봅시다.

예시 답안 여러 가지 물질에 사과를 담갔다가 꺼낸 뒤 시간에 따른 색깔 변화를 관찰해 어떤 물질에 담갔을 때 사과의 색깔이 잘 변하지 않는지 확인합니다.

빈칸을 채워 탐구 계획서를 완성해 봐요. 『실험 관찰』 꾸러미 70쪽 붙임딱지를 이용할 수 있어요.

❷ ❶에서 이야기 나눈 것을 바탕으로 탐구 문제 해결을 위한 탐구 계획을 세워 봅시다.

예시 답안 **과학 탐구 계획서**

탐구 문제	어떤 물질에 사과를 담그면 색깔이 잘 변하지 않을까?			
탐구 문제 해결 방법	다르게 해야 할 것	사과를 담그는 물질의 종류		
	그에 따라 달라지는 것	사과의 색깔 변화 정도		
탐구 순서	① 비커 5개에 각각 설탕물, 소금물, 수돗물, 레몬즙 탄 물, 추가로 정한 물질을 같은 양 넣습니다.	② 비커 5개에 같은 크기의 사과 조각을 각각 넣습니다.	③ 5분 뒤 비커에 담갔던 사과를 꺼내 색깔을 관찰하고, 결과를 기록해 봅시다.	④ 40분, 80분, 120분이 지난 뒤 사과의 색깔을 각각 관찰하고, 결과를 기록해 봅시다.
준비물	사과 조각 5개, 비커 5개, 수돗물, 소금물, 설탕물, 레몬즙 탄 물, 추가로 정한 물질(베이킹 소다를 탄 물), 초시계, 숟가락, 집게			
예상되는 결과	소금물에 담근 사과의 색깔이 가장 변하지 않을 것입니다.			

해결하려는 탐구 내용이 분명히 드러나게 씁니다.

탐구하면서 효과를 알아보려고 하는 것을 씁니다.

탐구에서 관찰, 측정해야 할 것을 씁니다.

다른 사람이 실행해도 같은 결과가 나올 수 있도록 쉽고, 자세하게 씁니다.

탐구를 실행할 때 무엇이 필요한지 자세히 씁니다.

탐구 결과가 어떻게 나올 것으로 예상하는지 씁니다.

❸ 탐구 계획이 적절한지를 확인해 보고, 고쳐야 할 부분이 있다면 고쳐 봅시다.

확인할 내용

▶ 탐구 순서가 자세하고, 실행 가능한가요? (☑그렇다. ☐그렇지 않다.)

▶ 탐구 문제를 해결하기에 문제점은 없나요? (☑그렇다. ☐그렇지 않다.)

도움말
작성한 탐구 순서가 자연스러운지, 정한 순서대로 실행했을 때 탐구 문제를 해결할 수 있는지도 생각해 보도록 합니다.

도움말
크기와 두께가 비슷한 사과 조각을 준비합니다.

보충해설
탐구 계획을 세울 때는 다른 사람이 계획만 읽고도 탐구의 내용을 쉽게 이해할 수 있도록 자세하게 써야 합니다.

사과를 담그는 물질의 종류와 시간은 상황에 맞게 바꿀 수 있어요. 또, 색깔의 변화 대신 변하기 시작한 시간을 측정할 수도 있어요.

탐구 실행하기

3 다음 과정을 따라 탐구를 실행해 봅시다.

도움말
- 사과를 흰 종이나 색깔 변화가 잘 드러날 수 있는 곳에 놓고 관찰합니다.
- 정한 시간 간격에 맞춰 같은 시각에 색깔이 변한 정도를 기록할 수 있도록 합니다.

❶ 탐구 계획에 따라 탐구를 실행하고, 그 결과를 그림이나 글로 기록해 봅시다.

예시 답안

	설탕물	소금물	수돗물	레몬즙 탄 물	베이킹 소다를 탄 물
5분	색깔 변화 없음.	색깔 변화 없음.	색깔 변화 없음.	색깔 변화 없음.	색깔 변화 없음.
40분	색깔 변화 없음.	색깔 변화 없음.	옅은 갈색	색깔 변화 없음.	갈색
80분	옅은 갈색	옅은 갈색	갈색	색깔 변화 없음.	짙은 갈색
120분	갈색	갈색	짙은 갈색	옅은 갈색	짙은 갈색

도움말
탐구를 하여 알게 된 것을 쓸 때는 탐구 결과의 요약이 아닌 탐구 문제에 대한 답을 써야 합니다.

❷ 탐구를 실행하기 전에 예상한 결과와 실제 탐구 결과를 비교해 보고, 탐구를 하여 알게 된 것을 써 봅시다.

예시 답안 레몬즙 탄 물에 담근 사과의 색깔이 가장 변하지 않았습니다.

❸ 탐구를 바르게 실행했는지 확인해 보고, 부족한 부분이 있다면 보완해 다시 탐구를 실행해 봅시다.

확인할 내용

- ▶ 탐구 계획대로 탐구를 실행했나요? (☑그렇다. ☐그렇지 않다.)
- ▶ 탐구 결과를 정확히 기록했나요? (☑그렇다. ☐그렇지 않다.)
- ▶ 탐구하여 알게 된 것이 탐구 문제에 대한 답이 되었나요? (☑그렇다. ☐그렇지 않다.)
- ▶ 안전에 주의하여 탐구를 실행했나요? (☑그렇다. ☐그렇지 않다.)

탐구 결과 발표하기

4 다음 과정을 따라 탐구 결과를 발표해 봅시다.

❶ 탐구 결과에 대한 발표 방법을 정하고, 아래의 내용이 들어가도록 발표 자료를 만들어 발표해 봅시다.

탐구 문제, 탐구한 사람, 탐구한 때와 장소, 준비물,
탐구 순서, 탐구 결과, 탐구하여 알게 된 것

도움말
다른 사람이 이해할 수 있게 쉬운 말로 풀어서 쓰며, 사진이나 그림과 같이 다른 사람들의 이해를 도울 수 있는 자료를 함께 활용해 봅니다.

❷ 표의 내용을 참고로 우리 모둠과 다른 모둠의 발표 내용을 평가하고, 다른 모둠의 발표에서 새롭게 알게 된 점과 잘한 점을 이야기해 봅시다.

예시 답안

구분	확인할 내용	우리 모둠	(2)모둠
탐구 문제	궁금한 것을 해결할 수 있는 탐구 문제였나요?	★★★	★★☆
	스스로 할 수 있는 탐구 문제였나요?	★★★	★★☆
탐구 계획 및 실행	탐구 계획이 탐구 문제를 해결하기에 적절했나요?	★★☆	★★★
	탐구 순서가 자세하고, 실행하기 쉬웠나요?	★★☆	★★★
탐구 결과 발표	발표 자료를 이해하기 쉽게 만들었나요?	★★★	★★★
	알맞은 목소리와 말투로 자신 있게 발표했나요?	★★★	★★★
다른 모둠의 탐구를 통해 새롭게 알게 된 점	예시 답안 우리 모둠은 오렌지 주스에 담가 보지 않았는데, 오렌지 주스에 담갔을 때도 사과의 색깔이 느리게 변한 것을 알 수 있었습니다. 결과를 발표할 때, 표를 이용하여 자료를 만들었더니 쉽게 이해가 되었습니다. 그래서 다음에는 그렇게 해 보고 싶습니다.		
다른 모둠의 잘한 점	예시 답안 탐구한 내용을 잘 이해할 수 있게 표를 이용해 발표 자료를 잘 만들었습니다. 탐구 순서가 매우 자세하여 처음 보는 것인데도 따라 할 수 있을 것 같았습니다.		

❸ 탐구를 실행하면서 궁금했던 것 중에 새롭게 탐구하고 싶은 것을 모둠원과 이야기하여 정해 봅시다.

예시 답안 사과를 썩지 않게 하려면 어떻게 보관하는 것이 가장 좋을까요?

이 단원에서 공부할 내용

1 동물의 생활

호랑이는 먹잇감이 눈치채지 못하게 다가가 사냥을 합니다. 커다란 크기의 호랑이가 어떻게 들키지 않는 것일까요? 지금부터 동물의 다양한 생김새와 생활 방식을 알아보아요.

단원 그림 도움말

단원 그림은 풀과 나무가 우거진 숲속에 있는 호랑이의 모습입니다. 호랑이는 사는 곳의 환경과 비슷한 털 색깔과 무늬, 날카로운 이빨과 발톱을 가지고 있습니다. 동물의 생김새를 떠올리면서 앞으로 배울 내용을 생각해 봅니다.

좀 더 설명할게요

호랑이는 사람은 들을 수 없지만 다른 동물은 들을 수 있는 소리와 온몸을 울릴 정도로 큰 울음소리를 함께 낼 수 있습니다. 따라서 다른 동물은 멀리 떨어진 곳에서도 호랑이의 울음소리를 들을 수 있다고 합니다.

질문과 답

나는 왜 날카로운 이빨과 발톱을 가지고 있을까요?

먹잇감을 사냥할 때와 사냥한 동물을 뜯어 먹기에 좋기 때문입니다.

과학 놀이터

과학 22~23쪽

동물이 나타났다

여러 가지 동물의 특징을 비교하며
놀이를 해 보아요.

과학 놀이터 도움말

놀이를 통해 각 동물의 특징을 비교하고 이해하는 활동입니다.

이렇게 해요

유의점

- 자리를 이동할 때 친구들끼리 다투거나 다치는 일이 없도록 사전에 규칙을 정하고, 규칙을 어겼을 때의 벌칙을 친구들과 함께 정합니다.

준비물 도움말

- 멀리서도 동물의 이름이 보이도록 종이에 글씨를 크게 씁니다.
- 의자를 동그랗게 놓고 의자 사이의 거리를 같게 합니다.

활동 도움말

① 동물 이름 하나를 종이에 적어 몸에 붙입니다. 내가 고른 동물의 특징을 생각해 봅시다.

도움말 동물을 선택할 때 희귀한 동물보다 생김새나 생활 방식을 잘 알고 있는 친숙한 동물로 선택합니다. 좋아하는 동물이나 직접 본 적이 있는 동물, 키워 본 적이 있는 동물로 선택하는 게 좋습니다.

질문

- 내가 선택한 동물의 특징과 비슷한 동물을 생각해 보아요.

나의 답 • 뱀은 다리가 없고 기어 다니는 특징이 있는데, 지렁이도 같은 특징이 있습니다.
• 장수풍뎅이는 단단한 껍질과 6개의 다리가 있는데, 사슴벌레, 하늘소, 노린재 등도 같은 특징이 있습니다.

1 우리 주변 동물 탐험

과학 24~25쪽

과학 26~27쪽

➲ 동물이 사는 곳

➲ 이 동물은 뭐지?

궁금해요

학교에서 관찰한 동물에 관해 이야기하며 동물의 특징을 비교해 봅니다.

질문 학교에는 어떤 동물이 살고 있을까요?

예시 답안 • 노린재와 잠자리가 살고 있습니다.
• 참새와 지렁이도 삽니다.

질문 학교에서 동물을 가장 많이 관찰할 수 있는 곳은 어디일까요?

예시 답안 연못가 주변, 풀밭, 나무 근처 등에서 가장 많이 관찰할 수 있을 것 같습니다.

탐구 활동 학교 안에 있는 동물 관찰하기

자세한 해설은 20~21쪽에 있어요.

● **무엇을 준비할까요?**

줄넘기, 각설탕, 곤충 젤리, 돋보기, 확대경

● **과정을 알아볼까요?**

1. 모둠별로 관찰 장소를 정한 뒤, 줄넘기를 큰 원이 되도록 놓아 봅시다.
2. 줄넘기 안에 각설탕, 곤충 젤리 등의 먹이를 놓아 봅시다.
3. 줄넘기 안에 모인 동물을 관찰하여 이름과 특징을 써 봅시다. 도움①
4. 연못이나 나무, 풀숲, 돌 아래, 땅속 등 다른 곳에 있는 동물을 더 찾아서 이름을 써 봅시다.

● **관찰 내용 및 결과를 정리해요**

➲ 학교 안에서 참새, 개미, 사마귀, 공벌레 등과 같은 동물을 관찰할 수 있습니다.

잠깐 퀴즈!

➲ 나무에서 볼 수 있는 동물의 이름을 두 가지 써 봅시다.

예시 답안 매미, 사슴벌레, 거미 중 두 가지

더 알아보기

집 주변에 살고 있는 동물을 조사하여 이름을 써 봅시다.

예시 답안 쥐며느리, 고양이, 개, 초파리, 비둘기 등

교과서 속 핵심 개념

● **학교에서 관찰할 수 있는 동물**

장소	동물
나무와 그 주변	매미, 거미, 사슴벌레, 참새, 제비 등
풀과 그 주변	달팽이, 무당벌레, 메뚜기, 노린재, 벌, 나비 등
땅속과 그 주변	매미 애벌레, 지네, 지렁이, 공벌레, 개미 등

도움 ① 우리 주변 동물의 특징

- **매미:** 6개의 다리, 4개의 날개가 있고 '맴맴' 소리를 냅니다.
- **거미:** 8개의 다리가 있고 거미줄을 만들어 먹잇감을 사냥합니다. 거미줄에 거꾸로 매달려 있습니다.
- **달팽이:** 배처럼 생긴 부분으로 미끄러지듯이 움직입니다. 몸에서 끈끈한 액체가 나옵니다.
- **무당벌레:** 몸은 빨간색 바탕에 검은색 무늬가 있습니다. 6개의 다리와 4개의 날개가 있습니다.
- **사슴벌레:** 4개의 날개와 6개의 다리가 있으며, 머리에는 집게 모양의 큰 턱과 더듬이 2개가 있습니다.
- **참새:** 2개의 날개가 있고, 몸이 깃털로 덮여 있습니다.
- **벌:** 6개의 다리와 투명한 4개의 날개가 있습니다. 노란색과 검은색 줄무늬로 된 배 끝에 침이 있습니다.
- **나비:** 4개의 날개와 6개의 다리, 2개의 더듬이가 있습니다. 날개는 노란 바탕에 검은 줄무늬가 있습니다. 날아다니며 꽃 속의 꿀을 긴 대롱 모양 입으로 빨아먹습니다.
- **노린재:** 납작한 방패 모양이며 6개의 다리, 4개의 날개가 있습니다.
- **지렁이:** 기다란 몸에 수많은 마디가 있습니다. 다리가 없으며, 기어서 이동합니다.
- **공벌레:** 건드리면 몸을 공처럼 둥글게 만듭니다. 몸에 여러 개의 마디가 있고, 다리가 많습니다. 몸은 회색을 띠고 있으며 돌 밑에 많습니다.
- **개미:** 6개의 다리, 2개의 더듬이가 있습니다. 땅속에 굴을 파고 삽니다. 종류에 따라 생김새와 크기가 다르며 날개가 달린 개미도 있습니다.
- **제비:** 몸의 위쪽은 대부분 검은색이고, 배 쪽은 흰색입니다. 2개의 꼬리 깃털은 V자 모양을 하고 있습니다.
- **지네:** 몸에 수많은 마디가 있으며, 마디마다 2개의 다리가 붙어 있어 다리가 매우 많습니다.
- **메뚜기:** 6개의 다리 중 뒤쪽 2개의 다리는 다른 다리보다 길어서 높이 뛸 수 있습니다.

스스로 확인해요

- **학교 안에 있는 동물을 관찰하고 특징을 찾을 수 있어요.**
  도움말 탐구 활동 과정과 실험 관찰에 쓴 내용을 통해 스스로 점검합니다.
- **동물이 다치지 않도록 조심해서 관찰했어요.**
  도움말 야외 활동할 때 동물을 관찰하는 모습을 떠올려 확인하도록 합니다.

정답과 해설 2쪽

교과서 개념 확인 문제

1 다음 중 학교 화단에서 볼 수 없는 동물은 어느 것입니까? (　　　)

① 개미
② 공벌레
③ 지렁이
④ 소금쟁이
⑤ 무당벌레

2 다음 (　　) 안에 들어갈 알맞은 말을 써 봅시다.

> 참새는 몸이 (　　　　)(으)로 덮여 있고, 부리로 먹이를 먹습니다.

(　　　　　　　　　)

3 다음 중 나무와 그 주변에서 볼 수 없는 동물은 어느 것입니까? (　　　)

① 매미
② 거미
③ 제비
④ 참새
⑤ 메뚜기

4 다음 (　　) 안에 들어갈 알맞은 말을 써 봅시다.

> 주변에서 동물을 많이 볼 수 있는 장소는 동물이 숨기 좋으며 (　　　　)이/가 많고, 동물이 쉬거나 집을 지을 수 있는 곳입니다.

(　　　　　　　　　)

실험 관찰

관찰 의사소통

실험 관찰 14~15쪽

1 우리 주변 동물 탐험

탐구 활동 학교 안에 있는 동물 관찰하기

탐구 활동 도움말

이 탐구 활동은 모둠별로 학교 안에 살고 있는 동물을 찾아보고, 동물의 종류와 사는 곳이 어디인지 알아보는 활동입니다.

『실험 관찰』 꾸러미 69쪽 붙임딱지를 붙여요.

활동 뒤 주변을 잘 정리해요.

1 모둠별로 관찰 장소를 정한 뒤, 줄넘기를 큰 원이 되도록 놓아 봅시다.

예시 답안

줄넘기 놓아둔 곳

큰 나무 옆 풀숲

도움말

관찰 장소는 다양한 장소로 정해 모둠별로 겹치지 않도록 하는 것이 좋습니다.

무엇을 준비할까요?

준비물에 ○ 표시를 하면서 확인해 봅시다.

줄넘기

각설탕

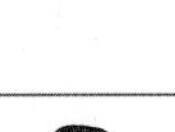

곤충 젤리

돋보기

확대경

도움말

각설탕 대신 가루 설탕으로 준비해도 좋습니다. 가루 설탕으로 준비할 경우 숟가락도 함께 준비합니다.

도움말

곤충 젤리는 장수풍뎅이나 사슴벌레 먹이용 젤리로, 모둠별로 3개~4개 준비합니다.

도움말

확대경은 모둠별로 1개씩 준비해서 동물을 가두고 관찰할 때 사용합니다.

줄넘기로 관찰 장소를 표시해 보아요.

2 줄넘기 안에 각설탕, 곤충 젤리 등의 먹이를 놓아 봅시다.

3 줄넘기 안에 모인 동물을 관찰하여 이름과 특징을 써 봅시다.

예시 답안

동물 이름	특징
예 참새	날아다닙니다. 다리가 2개 있습니다. 몸이 깃털로 덮여 있습니다.
개미	더듬이는 2개, 다리는 6개 있습니다.
사마귀	삼각형 머리에 더듬이 2개가 있습니다. 6개의 다리 중 2개의 앞다리는 낫처럼 생겼습니다.
공벌레	건드리면 몸을 둥글게 말아서 공처럼 됩니다. 다리가 매우 많습니다. 더듬이가 2개 있습니다.
박새	크기가 참새보다 작습니다. 머리에는 검은색과 흰색 털이 있고, 몸은 연한 회색을 띱니다.
노린재	몸이 방패 모양으로 생겼고, 6개의 다리와 2개의 더듬이가 있습니다.
직박구리	전체적으로 회색과 갈색의 털로 되어 있습니다. 부리는 뾰족하여 검은색입니다.

도움말

동물을 함부로 만지지 않고, 동물이 다치지 않게 조심합니다. 동물의 생김새뿐만 아니라 동물이 움직이는 모습, 소리 등도 기록합니다.

4 연못이나 나무, 풀숲, 돌 아래, 땅속 등 다른 곳에 있는 동물을 더 찾아서 이름을 써 봅시다.

예시 답안

사는 곳: 돌 아래

동물 이름: 공벌레, 지렁이, 개미 등

예시 답안

사는 곳: 연못

동물 이름: 소금쟁이, 붕어, 개구리 등

도움말

이름을 모르는 동물은 사진기로 찍고, 그 동물의 특징을 씁니다. 활동이 끝난 뒤 교실로 돌아가 동물도감에서 이름을 찾아봅니다.

이렇게 ○○ 정리해요

학교에서 관찰한 동물을 이야기해 봅시다.

예시 답안

▶ 우리 학교 안에서는 [개미, 공벌레, 지렁이] 와/과 같은 동물을 관찰할 수 있습니다.

2 동물을 분류해 보아요

과학 28~29쪽

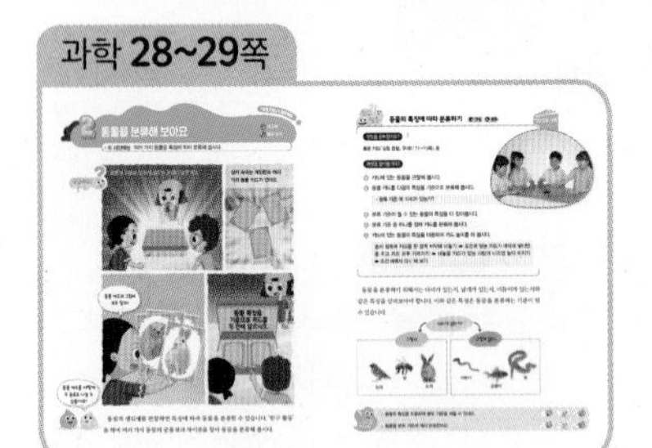

궁금해요

동물을 두 종류로 분류할 수 있는 기준을 생각해 봅니다.

질문 동물 카드를 어떻게 두 종류로 나눌 수 있을까요? 도움①

예시 답안
- 동물 카드 속 동물의 특징을 기준으로 나눕니다.
- 동물 카드 속 동물을 보고 공통점과 차이점을 찾아봅니다.

탐구 활동 동물의 특징에 따라 분류하기

자세한 해설은 24~25쪽에 있어요.

- **무엇을 준비할까요?**

동물 카드, 종

- **과정을 알아볼까요?**

① 카드에 있는 동물을 관찰해 봅시다.
② 동물 카드를 다음의 특징을 기준으로 분류해 봅시다.

> 분류 기준 예: 다리가 있는가?

③ 분류 기준이 될 수 있는 동물의 특징을 더 찾아봅시다. 도움②
④ 분류 기준 중 하나를 정해 카드를 분류해 봅시다.
⑤ 카드에 있는 동물의 특징을 이용하여 카드 놀이를 해 봅시다.

> 순서 정하여 카드를 한 장씩 바닥에 내놓기 ➡ 조건에 맞는 카드가 바닥에 쌓이면 종 치고 카드 모두 가져가기 ➡ 내놓을 카드가 없는 사람이 나오면 놀이 마치기 ➡ 조건 바꿔서 다시 해 보기

➡ 펭귄

- **관찰 내용 및 결과를 정리해요**

➡ 분류 기준은 다른 친구들이 분류했을 때도 분류 결과가 같아야 합니다.

➡ 동물을 분류하는 기준으로는 '다리가 있는가?', '알을 낳는가?', '더듬이가 있는가?', '다른 동물을 잡아먹는가?' 등이 있습니다.

➡ 곤충

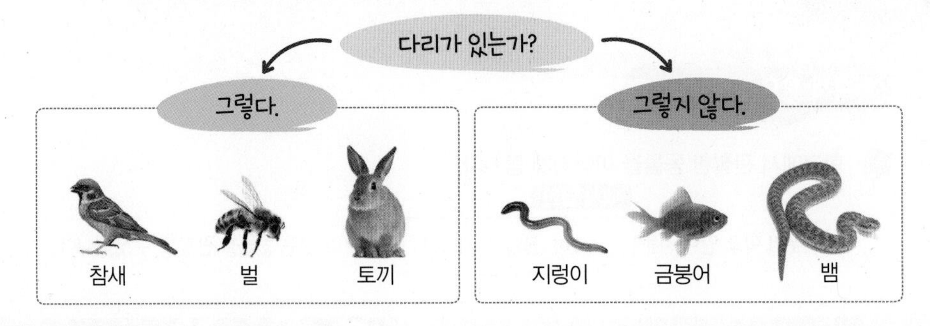

교과서 속 핵심 개념

- **분류 기준은 다른 친구들이 분류했을 때도 같은 분류 결과가 나오게 정해야 함.**
- **분류 기준 예:** 다리가 있는가?, 날개가 있는가?, 더듬이가 있는가?, 지느러미가 있는가? 등

교과서 개념 확인 문제

도움 ① 동물 카드를 어떻게 두 종류로 나눌 수 있을까요?

- 알을 낳는 동물과 그렇지 않은 동물로 나눕니다.
- 날개가 있는 동물과 날개가 없는 동물로 나눕니다.
- 새끼를 낳는 동물과 그렇지 않은 동물로 나눕니다.
- 다리의 개수가 6개인 동물과 그렇지 않은 동물로 나눕니다.

도움 ② 여러 가지 동물 분류

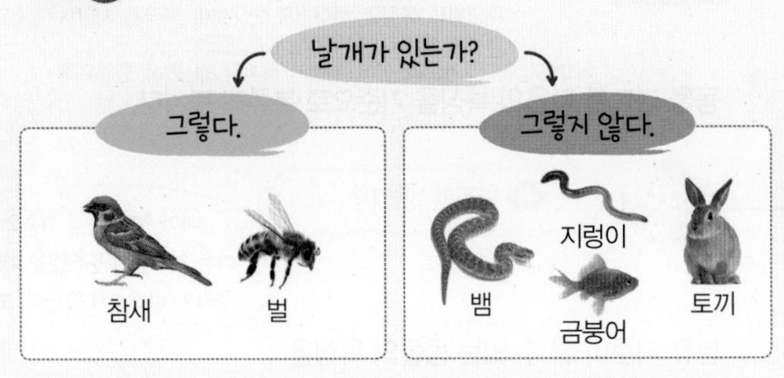

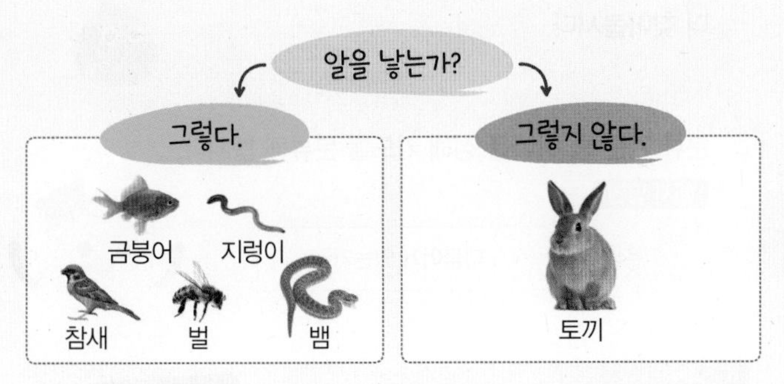

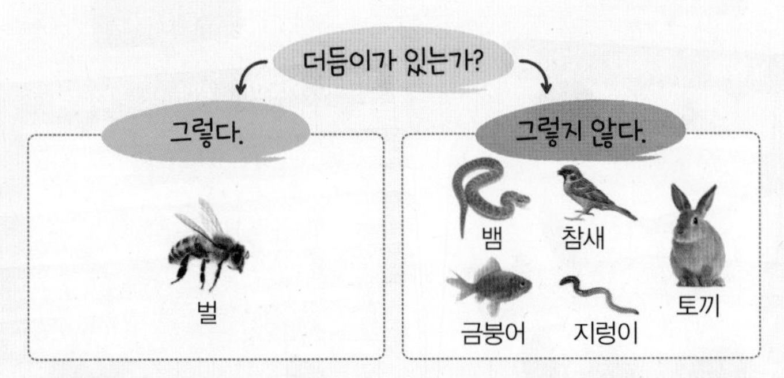

스스로 확인해요

- **동물의 특징을 이용하여 분류 기준을 세울 수 있어요.**
  도움말 다른 친구들이 분류했을 때도 같은 분류 결과가 나오는 분류 기준을 세울 수 있는지 확인합니다.
- **동물을 분류 기준에 따라 분류했어요.**
  도움말 분류 기준에 따라 동물을 바르게 분류했는지 확인합니다.

1~2 다음은 어떤 분류 기준으로 동물을 분류한 것입니다. 물음에 답하시오.

[분류 기준] ( )	
그렇다.	그렇지 않다.
거미, 공벌레	달팽이, 지렁이

1 ( )에 들어갈 동물을 분류하는 기준으로 옳은 어느 것입니까? ( )

① 알을 낳는가?
② 다리가 있는가?
③ 날개가 있는가?
④ 새끼를 낳는가?
⑤ 더듬이가 있는가?

2 1번의 답을 기준으로 분류할 때, 뱀은 '그렇다.'와 '그렇지 않다.' 중 어느 분류에 들어갈 수 있는지 써 봅시다.

( )

3 다음 중 동물을 분류할 수 있는 기준으로 적합한 것은 ○표, 적합하지 않은 것은 ×표해 봅시다.

(1) 더듬이가 있는가? ( )

(2) 귀의 모양이 예쁜가? ( )

(3) 온몸이 털로 덮여 있는가? ( )

실험 관찰

관찰 분류

실험 관찰 16~17쪽

2 동물을 분류해 보아요

탐구 활동 동물의 특징에 따라 분류하기

탐구 활동 도움말

이 탐구 활동은 동물 카드를 동물의 특징별로 분류하고, 카드 놀이를 하면서 동물의 특징을 이해하는 활동입니다.

도움말

한 사람씩 돌아가며 그 동물의 특징을 이야기해 보도록 합니다.

「실험 관찰」 꾸러미 69쪽 붙임딱지를 붙여요.

동물 카드끼리 섞이지 않게 해요.

무엇을 준비할까요?

준비물에 ◯ 표시를 하면서 확인해 봅시다.

동물 카드 (「실험 관찰」 꾸러미 71~73쪽)

종

1 카드에 있는 동물을 관찰해 봅시다.

예시 답안
- 그렇다.: 개구리, 공벌레, 나비, 노린재, 다람쥐, 도마뱀, 딱따구리, 메뚜기, 무당벌레, 물장군, 바다거북, 반딧불이, 북극곰, 사막여우, 수달, 앵무새, 왜가리, 직박구리, 집게, 펭귄
- 그렇지 않다.: 가오리, 잉어, 지렁이, 바지락, 뱀, 연어, 향유고래

2 동물 카드를 다음의 특징을 기준으로 분류해 봅시다.

예 다리가 있는가?

내가 정한 분류 기준으로 다른 친구들이 분류했을 때 같은 결과가 나오는지 확인해 보세요.

3 분류 기준이 될 수 있는 동물의 특징을 더 찾아봅시다.

4 분류 기준 중 하나를 정해 카드를 분류해 봅시다.

예시 답안

분류 기준: 더듬이가 있는가?

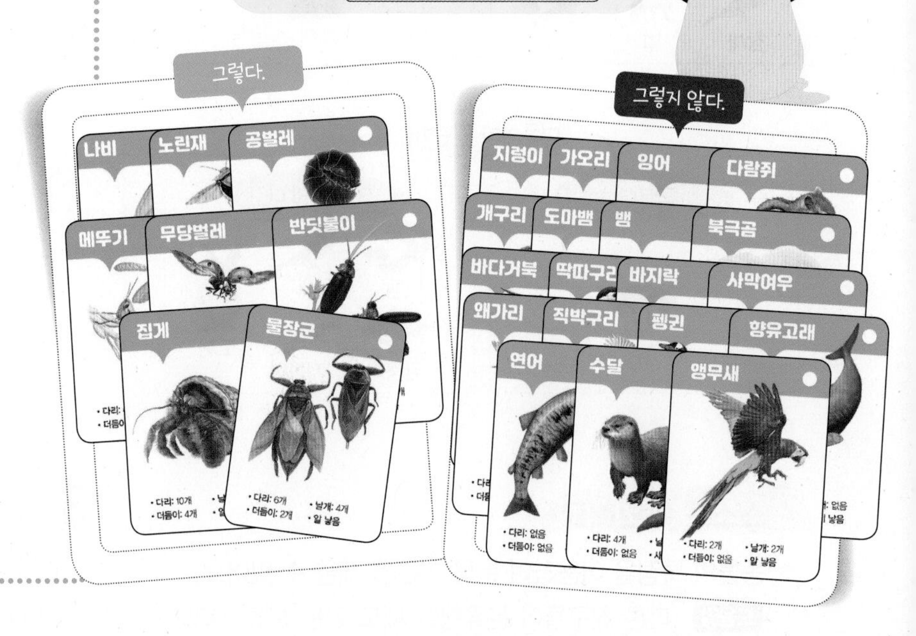

5 카드에 있는 동물의 특징을 이용하여 카드 놀이를 해 봅시다.

❶ 모두의 카드를 골고루 섞은 뒤, 똑같이 나눠 갖습니다.

도움말
시간이 부족할 경우에는 한 사람의 동물 카드만 가지고 할 수도 있습니다.

❷ 카드의 동물이 보이지 않게 뒤집어서 자신의 앞에 두고, 순서를 정합니다.

❸ 순서대로 한 명씩 돌아가며 카드를 한 장씩 바닥에 내놓습니다.

❹ 조건에 맞는 카드가 바닥에 쌓이면 재빨리 종을 치고 바닥의 카드를 모두 가져갑니다.

조건:
다리가 있는
동물 카드 3장

❺ 다시 조건에 맞는 카드가 쌓일 때까지 순서대로 카드를 한 장씩 냅니다.

❻ 내놓을 카드가 없는 사람이 나오면 놀이를 마칩니다.

❼ 조건을 바꿔서 카드 놀이를 한 번 더 해 봅니다.

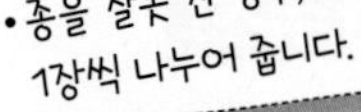

규칙
- 카드는 동물이 보이게 내놓습니다.
- 종을 잘못 친 경우, 모든 사람에게 자신의 카드를 1장씩 나누어 줍니다.

도움말
카드놀이가 끝난 뒤, 조건을 다르게 바꿔 카드놀이를 계속할 수도 있습니다.
[조건의 예]
- 다리가 4개인 동물 카드 3장
- 날개가 있는 동물 카드 5장

이렇게 ○○ 정리해요

동물을 분류하는 기준을 한 가지 이야기해 봅시다.

예시 답안
- 다리가 있는가?
- 새끼를 낳는가?
- 날개가 있는가?
- 온몸이 털로 덮여 있는가?
- 알을 낳는가?
- 다른 동물을 잡아먹는가?

3 물에 사는 동물을 살펴보아요

과학 30~31쪽

과학 32~33쪽

➲ 고래

➲ 물에 사는 동물의 몸

궁금해요

수달의 발가락 모습을 관찰하고 물갈퀴가 언제 도움이 될지 생각해 봅니다.

질문 수달은 발가락을 벌리면 발가락 사이의 물갈퀴가 펼쳐져요. 물갈퀴는 언제 도움이 될까요?

예시 답안
- 발에 물갈퀴가 있으면 힘을 덜 들이고 헤엄칠 수 있습니다.
- 물갈퀴가 없는 동물보다 더 빠르게 헤엄칠 수 있습니다.

해 보기 물에 사는 동물의 특징 알아보기

- **무엇을 준비할까요?**

나무 막대, 넓은 테이프, 물, 수조, 가위

- **어떻게 할까요?**

① 나무 막대를 부채 모양으로 펼친 뒤, 물에서 저어 봅시다.

② 나무 막대에 넓은 테이프를 붙여 물갈퀴처럼 만든 뒤, 물에서 저어 봅시다.

③ 과정 ①과 ②에서 물의 흐름을 비교 관찰하고, 물갈퀴가 있어 좋은 점을 이야기해 봅시다. 도움①

➲ 막대 3개에 테이프를 붙여 물에서 저었을 때 물이 더 많이 출렁거렸습니다.

④ 물에 사는 동물의 생김새를 조사하여 물갈퀴와 같이 물에서 살아가기에 알맞은 특징을 이야기해 봅시다. 도움②

➲ 물에 사는 동물은 지느러미가 있고, 몸이 부드러운 곡선 모양이어서 헤엄치기에 좋습니다. 또한, 털에 기름기가 있어 물에 잘 젖지 않는 동물도 있습니다.

잠깐 퀴즈!

➲ 바닷속에 사는 동물은 몸이 부드러운 (곡선) 모양으로 물속에서 헤엄치며 이동하기에 알맞습니다.

교과서 속 핵심 개념

- **물에 사는 동물의 특징:** 물고기는 몸이 부드러운 곡선이고 지느러미가 있음. 수달과 오리는 물갈퀴, 기름기 있는 털이 있음.

장소	동물
강이나 호수에 사는 동물	수달, 오리, 붕어, 미꾸라지, 물장군, 소금쟁이, 우렁이, 개구리, 황새 등 도움③
바닷가에 사는 동물	도요새, 갯강구, 따개비, 집게, 농게, 갯지렁이, 낙지, 망둑어 등
바닷속에 사는 동물	바다거북, 돌고래, 오징어, 고등어, 해파리, 가오리, 불가사리, 전복, 산호, 참고래 등 도움④

정답과 해설 2쪽

교과서 개념 확인 문제

도움 ① 물과 땅을 오가며 사는 동물의 물갈퀴

물갈퀴가 있으면 적은 힘으로 물을 밀어낼 수 있어 헤엄치기 쉽습니다.

▲ 수달의 발

▲ 오리의 발

▲ 개구리 뒷발

도움 ② 물에 사는 동물의 특징

▲ 부드러운 곡선으로 된 몸

▲ 기름기가 있어 물에 잘 젖지 않는 털 (예 수달, 오리)

▲ 헤엄치는 데 도움을 주는 지느러미

도움 ③ 강이나 호수에 사는 동물

- **수달:** 몸이 물에 젖지 않게 하고, 몸의 온도가 떨어지지 않도록 해 주는 털가죽으로 덮여 있으며, 물속에서 닫히는 귓구멍과 콧구멍이 있습니다.
- **오리:** 깃털이 빽빽해서 온도를 유지하기 쉽습니다.
- **붕어:** 몸이 옆으로 납작해서 물속에서 살며 헤엄치기 좋습니다.

도움 ④ 바닷속에 사는 동물

- **바다거북:** 헤엄을 잘 치기 위해 다리가 지느러미로 되어 있고, 몸이 납작한 형태로 되어 있어 육지 거북과 달리 머리와 다리를 등껍데기로 집어넣지 못합니다.
- **오징어:** 물을 내뿜으며 헤엄칩니다. 달라붙기 쉬운 다리가 있어 먹이를 잡을 수 있습니다.

스스로 확인해요

- **물에 사는 동물의 종류를 이야기할 수 있어요.**
  도움말 강과 호수에서 사는 동물, 바다에서 사는 동물의 이름을 각각 두 가지 이상 이야기해 봅니다.
- **물에 사는 동물의 특징을 실험으로 확인했어요.**
  도움말 실험 결과를 토대로 물에 사는 동물이 물갈퀴가 있어 어떤 점이 좋은지 이야기해 봅니다. 물갈퀴 외에 물에 사는 동물의 특징도 설명해 봅니다.

1 다음 중 강이나 호수에 사는 동물이 아닌 것은 어느 것입니까? (　　　)

① 
▲ 오리

② 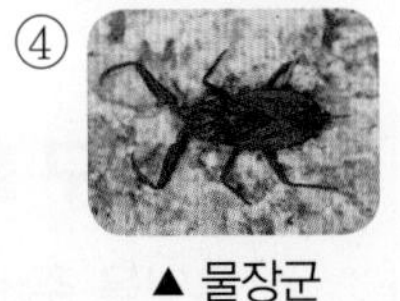
▲ 개구리

③ 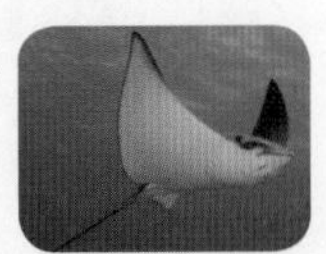
▲ 가오리

④
▲ 물장군

⑤ 
▲ 소금쟁이

2 다음은 물에 사는 동물의 특징에 대한 설명입니다. 옳은 것은 ○표, 옳지 않은 것은 ×표해 봅시다.

(1) 수달은 물갈퀴가 있어 헤엄치기에 어렵습니다. (　　　)

(2) 물고기는 지느러미가 있어 물속에서 헤엄치며 이동하기에 알맞습니다. (　　　)

(3) 오리는 털에 기름기가 있어 물에 잘 젖지 않아 물에서 생활하기 좋습니다. (　　　)

3 다음 중 물속에서 사는 동물의 공통된 특징은 어느 것입니까? (　　　)

① 다리로 기어 다닌다.
② 날개가 있어 날아다닌다.
③ 모든 동물에게 물갈퀴가 있다.
④ 부드러운 곡선으로 된 몸을 가지고 있다.
⑤ 큰 귀를 가지고 있어 작은 소리도 들을 수 있다.

4 극한 환경에서 사는 동물을 살펴보아요

과학 34~35쪽

과학 36~37쪽

➲ 사막에 적응한 낙타

➲ 추운 환경에 적응한 동물

궁금해요

덥고 건조한 사막에 사는 동물에는 어떤 것이 있고, 또 사막의 동물은 어떤 특징이 있는지 알아봅니다. 도움①

질문 사막에 사는 동물은 어떤 특징이 있을까요?

예시 답안 물과 먹이를 오랫동안 먹지 않아도 살 수 있어야 하며, 더위와 추위를 모두 피할 수 있어야 합니다.

탐구 활동 추운 환경에서 사는 동물의 특징 알아보기

자세한 해설은 30~31쪽에 있어요.

- 무엇을 준비할까요?

바셀린, 지퍼 백, 얼음, 물, 수조, 숟가락, 실험용 장갑

- 과정을 알아볼까요?

① 지퍼 백에 바셀린을 절반 정도 넣습니다.
② 바셀린이 든 지퍼 백 안에 다른 빈 지퍼 백을 넣습니다.
③ 지퍼 백과 지퍼 백 사이에 바셀린이 골고루 퍼지도록 합니다.
④ 한 손은 빈 지퍼 백, 다른 한 손은 바셀린이 담긴 지퍼 백에 넣고 두 손을 얼음물에 담가 봅시다.
⑤ 피부에 바셀린과 같은 역할을 하는 부분이 많아서 몸의 온도를 잘 유지할 수 있는 동물을 조사해 봅시다.
⑥ 극지방에 사는 동물이 추운 환경에서 살아가기에 알맞은 특징을 더 조사하여 이야기해 봅시다.

- 관찰 내용 및 결과를 정리해요

➲ 빈 지퍼 백에 넣었던 손은 차갑지만, 바셀린이 든 지퍼 백에 넣었던 손은 덜 차갑습니다.

➲ 추운 환경에서 사는 동물은 피부에 보온이 잘 되는 털이나 바셀린과 같은 역할을 하는 부분이 두껍게 있어 추위를 견딜 수 있습니다.

잠깐 퀴즈!

➲ 낙타는 등에 (혹)이/가 있어서 며칠 동안 물과 먹이가 없어도 생활하며, 사막여우는 큰 (귀)을/를 가지고 있어 몸의 열을 빠르게 식힙니다.

교과서 속 핵심 개념

- **사막에 사는 동물의 특징:** 몸속의 물이 잘 빠져나가지 않음. 오랫동안 물을 마시지 않아도 살 수 있음.
- **극지방에 사는 동물의 특징:** 피부 아래에 바셀린 역할을 하는 부위가 두껍게 있어서 몸속의 열이 밖으로 잘 빠져나가지 않음. 몸의 색깔이 눈이나 빙하와 비슷해 먹잇감이나 자신을 잡아먹는 동물의 눈에 덜 띔. 도움②

도움 ① 사막에 사는 동물의 특징

- **낙타:** 귓구멍이 작고, 입구에 털이 많아 귓속으로 모래가 잘 들어가지 않습니다. 또한 속눈썹이 길고 많아서 눈에 모래가 잘 들어가지 않습니다.
- **사막여우:** 모래와 비슷한 색깔의 털을 가져 적의 눈에 잘 띄지 않습니다. 또한 귓속에 털이 많이 있어 모래바람이 불어도 귓속으로 모래가 잘 들어가지 않습니다. 사막여우의 큰 귀는 작은 소리도 잘 들을 수 있어 먹잇감을 찾기에 좋습니다.
- **사막딱정벌레:** 사막딱정벌레가 사는 나미브 사막은 해안가에 위치한 사막으로, 기온이 낮은 새벽에는 안개가 생깁니다. 사막딱정벌레는 새벽에 모래 언덕 위로 올라가 몸을 거꾸로 세운 채 몸에 물이 맺히기를 기다려 물을 먹습니다.
- **사막뱀:** 매우 빠르게 이동하여 몸이 뜨거운 모래에 잘 닿지 않게 합니다.
- **사막도마뱀:** 뜨거운 모래 위에 닿은 발을 식히기 위해 오른쪽 발과 왼쪽 발을 번갈아 들어 올립니다.

도움 ② 극지방에 사는 동물의 특징

- **황제펭귄:** 둥굴게 모여 서로의 몸을 붙인 채 몸의 열을 나눠 가집니다. 가장 안쪽은 추위에 약한 새끼들을 두고, 그 주변은 어른 펭귄들이 에워싸고 있습니다.
- **향유고래:** 극지방에서는 몸의 크기가 클수록 추위를 잘 견딥니다. 향유고래의 몸길이는 11 m~16 m로 추위를 견디기에 좋습니다.
- **북극곰:** 온몸의 털이 두 겹으로 나 있어 추위를 견디기에 좋습니다. 특히 발바닥에도 털이 많이 있어 차가운 얼음 위를 걸을 수 있고, 미끄러지지 않습니다.
- **북극여우:** 귀의 크기가 작아서 몸속의 열이 귀를 통해 덜 빠져나갑니다.

스스로 확인해요

- **덥고 건조한 환경에서 사는 동물의 특징을 설명할 수 있어요.**
  도움말 낙타와 사막여우가 덥고 건조한 환경에서 살아가기 위해 어떤 특징을 갖는지 설명합니다.
- **추운 환경에서 사는 동물의 특징을 조사했어요.**
  도움말 추운 환경에서 사는 동물의 공통점을 정확하게 정리했는지 확인합니다.

정답과 해설 2쪽

교과서 개념 확인 문제

1 다음 보기에서 사막여우가 사막에서 살아가기 알맞은 특징을 찾아서 기호를 쓰시오.

보기
ㄱ 귓속에 털이 없어서 귓속으로 모래가 들어가지 않는다.
ㄴ 몸에 비해 귀가 작아서 몸 안의 열을 빠르게 식힐 수 있다.
ㄷ 몸의 색깔이 모래의 색깔과 비슷해서 적의 눈에 잘 보이지 않는다.

( )

2 다음 중 낙타의 특징에 대한 설명으로 옳은 것은 어느 것입니까? ( )

① 발바닥이 뾰족하다.
② 몸에 비해 귀가 크다.
③ 몸에 비해 다리가 짧다.
④ 콧속으로 모래가 잘 들어간다.
⑤ 혹이 있어 며칠 동안 물과 먹이가 없어도 생활한다.

3 다음은 손을 바셀린이 든 지퍼 백과 빈 지퍼 백에 넣고, 각 지퍼 백을 얼음물에 담근 모습입니다. 두 지퍼 백 중 손이 덜 차가운 쪽은 어느 것입니까?

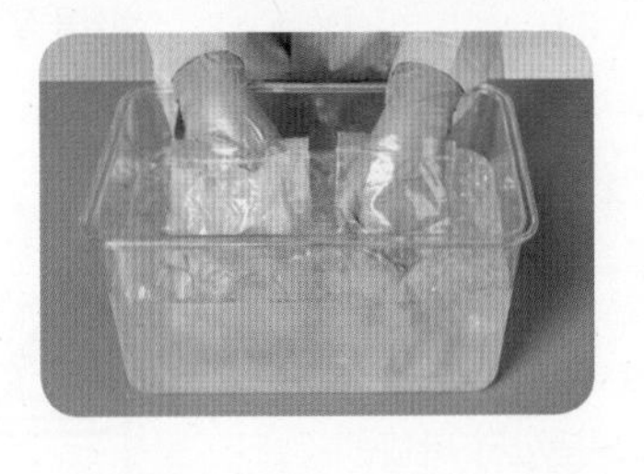

( )

4 ( ) 안에 들어갈 알맞은 말을 써 봅시다.

남극과 북극 지방에는 추위를 잘 견딜 수 있는 동물이 살아갑니다. 이들은 보온이 잘되는 ( )(이)나 두꺼운 피부를 가지고 있습니다.

실험 관찰

관찰 의사소통

실험 관찰 18~19쪽

4 극한 환경에서 사는 동물을 살펴보아요

탐구 활동 추운 환경에서 사는 동물의 특징 알아보기

탐구 활동 도움말

이 탐구 활동은 바셀린을 이용한 체험 활동을 통해 극지방에 사는 동물이 추운 환경에서 살 수 있는 까닭을 알아보는 활동입니다.

도움말

지퍼 백 안의 바셀린의 두께가 2 cm 이상이어야 보온 효과를 느낄 수 있습니다.

도움말

지퍼 백은 자신의 손만 들어갈 정도로 작은 크기가 좋습니다. 모둠별로 4장씩, 모두 같은 크기로 준비합니다.

도움말

바셀린이 든 지퍼 백 안에 빈 지퍼 백을 넣은 뒤, 바셀린이 빈 지퍼 백 주변을 감싸게 손으로 잘 눌러서 펼쳐 줍니다. 지퍼 백의 윗부분까지 바셀린이 감싸게 펼쳐 줍니다.

『실험 관찰』 꾸러미 69쪽 붙임딱지를 붙여요.

바셀린을 주변에 묻히지 마세요.

무엇을 준비할까요?

준비물에 ◯ 표시를 하면서 확인해 봅시다.

바셀린

지퍼 백

얼음

물

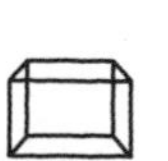
수조

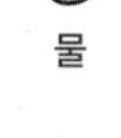
숟가락

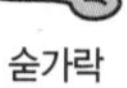

실험용 장갑

1 지퍼 백에 바셀린을 절반 정도 넣습니다.

2 바셀린이 든 지퍼 백 안에 다른 빈 지퍼 백을 넣습니다.

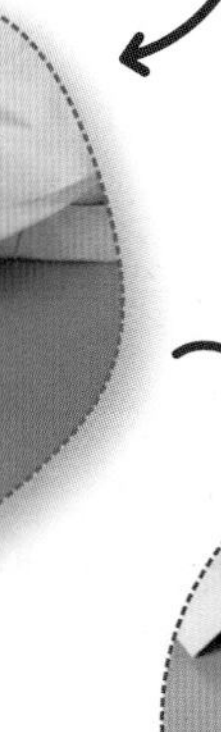

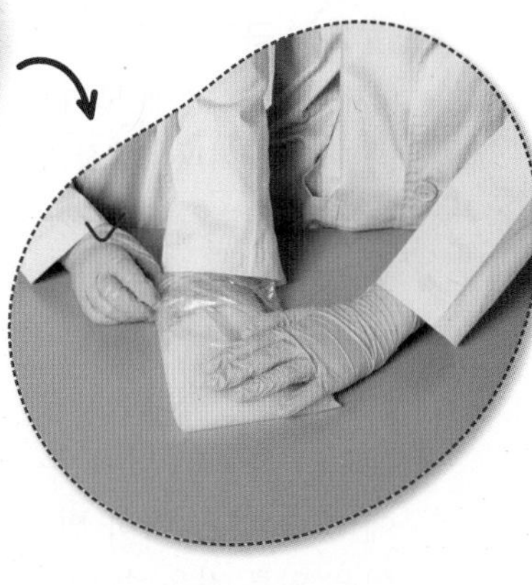

3 지퍼 백과 지퍼 백 사이에 바셀린이 골고루 펴지도록 합니다.

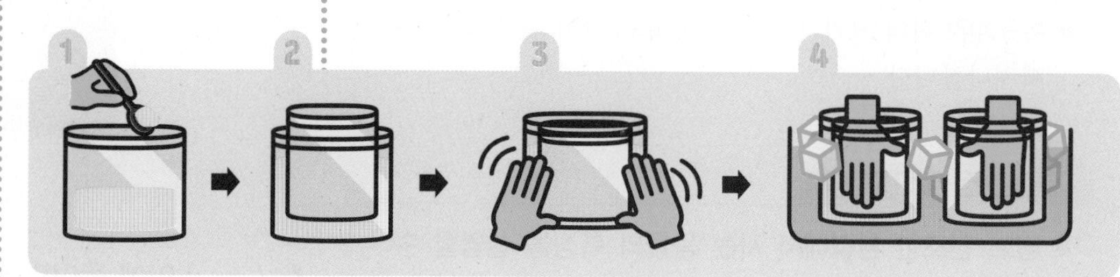

4 한 손은 빈 지퍼 백, 다른 한 손은 바셀린이 담긴 지퍼 백에 넣고 두 손을 얼음물에 담가 봅시다.

❶ 두 손의 느낌이 어떻게 다른지 이야기해 봅시다.

❷ 얼음물과 바셀린이 각각 무엇을 의미하는지 연결하여 봅시다.

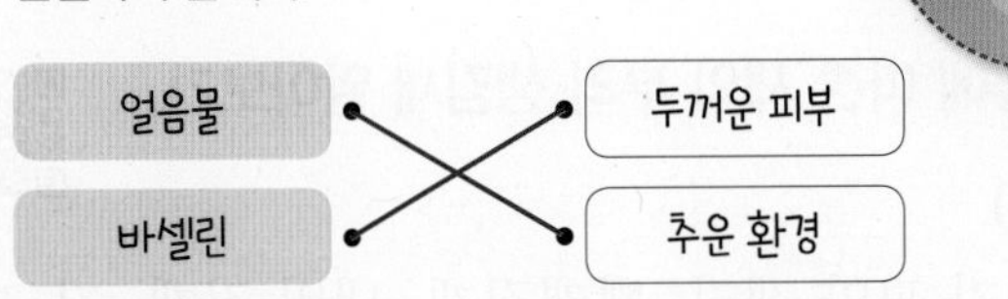

도움말

바셀린이 없는 빈 지퍼 백도 바셀린이 담긴 지퍼 백처럼 두 장을 겹쳐서 실험합니다. 손의 느낌으로 온도 변화를 구분하기 힘들 경우에는 온도계 두 개를 준비하여 각각의 지퍼 백에 넣고 온도 변화를 확인합니다.

5 피부에 바셀린과 같은 역할을 하는 부분이 많아서 몸의 온도를 잘 유지할 수 있는 동물을 조사해 봅시다.

예시 답안 바다사자, 펭귄, 향유고래, 남극물개, 북극곰 등

6 극지방에 사는 동물이 추운 환경에서 살아가기에 알맞은 특징을 더 조사하여 이야기해 봅시다.

예시 답안

동물 이름	특징
북극곰	몸의 털이 두 겹으로 나 있어 추위를 견딜 수 있습니다. 발바닥에도 털이 많이 나 있어 차가운 얼음 위를 다닐 수 있습니다.
흰고래	피부에 바셀린 같은 역할을 하는 부분이 매우 두꺼워서 차가운 바다에서도 생활할 수 있습니다.

이렇게 ○○ 정리해요

추운 환경에서 사는 동물의 공통점을 써 봅시다.

예시 답안

피부에 보온이 잘 되는 털이나 바셀린 같은 역할을 하는 부분이 두껍게 있어 추위를 견딜 수 있습니다.

5 이유 있다! 동물의 생김새

과학 38~39쪽

궁금해요

딱따구리의 부리 모양에 알맞은 먹이는 무엇인지 추리해 보며, 동물의 생김새와 먹이 종류의 관계에 대해 알아봅니다.

질문 딱따구리의 부리 모양에 알맞은 먹이는 무엇일까요?

예시 답안
- 나무속에 있는 애벌레입니다.
- 딱따구리의 부리는 단단하고 뾰족하여 나무속 먹이를 꺼내 먹기 알맞습니다.

해 보기 먹이 종류에 따른 새의 부리 생김새 알아보기

- **무엇을 준비할까요?** 도움①

쌀, 호두, 물에 담긴 물고기 모양 젤리, 빨래집게, 냄비 집게, 긴 젓가락, 빈 그릇

- **과정을 알아볼까요?**

① 먹이 모형과 부리 모형, 빈 그릇을 준비합니다.

② 각 부리 모형으로 먹이 모형을 각각 집어 빈 그릇에 옮겨 봅시다.

③ 각 먹이 모형을 집을 때 가장 알맞은 부리 모형을 이야기해 보고 선으로 연결해 봅시다.

➔ 쌀은 빨래집게, 호두는 냄비 집게, 물고기 모양 젤리는 긴 젓가락으로 집을 때 가장 알맞습니다.

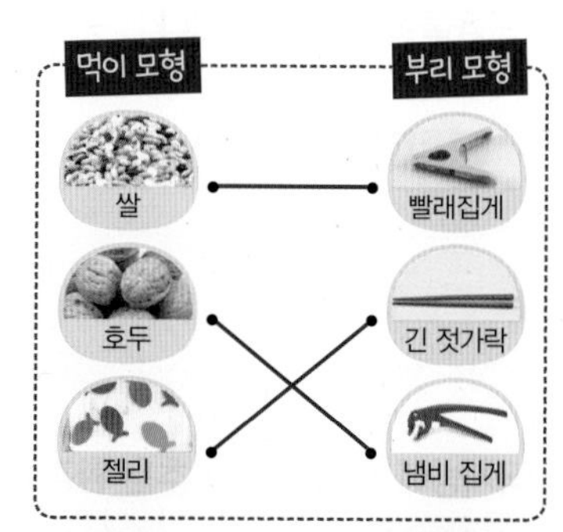

④ 각 먹이를 집어 먹기에 가장 알맞은 부리 모양을 이야기해 보고, 먹이와 부리를 선으로 연결해 봅시다. 도움②

➔ 곡식은 참새, 물고기는 왜가리, 딱딱한 열매는 앵무새가 집어 먹기에 가장 알맞습니다.

➔ 새의 부리와 먹이

➔ 기린의 목

교과서 속 핵심 개념

- **동물은 사는 환경에 따라 먹이 종류가 다르고, 먹이에 따라 다양한 생김새를 가짐.**

동물	먹이에 따른 생김새
기린	긴 목은 높은 곳의 나뭇잎을 먹기에 알맞고 혀도 매우 긺.
사자	날카로운 이빨은 고기를 뜯어 먹기에 알맞음.
왜가리	긴 부리는 물속의 먹이를 잡기에 알맞음.
딱따구리	뾰족하고 단단한 부리는 나무에 구멍을 뚫어 나무속 먹잇감을 먹기에 알맞음.

정답과 해설 2쪽

도움 ① 왜가리의 먹이

왜가리 같은 물새는 물고기 외에 기다란 생김새의 미꾸라지, 지렁이, 뱀 같은 동물도 먹기 때문에 물고기 모양의 젤리 대신 지렁이 모양의 젤리로 실험해도 좋습니다.

도움 ② 새 부리의 특징과 먹이

- 먹이를 집거나 깨부수기 알맞은 생김새로 적응했습니다.
- 대체로 길고 뾰족한 생김새는 물이나 갯벌, 나무속의 먹이를 잡아먹기 알맞습니다.
- 갈고리 모양의 부리는 고기를 뜯어 먹기에 알맞습니다.
- **딱따구리:** 부리가 단단하고 뾰족하여 나무에 구멍을 뚫어 그 속의 애벌레를 먹기에 좋습니다.
  - **먹이:** 애벌레와 같은 곤충

- **왜가리:** 부리가 길쭉하고 뾰족하여 물고기를 잡기에 좋습니다.
  - **먹이:** 물고기, 개구리 등

- **참새:** 부리가 짧고 뾰족하여 곡식을 집어 먹기에 좋습니다.
  - **먹이:** 곡식류

- **앵무새:** 부리가 커서 두껍고 단단한 껍데기를 가진 열매를 부수기에 좋습니다.
  - **먹이:** 견과류, 벌레, 과일
- **오리:** 부리가 넓적해서 진흙 속 먹이를 쓸어 담아 먹기 좋습니다.
  - **먹이:** 곤충, 풀

스스로 확인해요

- **먹이 종류에 따른 동물의 생김새를 실험으로 찾았어요.**
  도움말 먹이와 각 먹이를 집어 먹기에 가장 알맞은 부리를 바르게 연결했는지 확인합니다.
- **동물의 사는 환경과 생김새에 흥미와 관심을 가질 수 있어요.**
  도움말 가장 흥미로웠던 동물에 대해 이야기하고 스스로 평가합니다.

교과서 개념 확인 문제

1 ( ) 안에 공통으로 들어갈 알맞은 말을 써 봅시다.

> 동물은 사는 환경에 따라 (　　　　) 종류가 다르고 (　　　　)에 따라 다양한 생김새를 갖고 있습니다.

(　　　　　　　　)

2 각 동물과 동물에 알맞은 먹이를 선으로 연결해 봅시다.

(1) 
▲ 왜가리 • 　　• ㉠ 곡식

(2) ▲ 참새 • 　　• ㉡ 딱딱한 열매

(3) 
▲ 앵무새 • 　　• ㉢ 물고기

3 ( ) 안에 들어갈 알맞은 동물의 이름을 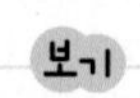 에서 골라 써 봅시다.

보기

기린, 사자, 딱따구리

(1) (　　　　　): 날카로운 이빨은 고기를 뜯어 먹기에 알맞습니다.

(2) (　　　　　): 뾰족하고 단단한 부리는 나무에 구멍을 뚫어 나무속 먹잇감을 먹기에 알맞습니다.

(3) (　　　　　): 긴 목은 높은 곳의 나뭇잎을 먹기에 알맞고 혀도 매우 깁니다.

6 꼭꼭 숨어라!

과학 40~41쪽

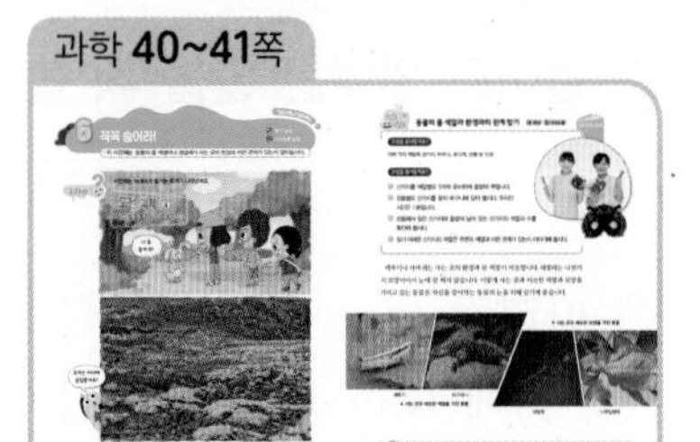

궁금해요

그림 속에서 토끼를 찾아보는 활동입니다. 이 활동을 통해 동물이 주변 환경과 비슷한 생김새를 가진 까닭을 생각해 봅니다.

질문 토끼는 어디에 숨었을까요? 도움①

예시 답안 오른쪽 풀 사이에 있습니다.

질문 토끼를 찾는 데 시간이 걸린 까닭은 무엇일까요?

예시 답안 토끼의 털 색깔이 주변 환경과 비슷하기 때문입니다.

탐구 활동 동물의 몸 색깔과 환경과의 관계 찾기

자세한 해설은 36~37쪽에 있어요.

- **무엇을 준비할까요?**

여러 가지 색깔의 산가지, 바구니, 초시계, 곤충 눈 안경

- **과정을 알아볼까요?**

① 산가지를 색깔별로 5개씩 준비하여 풀밭에 뿌립니다.
② 모둠별로 산가지를 찾아 바구니에 담아 봅시다. 주어진 시간은 1분입니다.
③ 모둠에서 찾은 산가지와 풀밭에 남아 있는 산가지의 색깔과 수를 확인해 봅시다.
④ 찾기 어려운 산가지의 색깔은 주변의 색깔과 어떤 관계가 있는지 이야기해 봅시다.

- **관찰 내용 및 결과를 정리해요**

➲ 풀밭과 비슷한 연두색이나 초록색의 산가지를 더 적게 찾았습니다.
➲ 사는 곳과 비슷한 색깔과 모양을 가지고 있는 동물은 먹잇감이나 자신을 잡아먹는 동물의 눈에 잘 띄지 않습니다. 도움②

▲ 사는 곳과 비슷한 색깔을 가진 동물

▼ 사는 곳과 비슷한 모양을 가진 동물

➲ 북극여우의 털 색깔 변화

➲ 등에의 생김새

교과서 속 핵심 개념

- **동물은 주변 환경과 비슷한 생김새를 가지고 있어 자신을 잡아먹는 동물의 눈을 피할 수 있음.**
- **사는 곳과 비슷한 색깔을 가진 동물:** 메뚜기, 이구아나 등
- **사는 곳과 비슷한 모양을 가진 동물:** 대벌레, 나뭇잎벌레 등

도움 ① 숨어 있는 토끼

도움 ② 환경에 따른 동물의 몸 색깔과 모양

동물은 다른 동물에게 잡아먹히지 않거나 먹잇감에 몰래 다가가기 위해서 자신의 몸이 눈에 띄지 않도록 주변 환경과 비슷한 몸 색깔이나 모양을 갖습니다.

- **자벌레:** 모양이 나뭇가지와 닮아서 자벌레를 잡아먹는 새의 눈을 피하기에 좋습니다.

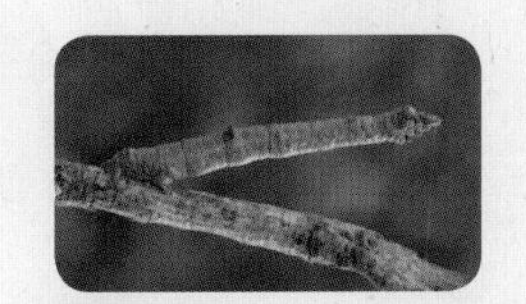

- **난초사마귀:** 다리가 난초 꽃잎을 닮아서 꽃 속에 숨으면 눈에 잘 띄지 않아 다른 곤충을 잡아먹기 좋습니다.

- **북극여우:** 여름에는 짙은 회갈색을 띠지만, 눈이 내리는 겨울에는 흰색을 띱니다. 덕분에 먹잇감의 눈에 잘 띄지 않아 사냥을 잘 할 수 있습니다.

여름

겨울

스스로 확인해요

- **동물의 몸 색깔과 사는 곳의 환경이 어떤 관계인지 설명할 수 있어요.**
  도움말 풀밭에 사는 동물이 다른 동물의 눈에 잘 띄지 않기 위해 어떤 몸 색깔을 가지는 것이 좋을지 이야기해 봅니다.
- **모둠 친구들과 규칙을 지키며 활동에 참여했어요.**
  도움말 야외 활동 중 모둠 내에서 규칙을 지켰는지 확인합니다.

정답과 해설 2쪽

교과서 개념 확인 문제

1 다음 중 사는 곳과 비슷한 모양을 가진 동물은 어느 것입니까? (   )

① 메뚜기
② 호랑이
③ 대벌레
④ 고릴라
⑤ 이구아나

2 풀밭에서 산가지를 찾을 때 어떤 색의 산가지가 가장 찾기 어려웠습니까? (   )

① 노란색
② 파란색
③ 빨간색
④ 초록색
⑤ 주황색

3 다음 ㉠과 ㉡에 들어갈 알맞은 말을 각각 써 봅시다.

• 사는 곳과 비슷한 (㉠)을/를 가진 동물

▲ 메뚜기

▲ 이구아나

• 사는 곳과 비슷한 (㉡)을/를 가진 동물

▲ 자벌레

▲ 나뭇잎벌레

㉠: (   )
㉡: (   )

실험 관찰

측정 의사소통

실험 관찰 20~21쪽

6 꼭꼭 숨어라!

탐구 활동 동물의 몸 색깔과 환경과의 관계 찾기

탐구 활동 도움말

이 탐구 활동은 다양한 색깔의 산가지를 풀밭에 뿌린 뒤 풀밭에서 찾기 어려운 색깔이 무엇인지 알아보고, 동물의 몸 색깔과 환경의 관계를 알아보는 활동입니다.

「실험 관찰」 꾸러미 69쪽 붙임딱지를 붙여요.

풀밭에서 뛰지 않아요.

무엇을 준비할까요?

준비물에 ◯ 표시를 하면서 확인해 봅시다.

여러 가지 색깔의 산가지

바구니

초시계

곤충 눈 안경

도움말

모둠별로 1개씩 준비합니다. 목걸이 형태보다는 안경처럼 쓸 수 있는 형태가 좋습니다.

1 산가지를 색깔별로 5개씩 준비하여 풀밭에 뿌립니다.

2 모둠별로 산가지를 찾아 바구니에 담아 봅시다. 주어진 시간은 1분입니다.

❶ 곤충 눈 안경을 쓰고 출발하여 풀밭에 흩어진 산가지를 찾아봅시다.

❷ 찾은 산가지는 출발선으로 돌아와 바구니에 담고, 곤충 눈 안경은 다음 모둠원에게 전달합니다.

❸ 주어진 시간 동안 계속 돌아가며 산가지를 담습니다.

3 모둠에서 찾은 산가지와 풀밭에 남아 있는 산가지의 색깔과 수를 확인해 봅시다.

예시 답안

산가지 색깔	초록색	노란색	파란색	빨간색	주황색
모둠에서 찾은 수 (개)	0	5	3	5	5
풀밭에 남아 있는 수 (개)	5	0	2	0	0

어떤 색깔의 산가지가 눈에 잘 띄지 않나요?

보충해설

풀 색깔과 대비되는 노란색, 빨간색, 주황색 산가지는 눈에 잘 띄어 다른 색깔에 비해 더 많이 찾을 수 있습니다.

4 찾기 어려운 산가지의 색깔은 주변의 색깔과 어떤 관계가 있는지 이야기해 봅시다.

예시 답안 찾기 어려운 산가지의 색깔은 주변의 색깔과 비슷합니다.

보충해설

풀밭에서 찾기 어려운 산가지 색깔과 비슷한 색깔을 가진 동물을 함께 찾아보면 초록색을 띠는 동물이 풀밭에서 눈에 잘 띄지 않는 까닭을 알 수 있습니다.

이렇게 ○○ 정리해요

풀밭에 사는 동물이 다른 동물의 눈에 잘 띄지 않기 위해 어떤 몸 색깔을 가지는 것이 좋을지 이야기해 봅시다.

예시 답안 풀밭의 색깔과 비슷한 초록색이면 다른 동물의 눈에 잘 띄지 않습니다.

7 동물의 특징을 활용해요

과학 42~43쪽

궁금해요

동물의 특징 중 갖고 싶은 능력을 선택하며 다양한 동물의 특징을 생각해 봅시다.

질문 여러분이 동물의 특징 중 하나를 가질 수 있다면 어떤 것을 선택하고 싶나요?

예시 답안
- 수달처럼 물갈퀴가 있는 발을 갖고 싶습니다.
- 낙타처럼 오랫동안 물과 먹이를 먹지 않아도 버틸 수 있는 특징을 갖고 싶습니다.

탐구 활동 동물의 특징을 활용한 예 조사하여 광고지 만들기

자세한 해설은 40~41쪽에 있어요.

- **무엇을 준비할까요?**

동물의 특징을 다룬 책, 스마트 기기, 그림 도구(색연필, 사인펜 등), 가위, 풀, 도화지

➲ **동물의 특징을 활용한 생활 도구**

- **과정을 알아볼까요?**

1. 어떤 방법으로 조사할지 이야기해 봅시다.
2. 우리 생활에서 동물의 특징을 활용한 예를 조사하여 표에 정리해 봅시다. 도움①
3. 조사한 내용을 바탕으로 동물의 특징을 활용한 물건을 홍보하는 광고지를 만들어 봅시다.
4. 완성한 광고지를 발표해 봅시다.

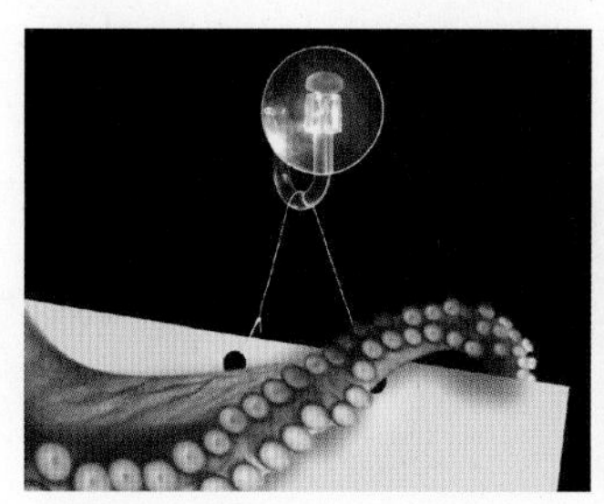
붙였다 뗄 수 있는 생활용품

비행기 날개

▲ 동물의 특징을 활용한 예

- **관찰 내용 및 결과를 정리해요**

➲ 수영할 때 사용하는 오리손은 오리의 발가락 사이에 있는 물갈퀴를 활용하여 만들었습니다.
➲ 우리 생활 속에는 동물의 특징을 활용하여 만든 물건이 많습니다.
➲ 요즘에는 동물의 특징을 활용한 로봇을 만들기도 합니다.

교과서 속 핵심 개념

- **붙였다 뗄 수 있는 생활용품:** 문어 빨판이 잘 붙는 특징 활용
- **비행기 날개:** 독수리 날개의 특징 활용

도움 1 동물의 특징을 활용한 다양한 예

- **북극곰과 이글루:** 이글루는 북극곰의 굴을 흉내 내어 굴 안에서 녹은 물이 굴 바깥으로 흘러나가도록 출입구를 굴보다 더 낮게 만들었습니다. 이런 구조는 굴 안의 따뜻한 공기가 밖으로 잘 빠져나가지 않아 따뜻합니다.

➡

- **사막딱정벌레와 안개 수집기:** 사막딱정벌레는 등 껍데기가 울퉁불퉁하여 안개가 닿으면 물방울이 맺힙니다. 이 물방울이 흘러내려 물을 마실 수 있습니다. 이러한 특징을 활용하여 촘촘한 그물망을 설치해 안개속의 물방울을 모으는 안개 수집기를 만들었습니다.

➡

- **물총새와 고속 열차:** 물총새는 길고 끝이 약간 뾰족한 부리를 가지고 있어 공기 중에서 물속으로 들어갈 때 물방울이 거의 튀지 않습니다. 고속 열차의 앞부분을 물총새의 부리처럼 만들어 열차가 터널을 빠져나갈 때 나는 크고 시끄러운 소리를 줄였습니다.

➡

스스로 확인해요

- **동물이 가진 다양한 특징에 흥미와 호기심을 느낄 수 있어요.**
  도움말 여태껏 배운 동물 중 가장 흥미로웠던 동물의 특징에 관하여 이야기해 봅니다.
- **동물의 특징을 활용한 예를 조사했어요.**
  도움말 스스로 조사 방법을 선택하여 조사했는지 평가합니다.

정답과 해설 2쪽

교과서 개념 확인 문제

1 다음 ( ) 안에 들어갈 알맞은 말을 써 봅시다.

> 오리는 발가락 사이에 있는 막인 (   ) 이/가 있어 물속에서 헤엄을 잘 칩니다. 이러한 특징을 활용하여 오리손을 만들었습니다.

(   )

2 오른쪽 비행기의 날개는 어떤 동물의 특징을 이용한 것입니까? (   )

① 나비의 날개
② 고래의 몸통
③ 펭귄의 날개
④ 독수리의 날개
⑤ 상어의 지느러미

3 다음과 같은 동물의 특징을 활용한 예는 어느 것입니까? (   )

> 물총새는 부리가 길고 머리가 날렵합니다.

① 수영복
② 이글루
③ 고속 열차
④ 안개 수집기
⑤ 붙였다 뗄 수 있는 생활용품

의사소통

실험 관찰 22~23쪽

7 동물의 특징을 활용해요

탐구 활동 동물의 특징을 활용한 예 조사하여 광고지 만들기

탐구 활동 도움말

이 탐구 활동은 동물의 특징을 활용한 예를 조사한 뒤, 동물의 특징을 활용하여 만든 물건을 홍보하는 광고지를 만드는 활동입니다.

『실험 관찰』 꾸러미 69쪽 붙임딱지를 붙여요.

스마트 기기는 필요할 때만 사용해요.

도움말

오리 물갈퀴 사진이나 물총새, 사막딱정벌레의 사진 등을 프린트하여 준비하면 좋습니다.

무엇을 준비할까요?

준비물에 ◯ 표시를 하면서 확인해 봅시다.

동물의 특징을 다룬 책

스마트 기기

그림 도구 (색연필, 사인펜 등)

가위

풀

도화지

1 어떤 방법으로 조사할지 이야기해 봅시다.

2 우리 생활에서 동물의 특징을 활용한 예를 조사하여 표에 정리해 봅시다.

도움말

모둠원과 역할 분담을 하여 조사할 수도 있습니다.

예시 답안

동물의 특징을 활용한 예	활용한 동물의 특징
예 오리손 물갈퀴	오리는 발가락 사이에 얇은 막인 물갈퀴가 있어 발로 물을 밀 때는 물갈퀴를 펼치고, 앞으로 당길 때는 오므림으로써 더 잘 헤엄칠 수 있습니다.
소음이 적으면서 빠르게 이동하는 고속 열차	물총새는 머리가 매우 날렵한 모양으로 생겨서 공기 중에서 물로 들어갈 때 주변으로 물이 거의 튀지 않습니다.
안개 수집기	사막딱정벌레는 등 껍데기가 울퉁불퉁해서 안개 속의 물이 물방울로 잘 맺혀 안개에서 물을 얻기 쉽습니다.

3 조사한 내용을 바탕으로 동물의 특징을 활용한 물건을 홍보하는 광고지를 만들어 봅시다.

4 완성한 광고지를 발표해 봅시다.

도움말
발표할 때 활용한 동물의 특징과 활용한 사례를 모두 이야기합니다.

이렇게 ㅇㅇ 정리해요

친구들의 발표를 듣고 새롭게 알게 된 점을 이야기해 봅시다.

예시 답안 수영할 때 사용하면 도움이 되는 오리손이 오리 물갈퀴의 특징을 활용하여 만들었다는 것을 알았습니다.

과학과 역사

과학 더하기

과학 44~45쪽

새를 사랑한 소녀, 올리비아

▲ 기름으로 오염된 멕시코 바다(2010년)

과학 더하기 도움말

멕시코뿐만 아니라 우리나라 충남 태안 서해안에서도 2007년 12월 7일에 기름 유출 사고가 있었습니다. 전국 곳곳에서 약 123만 명의 봉사자가 태안을 방문하여 기름으로 오염된 해안의 기름을 제거하는 작업에 함께했었습니다. 이러한 재난으로 인해 사람뿐만 아니라 동물도 큰 고통을 겪었습니다.

이 글을 통해 동물이 겪는 아픔을 알고 동물을 위해 우리가 할 수 있는 일을 생각해 봅니다. 특히 어린 나이였던 올리비아가 동물을 지키기 위해 적극적으로 나선 모습을 통해 우리 주변의 동물을 위해 내가 할 수 있는 일을 생각해 볼 수 있는 시간을 갖습니다.

슬픔에 빠진 올리비아는 환경 단체에 새들을 도와 달라는 편지를 보내 기부금을 모았습니다. 기부금을 낸 사람들에게 직접 그린 새 그림을 보내 감사의 표시를 했습니다. 올리비아의 노력에 많은 사람이 기부금을 냈고, 오염된 바다를 회복하는 데 도움이 되었습니다. 여러분도 어려움에 처한 동물에게 도움을 줄 수 있답니다.

- **여러분은 어떤 동물에게 도움을 주고 싶나요?**
  - ▶ 위험한 곳에 둥지를 지은 새에게 안전한 곳에 둥지를 마련해 주고 싶습니다.
  - ▶ 돌보는 사람이 없는 새끼 고양이들을 돕고 싶습니다.

과학 더하기 해설

• 멕시코 만 기름 유출 사고

2010년 4월 20일 미국 멕시코만에서 기름 유출 사고가 일어나 약 5개월 동안 약 7억 5천만 리터의 기름이 바다로 유출되었습니다. 해저 우물에서 끊임없이 기름이 흘러나와 유출된 기름을 처리하기 위해 특수 함대가 파견되었지만 상황은 좋아지지 않았습니다.

결국 미국의 미시시피주 해변까지도 두꺼운 기름 덩어리가 나타났고, 기름 범벅이 된 수많은 펠리컨과 바다거북 등이 죽거나 병들었습니다.

▲ 기름 범벅이 된 펠리컨

그림으로 정리하기 해설

❶ 물에 사는 동물 중 물과 육지를 오가는 오리나 수달 같은 동물은 발에 물갈퀴가 있습니다.

❷ 사막에 사는 동물 중 낙타는 모래에 빠지지 않게 넓은 발바닥을 갖고 있습니다.

❸ 극지방에서 사는 동물은 두꺼운 피부나 보온이 잘 되는 털이 있습니다.

❹, ❺ 벌과 토끼는 다리가 있는 동물, 뱀과 금붕어는 다리가 없는 동물입니다.

문제로 확인하기 해설

❶ 미로의 갈림길에서 등장하는 두 동물 중 강과 호수에 사는 동물을 따라가면 미로를 빠져나가는 길로 갈 수 있습니다.
출발 → 황새 → 개구리 → 오리 → 탈출 성공

❷ 날개 있는 동물은 참새, 매미, 벌, 황새로 각 동물의 숫자는 (1), (3), (7), (8)입니다.

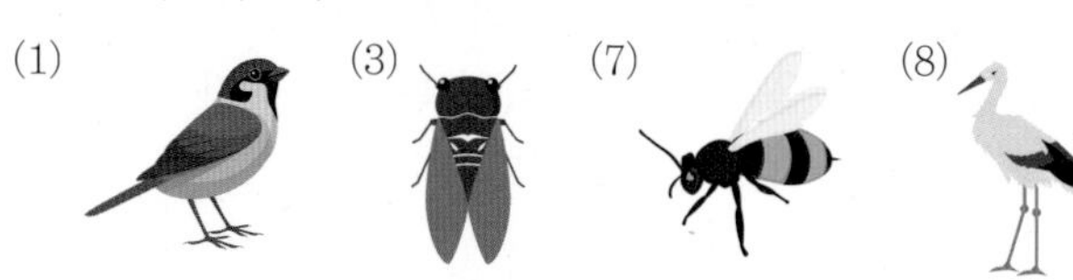

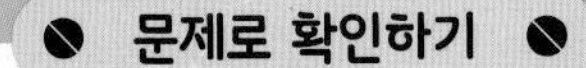

① 강이나 호수에 사는 동물을 찾아 미로를 빠져나와 봅시다.

② 보물 상자의 비밀번호를 찾아 써 봅시다. 비밀번호는 날개 있는 동물의 번호를 순서대로 쓰면 됩니다.

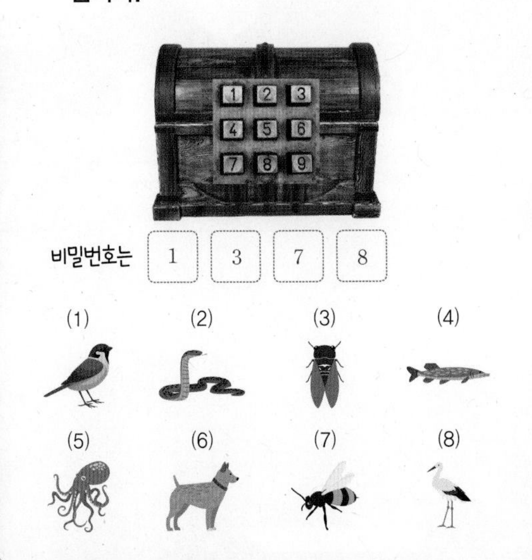

과학 글쓰기

③ 동물의 특징을 가질 수 있다면 무슨 일이 벌어질까요? 재미있는 상상으로 그림일기를 완성해 봅시다.

- 수달처럼 손가락 사이에 물갈퀴가 생긴다면?
- 물고기처럼 몸에 지느러미가 생긴다면?
- 독수리 날개가 생긴다면?
- 펭귄의 두꺼운 피부와 털이 생긴다면?

예시 답안

07 월 08 일 월 요일

이번 수영 대회에서도 일등을 했다. 아무도 모른다. 내 손과 발에 물갈퀴가 있다는 것을 말이다. 수영왕 자리는 영원히 내 것이다.

도움말

동물의 특징을 선택하여 할 수 있는 일을 상상하며 써야 합니다.

도전! 창의 융합

나만의 동물 사전

ㄱ부터 ㅎ까지 동물 사전을 만들어 봅시다. 그중 한 동물을 선택하여 그림을 그리고 특징을 써 봅시다.

『실험 관찰』 24쪽

과학 글쓰기 해설

예의 주제 중 하나를 골라 그 상황에서 생길 수 있는 일을 상상하여 일기로 써 봅니다. 주어진 예 외에 좋아하는 동물의 특징을 일기에 작성하는 것도 가능합니다.

▶ **학생 작품 예시**

모처럼 평범한 아침이었다. 내가 일어나려는 순간 그때 알아차렸다. 내 다리와 팔에 깃털이 나 있었다. 하지만 엄마는 나를 그냥 학교로 보냈다. 걸을 수가 없었다.
'잠깐만, 날 수 있잖아! 내 팔은 독수리의 날개잖아!'
그래서 나는 가방을 메고 학교로 날아갔다. 하지만 반에 들어가자마자 아이들이 웃었다. 너무 부끄러워서 창문으로 도망갔다. 휴! 선생님이 창문을 열고 나를 부르고 계셨다. 시력이 5.0인 나로서는 멀리 있는 선생님도 볼 수 있었다. 독수리의 능력은 참 좋다. 집으로 돌아와서 나의 날개를 이불삼아 덮고 꿈나라로 갔다.

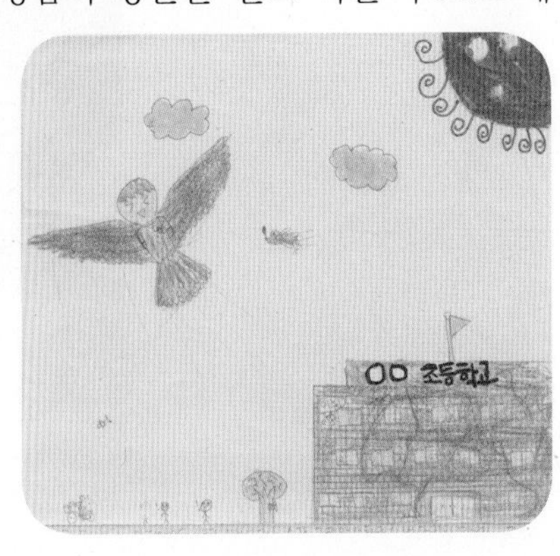

실험 관찰

실험 관찰 24~25쪽

도움말

- 나만의 동물 사전을 만드는 활동입니다. 동물 이름을 ㄱ, ㄴ, ㄷ 순서로 쓰고, 동물 사전을 만들어 봅니다.
- 동물 카드를 이용하거나 인터넷 검색을 통해 자료를 준비해도 좋습니다.

예시 답안

ㄱ 예 고릴라, 개구리

ㄴ 너구리

ㄷ 다람쥐

ㄹ 라마

ㅁ 말

ㅂ 박쥐

ㅅ 사슴

ㅇ 원숭이

ㅈ 잠자리

ㅊ 치타

ㅋ 코일리

ㅌ 토끼

ㅍ 펭귄

ㅎ 호랑이

예시 답안 토끼는 초식 동물로 귀가 길고 앞 발은 짧으며 뒷발은 깁니다. 토끼의 수명은 6~8년입니다.

도움말

각 칸에 해당하는 동물의 이름을 여러 개 써도 좋습니다.

도움말

동물 중 몇 가지를 골라 동물의 생김새를 그려 봅니다. 이때 각 동물의 특징이 잘 드러나도록 그리는 게 중요합니다.

교과서 평가 문제

1 다음 중 돌 밑에서 많이 볼 수 있는 동물을 찾아서 이름을 쓰시오.

▲ 메뚜기 ▲ 공벌레 ▲ 나비

( )

2 다음과 같은 특징을 가지고 있는 동물은 무엇입니까? ( )

- 날개가 있어 날 수 있습니다.
- 몸이 깃털로 덮여 있고 부리로 먹이를 먹습니다.

① 벌 ② 개미 ③ 제비
④ 사마귀 ⑤ 고양이

중요

3 다음 중 동물을 분류하는 기준으로 적합한 것은 어느 것입니까? ( )

① 예쁜가?
② 몸이 큰가?
③ 몸이 작은가?
④ 더듬이가 있는가?
⑤ 몸이 길쭉한 모양인가?

4 다음과 같은 특징을 가지고 있는 동물은 무엇입니까? ( )

- 꽃의 꿀을 먹습니다.
- 6개의 다리와 4개의 날개가 있습니다.

① 참새 ② 개미 ③ 나비
④ 공벌레 ⑤ 잠자리

5 보기의 동물 중 다음과 같은 특징을 가지고 있는 동물을 쓰시오.

보기
매미, 오리, 개구리, 도요새

- 강가나 호숫가 또는 물속에서 볼 수 있습니다.
- 땅에서는 폴짝폴짝 뛰어다니고, 물속에서는 헤엄쳐서 이동합니다.

( )

6 다음은 붕어가 물속에서 생활하기에 알맞은 점입니다. ㉠과 ㉡에 들어갈 알맞은 말을 각각 쓰시오.

- (㉠)이/가 있어서 물속에서 헤엄을 잘 칠 수 있습니다.
- 몸이 부드러운 (㉡) 모양이어서 물속에서 헤엄치기 좋습니다.

㉠: ( )
㉡: ( )

7 다음 보기에서 오징어가 사는 곳을 찾아서 기호를 쓰시오.

보기
㉠ 갯벌
㉡ 바닷속
㉢ 강가나 호숫가

( )

8 **다음 중 추운 환경에서 사는 동물의 특징으로 옳지 않은 것은 어느 것입니까? (　　　)**

① 두꺼운 피부를 갖는다.
② 매우 긴 다리를 갖는다.
③ 보온이 잘 되는 털을 갖는다.
④ 몸속의 열이 밖으로 잘 빠져나가지 않는다.
⑤ 피부 아래에 바셀린 역할을 하는 부위가 두껍게 있다.

9 **다음 중 동물의 생김새와 그에 따른 먹이에 대한 설명으로 옳지 않은 것은 어느 것입니까?**
(　　　)

① 기린의 긴 목은 물고기를 잡아먹기 좋다.
② 왜가리의 긴 부리는 물고기를 잡아먹기 좋다.
③ 참새의 짧고 뾰족한 부리는 곡식을 먹기 좋다.
④ 사자의 날카로운 이빨은 고기를 뜯어 먹기 좋다.
⑤ 딱따구리의 단단한 부리는 나무속 먹이를 꺼내 먹기 좋다.

중요

10 **다음 우리 생활 속에서 동물의 특징을 활용한 것과 그 동물을 바르게 선으로 연결하시오.**

(1) 
▲ 비행기 날개
• 　 • ㉠ 
▲ 오리

(2) 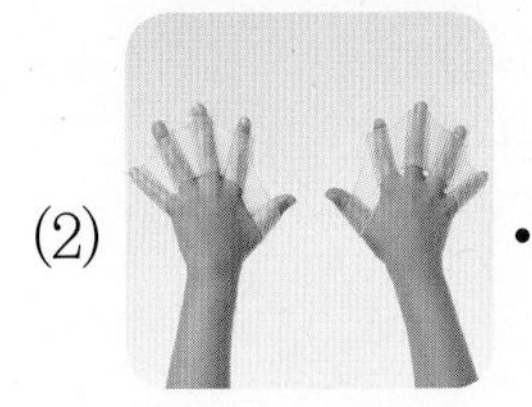
▲ 오리손
• 　 • ㉡ 
▲ 독수리

서술형 문제

11 **다음은 학교에서 볼 수 있는 여러 장소입니다.**

교실 안 　 학교 화단 　 운동장

(1) 위에서 동물을 가장 많이 볼 수 있는 곳을 쓰시오.
(　　　　　　　　　　)

(2) 위 (1)번 답의 장소에서 동물이 많이 사는 까닭을 2가지 쓰시오.

____

____

12 **다음은 사막에서 사는 낙타의 모습입니다. 물음에 답하시오.**

(1) 다음은 낙타에 대한 설명입니다. (　　) 안에 들어갈 알맞은 말을 쓰시오.

낙타는 (　　　　　)이/가 있어 며칠 동안 물과 먹이가 없어도 생활할 수 있습니다.

(　　　　　　　　　　)

(2) 낙타가 사막의 환경에서 잘 살 수 있는 까닭을 발바닥의 생김새와 관련지어 쓰시오.

____

____

2 지표의 변화

우리나라에는 산과 강이 어우러져 있어 아름다운 경치를 볼 수 있는 곳이 많아요. 이 중에는 강으로 둘러싸인 땅의 모양이 마치 바다로 둘러싸여 있는 우리나라의 모습과 비슷한 곳도 있어요. 이러한 모양의 땅은 어떻게 만들어졌는지 알아볼까요?

이 단원에서 공부할 내용

단원 그림 도움말

단원 그림은 우리나라의 여러 곳에서 볼 수 있는 한반도 모습을 닮은 지형입니다. 그림을 보면서 이러한 모습이 어떻게 만들어졌는지를 추측하면서 앞으로 배울 내용에 대해 생각해 봅니다.

좀 더 설명할게요

강에서 물이 흐를 때 강의 바깥쪽은 물이 빠르게 흐르기 때문에 주로 주변 지역을 깎지만, 반대로 안쪽은 물이 느리게 흐르면서 물에 실려 오던 물질이 쌓입니다. 이러한 과정을 통해 강은 구불구불한 모양으로 만들어지게 됩니다. 이처럼 강물에 의해 깎이거나 물질이 쌓이는 일들이 계속 반복되면서 현재와 같은 한반도와 비슷한 모양의 지형이 만들어지게 되었습니다.

질문과 답

땅의 모양을 우리나라 모습처럼 만든 것은 무엇일까요?

우리나라 모습처럼 만든 것은 그 주변을 흐르는 강물입니다.

과학 놀이터 도움말

물로 모래성을 무너뜨리는 활동을 하면서 물이 지표면을 어떻게 변화시키는지를 알아봅니다.

이렇게 해요

유의점

- 모래를 다질 때 물을 너무 적게 넣으면 모래가 다져지지 않고, 물을 너무 많이 넣으면 모래성이 쉽게 무너질 수 있으므로 모래에 물을 적당히 넣도록 합니다.

활동 도움말

① 물을 조금 섞은 모래를 플라스틱 컵에 넣고 단단하게 다져 봅시다.

도움말 모래에 물을 섞는 것은 모래를 단단하게 다

지기 위해서입니다. 모래가 다져질 정도만 물을 넣습니다. 모래를 다질 때 단단하게 다져야 모래성이 잘 만들어집니다.

③ 모둠원끼리 번갈아 가면서 스포이트로 모래성에 물을 떨어뜨려 봅시다.

도움말 스포이트에 들어 있는 물의 양은 순서와 관계없이 모두 똑같은 양이 되도록 준비합니다. 물을 뿌리는 시간도 일정하게 정하여 진행하는 것이 좋습니다.

질문

- 물을 어떻게 떨어뜨렸을 때 모래성이 빨리 무너졌나요?

나의 답 스포이트에 있는 물을 모래성의 한곳에 집중적으로 떨어뜨렸을 때 모래성이 빨리 무너졌습니다.

1 바윗돌을 깨뜨리면 무엇이 될까요?

과학 52~53쪽

궁금해요

커다란 바윗돌이 부서져 흙이 되는 과정에 대해 생각해 봅시다.

질문 커다란 돌이 어떻게 흙이 되었을까요?

예시 답안
- 돌끼리 부딪쳐 깨지면서 흙이 되었습니다.
- 물이 돌을 깎고 부수면서 흙이 되었습니다.
- 오랜 시간이 지나 돌이 썩으면서 흙이 되었습니다.

해 보기 암석 부숴 보기

- **무엇을 준비할까요?**

뜨껑이 있는 플라스틱 통, 암석 조각, 흰색 종이, 돋보기

- **어떻게 할까요?**

① 흰색 종이 위에 암석 조각을 올려놓고 돋보기로 관찰해 봅시다. 도움①

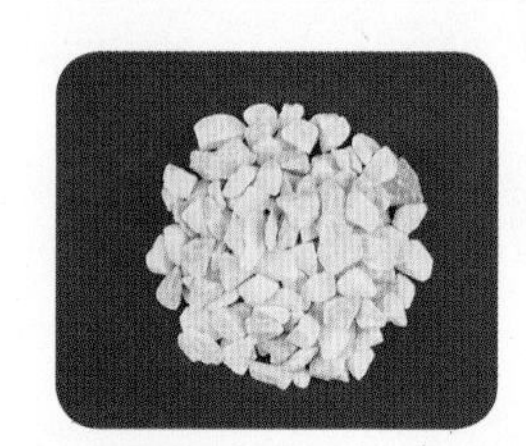

② 암석 조각을 통 속에 넣고 뚜껑을 닫은 다음, 가루가 보일 때까지 흔들어 봅시다. 도움②

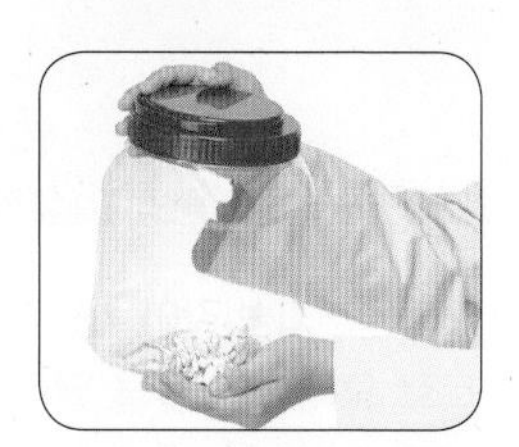

③ 통 속에 있는 것을 흰색 종이 위에 부어 놓고 관찰한 내용에 V 표시를 해 봅시다. 도움③

➡ 흔들기 전보다 암석 가루의 양이 (☑많아, ☐적어)졌습니다.

④ 통을 흔들기 전과 흔든 후 암석 조각의 모습을 비교한 내용에 V 표시를 해 봅시다.

➡ 암석 조각의 크기는 통을 (☑흔들기 전, ☐흔든 후)에 더 큽니다.

교과서 속 핵심 개념

- **흙:** 암석이 부서져 만들어진 작은 알갱이에 죽은 생물이 썩어서 만들어진 것이 섞인 것
- **암석이 부서지는 원인:** 물, 바람, 식물의 뿌리 등 도움④

➡ **암석이 흙이 되는 과정**

도움 ①
암석 모서리의 모양과 전체적으로 플라스틱 통을 흔들기 전에 암석 가루가 어느 정도 있는지도 함께 확인합니다.

도움 ②
통을 흔들 때는 모둠원이 서로 들어가면서 흔들면 더 많이 흔들 수 있습니다. 가루가 어느 정도 보이면 흔드는 것을 멈춥니다.

도움 ③
암석 조각을 관찰할 때에는 크기와 모서리 부분의 모양 등을 중심으로 확인합니다. 암석 가루의 양도 플라스틱 통을 흔들기 전과 어떤 차이가 있는지 비교합니다.

도움 ④ 암석이 부서지는 원인
- **암석 틈의 물:** 물이 얼었다가 녹는 것을 반복하면 틈이 벌어져 암석이 부서집니다.
- **식물의 뿌리:** 암석의 틈을 파고든 식물의 뿌리가 자라면서 암석이 부서집니다.
- **바람:** 오랜 시간 바람에 의해 암석의 표면이 약해져서 부서집니다.

▲ 암석 틈의 물

▲ 식물의 뿌리

스스로 확인해요

- **흙이 어떻게 만들어지는지 설명할 수 있어요.**
  도움말 커다란 돌이 서로 부딪치거나 물 · 바람 · 식물의 뿌리 등에 의해 잘게 부서져서 흙이 만들어졌습니다.
- **암석 조각이 부서지기 전과 후의 특징을 이야기했어요.**
  도움말 암석 조각이 부서지기 전에는 각이 져 있고 암석 가루가 거의 없습니다. 하지만 암석 조각이 부서진 뒤에는 암석 조각이 둥글게 되었고 처음보다 가루의 양이 많아졌습니다.

정답과 해설 3쪽

교과서 개념 확인 문제

1 **다음 (   ) 안에 알맞은 말을 써 봅시다.**

(1) 작은 알갱이로 되어 있는 (   )도 옛날에는 커다란 돌이었습니다.

(2) 돌은 흐르는 물에 의해 깎이며, 돌의 틈 사이로 들어간 (   )이/가 얼었다 녹기를 반복하면서 부서집니다.

(3) 돌의 틈 사이로 (   )이/가 자라면 갈라져 부서지고, 돌끼리 서로 부딪치면 깨집니다.

2 **암석 조각을 통 속에 넣고 흔들기 전과 흔든 후에 관찰한 암석 가루의 양을 비교한 결과를 바르게 선으로 연결해 봅시다.**

(1) 흔들기 전 암석 가루의 양 •   • ㉠ 가루의 양이 많음.

(2) 흔든 후 암석 가루의 양 •   • ㉡ 가루의 양이 적음.

3 **암석 조각을 통 속에 넣고 흔들기 전과 흔든 후에 관찰한 암석 조각의 크기를 비교한 결과를 바르게 선으로 연결해 봅시다.**

(1) 흔들기 전 암석 조각의 크기 •   • ㉠ 암석 조각의 크기가 작음.

(2) 흔든 후 암석 조각의 크기 •   • ㉡ 암석 조각의 크기가 큼.

2 흙은 서로 달라요

과학 54~55쪽

➲ 사막 흙

➲ 산 흙

➲ 화단 흙

궁금해요

식물이 잘 자랄 수 있는 흙에 대해 이야기해 봅시다. 도움①

질문 토마토를 잘 자라게 하려면 어떤 흙에 심어야 할까요?

예시 답안
- 영양분이 많아 식물이 잘 자라는 정원 흙에 심어야 합니다.
- 학교 화단에서 식물이 잘 자라는 것으로 보아 정원 흙에 심어야 합니다.

탐구 활동 운동장 흙과 화단 흙 특징 비교하기

자세한 해설은 58~59쪽에 있어요.

● **무엇을 준비할까요?**

운동장 흙, 화단 흙, 플라스틱 컵 2개, 나무 막대, 돋보기, 핀셋, 거름종이, 흰색 종이, 실험복

● **과정을 알아볼까요?**

① 운동장 흙과 화단 흙을 흰색 종이 위에 올려놓고 돋보기로 관찰해 봅시다. 도움②

② 운동장 흙과 화단 흙을 손으로 만져 보면서 촉감을 확인해 봅시다. 도움③

③ 운동장 흙과 화단 흙을 컵에 넣고 물을 부은 다음, 나무 막대로 젓고 가만히 놓아둡시다.

④ 두 컵에서 물 위에 뜬 물질을 핀셋으로 건져 거름종이 위에 올려놓고 관찰해 봅시다. 도움④

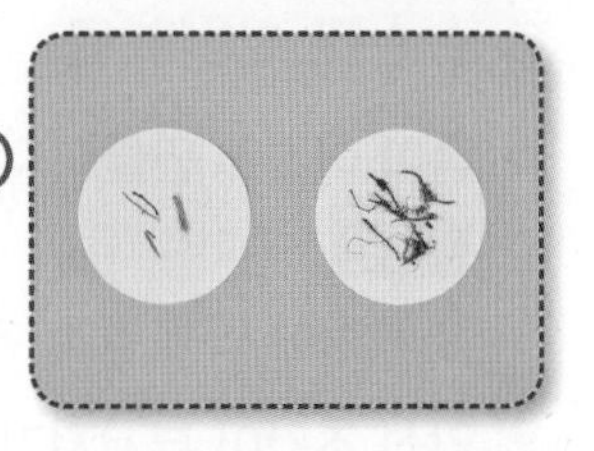

● **관찰 내용 및 결과를 정리해요**

➲ 운동장 흙: 화단 흙보다 색깔이 밝고 알갱이의 크기가 크고 부식물의 양이 적습니다.

➲ 화단 흙: 운동장 흙보다 색깔이 어둡고 알갱이의 크기가 작고 부식물의 양이 많습니다.

정답과 해설 3쪽

교과서 개념 확인 문제

도움 ① 흙의 종류

- 커다란 바위가 오랜 시간에 걸쳐 공기, 물, 작은 생물 등에 의해 변하거나 잘게 부서져 흙이 됩니다.
- 나뭇잎이나 나뭇가지, 여러 생물이 죽은 것 등이 쌓이고 바깥의 누르는 힘을 받아 그 안의 물이 전부 빠져나가 흙이 됩니다. 이러한 흙은 오랜 시간에 걸쳐 식물이나 동물이 죽어 썩어서 생긴 물질로 양분이 풍부한 흙이 됩니다.

도움 ② 운동장 흙과 화단 흙 관찰하기

대부분 운동장 흙은 화단 흙에 비해서 밝은 색이지만, 운동장 흙과 화단 흙은 장소마다 색깔이 다를 수 있습니다. 일반적으로 운동장 흙은 모래로 이루어져 있어 색깔이 밝은 갈색입니다.

▲ 운동장 흙

▲ 화단 흙

도움 ③

화단 흙 알갱이의 크기가 운동장 흙보다 작기 때문에 부드럽게 느껴집니다. 흙은 손끝으로 조금씩 만지면서 흙의 촉감을 느끼는 것이 좋으나 위생을 위해 일회용 장갑을 끼도록 합니다. 흙을 직접 만지고 난 후에는 손을 깨끗이 씻어야 합니다.

도움 ④ 부식물

부식물은 풀과 나뭇잎, 죽은 곤충 등과 같은 동물과 식물이 죽어서 잘게 나누어진 것을 말합니다. 부식물이 많이 포함될수록 색깔이 검어지기 때문에 흙이 검을수록 부식물이 많다고 할 수 있습니다. 부식물은 식물에 필요한 영양분이 됩니다. 그래서 부식물이 많은 흙에서 식물이 잘 자랄 수 있습니다.

▲ 운동장 흙(왼쪽)과 화단 흙(오른쪽)의 부식물

1 다음 ( ) 안에 공통적으로 들어가는 말을 써 봅시다.

- 물에 화단 흙을 넣으면 물 위에 뜨는 것이 많은데 대부분 (   )입니다.
- 화단 흙 속에는 (   )이/가 많아 식물이 잘 자랍니다.

(   )

2 운동장 흙과 화단 흙의 색깔과 알갱이의 크기를 비교한 결과를 바르게 선으로 연결해 봅시다.

(1) 알갱이의 색깔이 더 밝고, 크기가 더 큰 것 • • ㉠

▲ 화단 흙

(2) 알갱이의 색깔이 더 어둡고, 크기가 더 작은 것 • • ㉡

▲ 운동장 흙

3 운동장 흙과 화단 흙의 특징을 비교한 결과를 바르게 선으로 연결해 봅시다.

(1) 손으로 만져보면 거칠고, 물에 넣으면 물 위로 뜨는 물질이 적은 것 • • ㉠

▲ 화단 흙

(2) 손으로 만져보면 부드럽고, 물에 넣으면 물 위로 뜨는 물질이 많은 것 • • ㉡

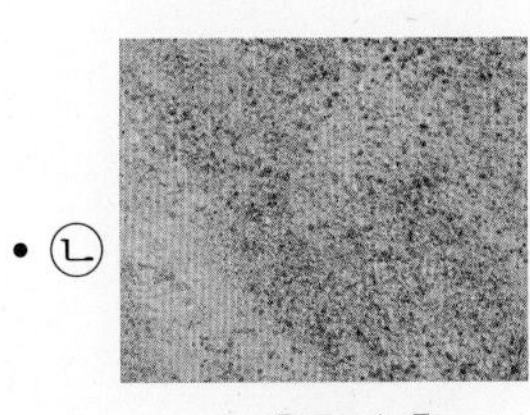
▲ 운동장 흙

관찰 실험 관찰 28~29쪽

2 흙은 서로 달라요

탐구 활동 운동장 흙과 화단 흙 특징 비교하기

탐구 활동 도움말
이 탐구 활동은 운동장 흙과 화단 흙을 비교하여 그 특징을 확인하고, 식물이 잘 자라는 흙의 특징을 설명하는 활동입니다.

도움말
흙의 특징을 흙의 색깔과 알갱이 크기를 기준으로 관찰합니다.

도움말
운동장 흙을 구할 수 없을 때에는 주변에서 모래가 많이 포함된 흙을 구하여 사용할 수 있습니다.

도움말
화단 흙을 구할 수 없을 때에는 일반 화분에 있는 흙을 구하여 사용할 수 있습니다.

도움말
흙을 손끝으로 조금씩 만지면서 흙의 촉감을 확인하도록 합니다.

『실험 관찰』 꾸러미 69쪽 붙임딱지를 붙여요.

흙을 만진 뒤 손을 깨끗이 씻어요.

무엇을 준비할까요?

준비물에 ◯ 표시를 하면서 확인해 봅시다.

운동장 흙

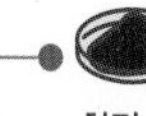
화단 흙

플라스틱 컵 2개

나무 막대

돋보기

핀셋

거름종이

흰색 종이

실험복

1 운동장 흙과 화단 흙을 흰색 종이 위에 올려놓고 돋보기로 관찰해 봅시다.

▲ 운동장 흙

◀ 화단 흙

❶ 흙을 이루는 알갱이의 색깔을 비교해 봅시다.

예시 답안
▶ 색깔이 더 밝은 것은 (운동장) 흙입니다.

❷ 흙을 이루는 알갱이의 크기를 비교해 봅시다.

예시 답안
▶ 알갱이가 더 큰 것은 (운동장) 흙입니다.

2 운동장 흙과 화단 흙을 손으로 만져 보면서 촉감을 확인해 봅시다.

예시 답안
거친 느낌이 나는 것은 (운동장) 흙입니다.

예시 답안
부드러운 느낌이 나는 것은 (화단) 흙입니다.

주의! 흙을 만진 뒤에는 손을 깨끗이 씻어야 해요.

3 운동장 흙과 화단 흙을 컵에 넣고 물을 부은 다음, 나무 막대로 젓고 가만히 놓아 둡시다.

예시 답안

▶ 물 위에 뜨는 것이 많은 것은 (화단) 흙입니다.

도움말
나무 막대로 저을 때 너무 강하게 하면 컵이 쓰러지거나 물이 넘칠 수 있으므로 천천히 저어 줍니다.

4 두 컵에서 물 위에 뜬 물질을 핀셋으로 건져 거름종이 위에 올려놓고 관찰해 봅시다.

▼ 화단 흙의 부식물

▶ 물 위에 뜬 물질에는

예시 답안 나무 뿌리, 나무 조각, 죽은 벌레

등이 있습니다.

▲ 운동장 흙의 부식물

도움말
물 위에 뜬 물질의 종류보다는 물질의 양에 따른 차이를 중심으로 비교합니다.

이렇게 ○○ 정리해요.

운동장 흙과 화단 흙의 특징에 해당하는 내용에 ✓표시를 해 봅시다.

예시 답안

▶ 운동장 흙은 색깔이 (✓밝고, ☐어두우며), 알갱이 크기는 (✓큽니다, ☐작습니다). 손으로 만져 보면 (✓거칠고, ☐부드러우며), 물에 넣으면 물 위로 뜨는 물질이 (☐많습니다, ✓적습니다).

▶ 화단 흙은 색깔이 (☐밝고, ✓어두우며), 알갱이 크기는 (☐큽니다, ✓작습니다). 손으로 만져 보면 (☐거칠고, ✓부드러우며), 물에 넣으면 물 위로 뜨는 물질이 (✓많습니다, ☐적습니다).

도움말
흙을 가져오는 장소나 방법에 따라서 다양한 관찰 결과가 나올 수 있습니다.

과학 56~57쪽

탐구 활동 흙의 물 빠짐 비교하기

자세한 해설은 62~63쪽에 있어요.

● 무엇을 준비할까요?

운동장 흙, 화단 흙, 구멍이 뚫리지 않은 플라스틱 컵 2개, 구멍이 뚫린 플라스틱 컵 2개, 거즈, 넓은 쟁반, 초시계, 물, 실험용 장갑, 실험복

● 과정을 알아볼까요?

1. 구멍이 뚫린 플라스틱 컵 2개의 안쪽 바닥에 거즈를 깝니다. 도움①
2. 거즈를 깐 컵 중 하나에는 운동장 흙을, 다른 하나에는 화단 흙을 각각 $\frac{1}{3}$씩 채워 봅시다. 도움②
3. 흙을 채운 두 컵 아래에 구멍이 뚫리지 않은 컵을 각각 끼우고, 흙이 모두 젖을 때까지 물을 부어 봅시다. 도움③
4. 두 컵 안에 있는 흙이 모두 젖으면 같은 높이까지 물을 채워 봅시다. 도움④
5. 위쪽에 있는 컵 2개를 동시에 들어 올리고, 10초 동안 아래로 빠진 물의 양을 비교해 봅시다. 도움⑤

● 관찰 내용 및 결과를 정리해요

➲ 화단 흙보다 운동장 흙에서 물 빠짐이 더 좋습니다.

➲ 운동장 흙은 알갱이의 크기가 커서 물 빠짐이 좋고, 화단 흙은 알갱이의 크기가 작아서 물 빠짐이 안 좋습니다.

➲ 흙의 물 빠짐

교과서 속 핵심 개념

● 운동장 흙과 화단 흙의 특징 비교

구분	운동장 흙	화단 흙
색깔	화단 흙보다 색깔이 밝음.	운동장 흙보다 색깔이 어두움.
알갱이 크기	화단 흙보다 알갱이 크기가 큼.	운동장 흙보다 알갱이 크기가 작음.
부식물 양	화단 흙보다 부식물 양이 적음.	운동장 흙보다 부식물 양이 많음.

● **부식물**
- 죽은 식물이나 동물 등이 오랜 시간 썩어서 만들어진 물질
- 시간이 지나면 암석이 부서진 알갱이에 섞여서 흙으로 만들어짐.
- 부식물이 많을수록 식물이 잘 자람.

● **흙의 물 빠짐 비교:** 흙을 이루는 알갱이 크기가 큰 운동장 흙이 알갱이가 작은 화단 흙보다 물 빠짐 정도가 좋음.

● **흙의 물 빠짐이 서로 다른 까닭**
- 흙을 이루는 알갱이의 크기가 서로 다르기 때문
- 흙을 이루는 알갱이의 크기가 클수록 물 빠짐 정도가 좋음.

도움 ① 플라스틱 컵의 준비
거즈는 컵에 물을 부었을 때 물이 너무 빨리 빠져나가는 것을 막아 줍니다. 구멍이 뚫린 플라스틱 컵 2개의 안쪽 바닥에 비슷한 두께로 거즈를 깔아 줍니다.

도움 ② 흙의 양
흙의 양은 높이를 기준으로 서로 같게 맞추어 줍니다.

도움 ③ 처음에 물을 붓는 까닭
물은 흙이 전체적으로 충분히 젖을 수 있을 때까지 조금씩 부어 줍니다. 처음 흙에 물을 부으면 흙이 모두 젖을 때까지 아래로 물이 빠져나오지 않게 됩니다. 흙의 종류에 따라 물을 머금을 수 있는 정도가 다릅니다. 따라서 물이 빠져나오기 위한 조건을 같게 만들기 위해서는 밑으로 빠지는 물을 붓기 전에 두 흙이 충분히 젖어 있어야 합니다.

도움 ④ 플라스틱 컵 안 물의 높이
물의 높이가 서로 다르면 위에서 물이 누르는 힘이 달라서 물 빠짐 정도를 정확하게 측정하기 어렵습니다. 따라서 두 컵에 들어 있는 물의 양을 서로 같게 해 주어야 합니다. 두 컵을 가까이 놓고 물의 높이 차이가 없도록 확인해 줍니다.

도움 ⑤ 물 빠짐 확인과 시간 측정
물을 부은 후에는 컵을 들지 않아도 컵 아래의 구멍으로 물이 조금씩 빠져나갑니다. 따라서 물을 부은 후에는 컵을 들어 올리는 과정을 빨리 진행해야 합니다. 이때 아래의 컵이 움직이지 않도록 다른 모둠원이 아래의 컵을 잡아 주며, 또 다른 모둠원은 시간을 측정합니다.

스스로 확인해요

- **운동장 흙과 화단 흙의 차이점을 설명할 수 있어요.**
  도움말 흙의 색깔, 흙을 이루는 알갱이의 크기, 부식물이 더 많은 것 등의 차이점을 설명합니다.
- **두 컵에서 빠져나간 물의 양을 비교했어요.**
  도움말 두 컵에서 아래로 나온 물의 양을 비교하여 운동장 흙과 화단 흙에서의 물 빠짐을 비교할 수 있습니다.

정답과 해설 3쪽

교과서 개념 확인 문제

1 다음 ( ) 안에 알맞은 말을 써 봅시다.

(1) 운동장 흙과 화단 흙의 물 빠짐을 비교하는 실험에서 컵 아래로 빠진 물의 양이 더 많은 흙은 ( ) 흙입니다. 따라서 물 빠짐이 더 좋은 흙은 ( ) 흙입니다.

(2) 흙의 물 빠짐이 서로 다른 까닭은 흙을 이루는 ( )의 크기가 다르기 때문입니다.

2 다음 설명이 옳으면 ○표, 옳지 <u>않으면</u> ×표해 봅시다.

(1) 흙의 물 빠짐을 비교하는 실험에서 '흙의 종류'는 서로 다르게 해야 하는 조건입니다. ( )

(2) 흙의 물 빠짐을 비교하는 실험에서 '컵의 크기'는 서로 같게 해야 하는 조건입니다. ( )

3 운동장 흙과 화단 흙의 물 빠짐을 비교한 결과를 바르게 선으로 연결해 봅시다.

(1) 흙의 알갱이 크기가 커서 물 빠짐이 더 좋은 흙 • • ㉠
▲ 화단 흙

(2) 흙의 알갱이 크기가 작아서 물 빠짐이 느린 흙 • • ㉡
▲ 운동장 흙

실험 관찰

측정

실험 관찰 30~31쪽

2 흙은 서로 달라요

탐구 활동 흙의 물 빠짐 비교하기

탐구 활동 도움말

이 탐구 활동은 운동장 흙과 화단 흙의 물 빠짐을 비교하여 물 빠짐이 다른 까닭을 알아보는 활동입니다.

도움말

거즈는 컵에 물을 부었을 때 물이 너무 빨리 빠져 나가는 것을 막아 줍니다. 여기에서 거즈는 컵 바닥의 구멍을 모두 덮을 수 있도록 해 줍니다.

도움말

흙의 양은 높이를 기준으로 서로 같게 맞추어 줍니다.

보충해설

화단 흙은 물이 스며드는 데 시간이 걸리므로 화단 흙에 먼저 물을 부어 진행합니다. 물을 부으면 흙의 높이가 줄어드는데, 이것은 물이 들어가 흙 사이의 틈이 좁아지기 때문입니다.

「실험 관찰」 꾸러미 69쪽 붙임딱지를 붙여요.

흙을 만진 뒤 손을 깨끗이 씻어요.

무엇을 준비할까요?

준비물에 ○ 표시를 하면서 확인해 봅시다.

운동장 흙

화단 흙

구멍이 뚫리지 않은 플라스틱 컵 2개

구멍이 뚫린 플라스틱 컵 2개

거즈

넓은 쟁반

초시계

물

실험용 장갑

실험복

1 구멍이 뚫린 플라스틱 컵 2개의 안쪽 바닥에 거즈를 깝니다.

2 거즈를 깐 컵 중 하나에는 운동장 흙을, 다른 하나에는 화단 흙을 각각 $\frac{1}{3}$씩 채워 봅시다.

3 흙을 채운 두 컵 아래에 구멍이 뚫리지 않은 컵을 각각 끼우고, 흙이 모두 젖을 때까지 물을 부어 봅시다.

두 컵에 있는 흙의 아랫부분까지 모두 물에 젖을 수 있도록 충분히 기다려야 해요.

4 두 컵 안에 있는 흙이 모두 젖으면 같은 높이까지 물을 채워 봅시다.

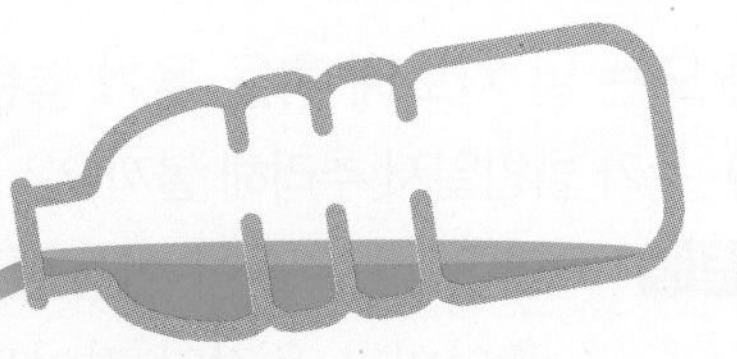

주의! 흙을 만진 손으로 눈을 비비지 않아요.

도움말 두 컵을 나란히 위치시켜 물의 높이를 비교하여 맞춥니다. 물을 부을 때는 두 컵의 높이를 서로 확인하면서 천천히 부어 줍니다. 물의 양은 컵 높이의 약 $\frac{4}{5}$ 정도가 적당합니다.

5 위쪽에 있는 컵 2개를 동시에 들어 올리고, 10초 동안 아래로 빠진 물의 양을 비교해 봅시다.

해당하는 내용에 ✓ 표시를 하세요.

예시 답안 컵 아래로 빠진 물의 양이 더 많은 흙은 (✓운동장 흙, ☐화단 흙)입니다. 따라서 물 빠짐이 더 좋은 흙은 (✓운동장 흙, ☐화단 흙)입니다.

도움말 탐구 활동에 사용하는 흙의 종류에 따라 다른 결과가 나올 수도 있습니다.

이렇게 ○○ 정리해요.

운동장 흙과 화단 흙의 물 빠짐이 서로 다른 까닭을 설명해 봅시다.

예시 답안 ▶ 흙의 물 빠짐이 서로 다른 까닭은 흙을 이루는 [알갱이]의 크기가 다르기 때문입니다.

3 흙 언덕을 변화시켜 보아요

과학 58~59쪽

➲ 흐르는 물의 힘

궁금해요

비가 오는 날 차도에 흙을 옮겨 놓은 범인은 누구일지 이야기해 봅시다.

질문 누가 범인일지 추리해 볼까요? 도움①

예시 답안
- 많은 비로 흙이 이동했으므로 물이 범인입니다.
- 흙더미가 움직인 것이므로 흙이 범인입니다.
- 두더지가 땅속에서 땅을 파고 다니면 흙이 무너질 수 있으므로 두더지가 범인입니다.

탐구 활동 물에 의한 흙 언덕 변화 관찰하기

자세한 해설은 66~67쪽에 있어요.

- **무엇을 준비할까요?**

모래, 색연필, 넓은 쟁반, 구멍이 뚫린 플라스틱 컵, 나무 막대, 물, 실험용 장갑, 실험복

- **과정을 알아볼까요?**

① 넓은 쟁반의 위쪽에 모래를 다져 흙 언덕을 만들어 봅시다.
② 흙 언덕의 위쪽에 나무 막대를 가로로 걸치고, 그 위에 구멍이 뚫린 플라스틱 컵을 놓아 봅시다.
③ 구멍이 뚫린 플라스틱 컵에 물을 부으면 흙 언덕의 모습은 어떻게 변할지 예상해 봅시다.
④ 구멍이 뚫린 플라스틱 컵에 물을 붓고 흙 언덕의 변화 모습을 관찰해 봅시다. 도움②

- **관찰 내용 및 결과를 정리해요**

➲ 흐르는 물은 언덕 위쪽에 있는 흙을 깎거나 부순 다음, 아래쪽으로 이동하여 쌓입니다. 도움③

➲ 흐르는 물은 흙 언덕의 모양을 변화시킵니다. 도움④

▲ 물에 의한 지표의 변화

교과서 속 핵심 개념

- **침식 작용:** 흐르는 물이 지표에 있는 바위나 흙 언덕 등을 깎거나 부수는 것
- **운반 작용:** 침식 작용으로 만들어진 물질을 다른 곳으로 이동시키는 것
- **퇴적 작용:** 운반된 물질이 쌓이는 것

도움 1 추리하기

현재 만화의 내용으로는 물, 흙, 두더지 모두 흙이 무너지는데 일정 부분은 영향을 끼쳤다고 할 수 있습니다. 그러나 셋 중에서 가장 크게 영향을 끼친 것은 물입니다.

도움 2 흙 언덕에 물 붓기

흙 언덕에 물을 부을 때는 천천히 부으면서 흐르는 물에 의해 흙 언덕이 어떻게 변하는지를 확인합니다.

도움 3 흐르는 물에 의한 지표의 변화

- **침식 작용:** 지표가 빗물, 강물, 바닷물, 빙하, 바람 등에 의해 서서히 깎이는 현상을 침식 작용이라고 합니다. 보통 강물과 같이 흐르는 물이 언덕이나 바닷가의 암석, 모래사장 등을 깎아내리는 것을 침식이라고 합니다.
- **운반 작용:** 침식 작용으로 생긴 물질이 물과 함께 아래로 이동하는 것을 운반 작용이라고 합니다. 빠르게 흐르는 물은 알갱이가 크고 무거운 물질을 운반하고, 천천히 흐르는 물은 알갱이가 작고 가벼운 물질을 운반합니다.
- **퇴적 작용:** 자갈, 모래, 죽은 생물 등이 물, 빙하, 바람 등에 의하여 운반되어 어떤 곳에 쌓이는 것을 퇴적 작용이라고 합니다. 흐르는 물에 의한 퇴적 작용은 주로 강의 하류에서 일어납니다.

도움 4 실제 지표면과 실험으로 확인한 모습

실제 지표면은 실험한 흙 언덕과는 달리 흙뿐만 아니라 모래나 식물 등으로 다양하게 이루어져 있습니다. 따라서 실험에서 확인한 모습과 실제 지표면의 변화 모습이 항상 같지는 않습니다. 그러나 흐르는 물에 의해 주변 모습이 변한다는 것은 차이가 없습니다.

스스로 확인해요

- **흐르는 물이 어떻게 지표를 변화시키는지 설명할 수 있어요.**
  도움말 흐르는 물에 의한 침식 · 운반 · 퇴적 작용에 대해서 설명합니다.
- **흐르는 물에 의한 흙 언덕의 변화를 잘 관찰했어요.**
  도움말 흐르는 물에 의해 언덕의 위쪽에 있는 흙은 깎였고, 아래쪽에는 이동한 흙이 쌓였습니다.

정답과 해설 3쪽

1 다음 (   ) 안에 알맞은 말을 써 봅시다.

(1) 흐르는 물은 바위, 돌, 흙 등을 깎거나 부수는데 이것을 (   ) 작용이라고 합니다.

(2) 부서진 돌이나 흙이 물과 함께 다른 곳으로 이동하는 것을 (   ) 작용이라고 합니다.

(3) 운반된 돌이나 흙이 쌓이는 것을 (   ) 작용이라고 합니다.

2 물에 의한 흙 언덕 변화 실험에서 나타난 결과를 바르게 선으로 연결해 봅시다.

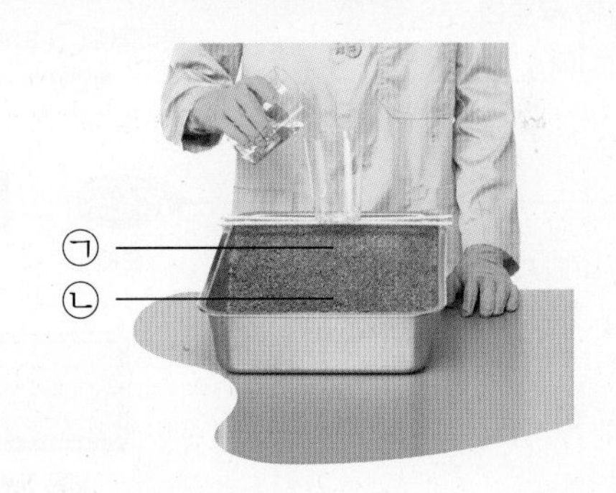

(1)	흙이 흐르는 물에 의해 깎였음. •	• ㉠	흙 언덕 위쪽
(2)	깎인 흙이 이동하여 쌓였음. •	• ㉡	흙 언덕 아래쪽

3 다음 설명이 옳으면 ○표, 옳지 않으면 ×표해 봅시다.

(1) 침식 작용으로 만들어진 물질이 다른 곳으로 이동하는 것을 퇴적 작용이라고 합니다. (   )

(2) 흙 언덕의 모양이 변한 원인은 흐르는 물 때문입니다. (   )

실험 관찰

실험 관찰 32~33쪽

예상 관찰

3 흙 언덕을 변화시켜 보아요

탐구 활동 물에 의한 흙 언덕 변화 관찰하기

탐구 활동 도움말

이 탐구 활동은 흙 언덕에 물을 흘려보내면 어떤 변화가 일어날지를 예상해 보고, 흙 언덕에 물을 흘려보내면서 흙 언덕의 변화 모습을 관찰하는 활동입니다.

도움말

흙 언덕을 만들 때 모래가 너무 건조하면 약간의 물을 섞고 손으로 살짝 두드려 모양을 유지하게 합니다.

도움말

모래가 준비되지 않으면 운동장 흙이나 화단 흙 등을 사용합니다. 화단 흙을 사용할 때는 표면이 아니라 땅속 흙을 사용합니다.

도움말

구멍이 뚫린 플라스틱 컵에 물을 부을 때는 조금씩 부어 컵에 물이 넘치지 않게 주의합니다.

도움말

그림을 그릴 때는 흙 언덕의 옆면을 그려 줍니다.

「실험 관찰」 꾸러미 69쪽 붙임딱지를 붙여요.

흙을 만진 뒤 손을 깨끗이 씻어요.

무엇을 준비할까요?

준비물에 ○ 표시를 하면서 확인해 봅시다.

모래

색연필

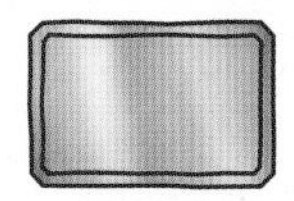

넓은 쟁반

구멍이 뚫린 플라스틱 컵

나무 막대

물

실험용 장갑

실험복

1 넓은 쟁반의 위쪽에 모래를 다져 흙 언덕을 만들어 봅시다.

2 흙 언덕의 위쪽에 나무 막대를 가로로 걸치고, 그 위에 구멍이 뚫린 플라스틱 컵을 놓아 봅시다.

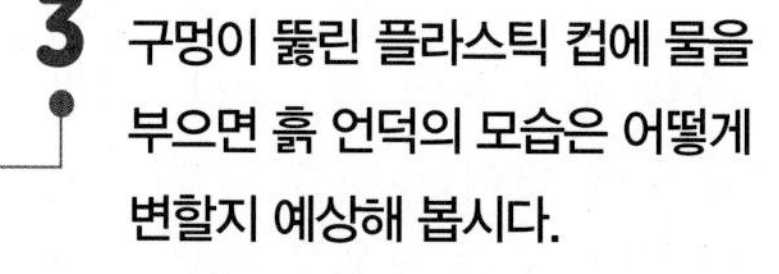

3 구멍이 뚫린 플라스틱 컵에 물을 부으면 흙 언덕의 모습은 어떻게 변할지 예상해 봅시다.

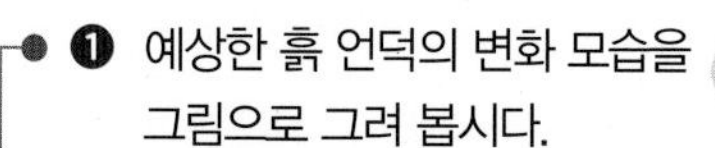

❶ 예상한 흙 언덕의 변화 모습을 그림으로 그려 봅시다.

❷ 예상한 흙 언덕의 변화 모습을 설명하는 글을 써 봅시다.

예시 답안

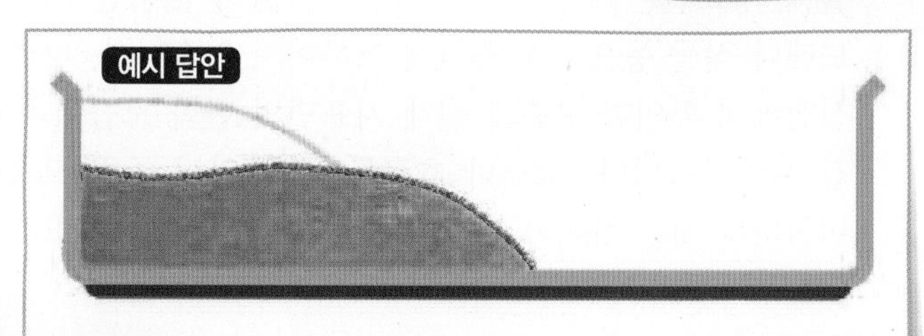

주의! 흙을 만진 손으로 눈을 비비지 않아요.

예시 답안 물을 부으면 흙 언덕 위쪽에 있는 흙이 아래쪽으로 내려와 쌓일 것입니다.

4 구멍이 뚫린 플라스틱 컵에 물을 붓고 흙 언덕의 변화 모습을 관찰해 봅시다.

도움말

구멍이 뚫린 플라스틱 컵에 붓는 물은 조금씩 부어 물이 컵을 넘치지 않게 주의합니다.

❶ 관찰한 흙 언덕의 변화 모습을 그림으로 그려 봅시다.

❷ 관찰한 흙 언덕의 변화 모습을 설명하는 글을 써 봅시다.

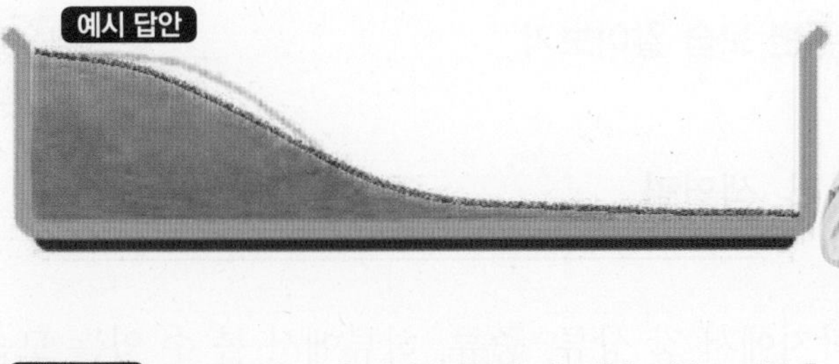

예시 답안 물이 흐르면서 흙 언덕의 위쪽에 있는 흙은 깎였고, 깎인 흙은 물과 함께 아래쪽으로 이동하여 쌓였습니다.

주의! 관찰한 흙은 함부로 버리지 않고 선생님의 안내에 따라 정해진 곳에 버려요.

이렇게 ○○ 정리해요.

흐르는 물이 흙 언덕의 모습을 변화시키는 과정을 설명한 내용에 ∨표시를 해 봅시다.

예시 답안

▶ 흐르는 물은 흙 언덕의 위에 있던 흙을 (☑깎거나 부순, ☐단단하게 한) 다음, 아래쪽으로 흙을 (☑이동, ☐퇴적)합니다. 그리고 마지막에는 흙을 (☐이동, ☑퇴적)되면서 흙 언덕의 모습이 변화됩니다.

흙 언덕의 모양을 변하게 한 원인을 이야기해 봅시다.

예시 답안

▶ 흙 언덕의 모양이 변한 원인은 [흐르는 물] 때문입니다.

보충해설

흐르는 물은 침식 작용, 운반 작용, 퇴적 작용을 합니다.

4 흐르는 물로 땅의 생김새가 변해요

과학 60~61쪽

과학 62~63쪽

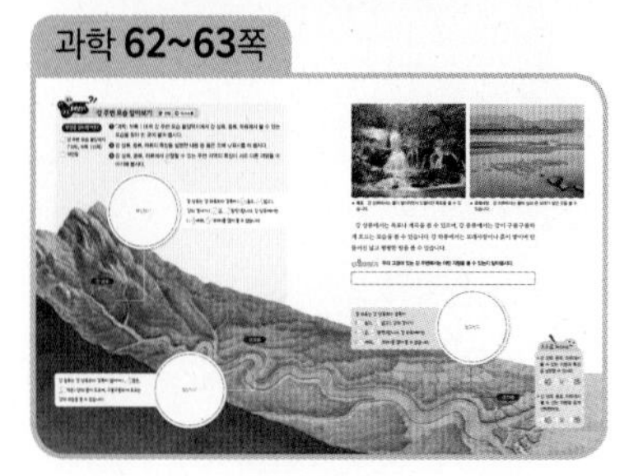

➡ 강 주변의 모습

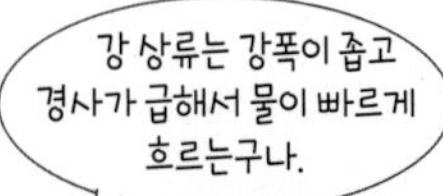

궁금해요

급류 타기를 하거나 유람선을 탈 때 강 주변에서 볼 수 있는 모습에 대해 알아봅니다.

질문 강 주변에서는 어떤 모습을 볼 수 있는지 연결해 볼까요?

예시 답안 급류 타기를 할 때 강 주변에 큰 돌을 볼 수 있습니다. / 유람선을 탈 때 강 주변에 넓은 모래사장이나 흙이 넓게 쌓인 것을 볼 수 있습니다. 도움①

해 보기 강 주변 모습 알아보기

- **무엇을 준비할까요?**

강 주변 모습 붙임딱지, 색연필

- **과정을 알아볼까요?**

① 강 주변 모습 붙임딱지에서 강 상류, 중류, 하류에서 볼 수 있는 모습을 찾아 빈 곳에 붙여 봅시다. 도움②

② 강 상류, 중류, 하류의 특징을 설명한 내용 중 옳은 것에 V 표시를 해 봅시다.

➡ 강 상류는 강 하류보다 강폭이 (☑좁고, ☐넓고), 강의 경사가 (☑급, ☐완만)합니다. 강 상류에서는 (☑바위, ☐모래)를 많이 볼 수 있습니다.

➡ 강 중류는 강 상류보다 강폭이 넓어져 (☑많은, ☐적은) 양의 물이 흐르며, 구불구불하게 흐르는 강의 모습을 볼 수 있습니다.

➡ 강 하류는 강 상류보다 강폭이 (☐좁고, ☑넓고), 강의 경사가 (☐급, ☑완만)합니다. 강 하류에서는 (☐바위, ☑모래)를 많이 볼 수 있습니다.

③ 강 상류, 중류, 하류에서 관찰할 수 있는 주변 지역의 특징이 서로 다른 까닭을 이야기해 봅시다. 도움③

더 알아보기

우리 고장에 있는 강 주변에서는 어떤 지형을 볼 수 있는지 알아봅시다.

예시 답안 우리 고장에서는 경사가 급한 계곡을 볼 수 있습니다. / 우리 고장에서는 넓은 모래사장을 볼 수 있습니다.

교과서 속 핵심 개념

- **강 상류:** 경사가 급하여 물의 흐름이 빨라 주변 지역을 깎거나 부수는 침식 작용이 주로 일어남.
- **강 중류:** 물의 흐름이 강 상류보다는 느리지만 흐르는 물의 양이 많아지면서 물질을 이동시키는 운반 작용이 주로 일어남.
- **강 하류:** 물의 흐름이 약해지면서 운반하던 물질을 더 이상 이동시키지 못하고 쌓이면서 퇴적 작용이 주로 일어남.

정답과 해설 3쪽

교과서 개념 확인 문제

도움 ① 강 주변 모습 연결하기

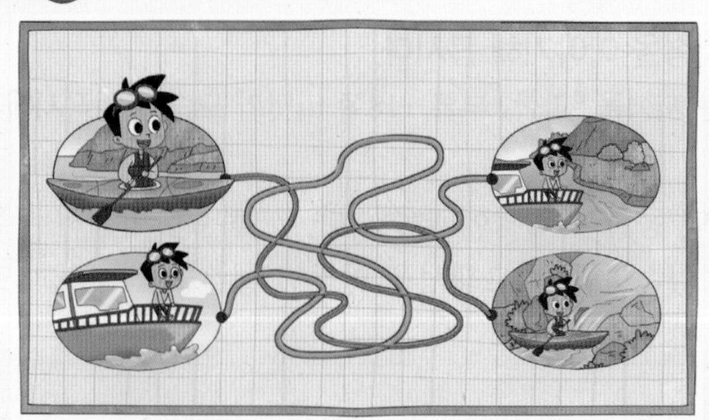

- 급류 타기를 하는 강의 상류 지역은 강폭이 좁아 물의 흐름이 빠릅니다.
- 유람선을 타는 강의 중류나 하류 지역은 강폭이 넓어지면서 물의 흐름이 강의 상류와 비교하여 많이 느립니다.

도움 ② 강 주변 모습

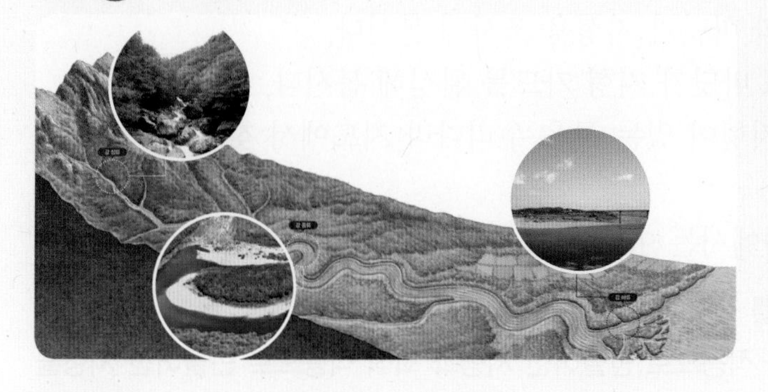

도움 ③ 강 주변 지역의 특징이 서로 다른 까닭

강 상류에서 하류로 갈수록 경사가 완만해집니다. 그래서 물의 흐르는 빠르기가 점점 느려집니다. 이 때문에 지역에 따라 물에 의한 침식 자용, 운반 작용, 퇴적 작용이 일어나는 정도가 달라져 서로 다른 모습의 지형이 나타납니다.

스스로 확인해요

- **강 상류, 중류, 하류에서 볼 수 있는 지형과 특징을 설명할 수 있어요.**
  도움말 물에 의한 침식 작용, 운반 작용, 퇴적 작용이 가장 잘 일어나는 곳은 강 상류, 중류, 하류 중 어디인지 생각하며 설명합니다.
- **강 상류, 중류, 하류에서 볼 수 있는 지형을 옳게 선택했어요.**
  도움말 강 상류, 중류, 하류에서 볼 수 있는 지형을 이야기합니다.

1 다음 (　　) 안에 알맞은 말을 써 봅시다.

> 강 주변에서는 다양한 지형을 볼 수 있습니다. 이것은 지역에 따라 흐르는 (　　　　)의 빠르기가 다르기 때문입니다.

2 다음 강물에 의한 작용과 잘 일어나는 곳을 바르게 선으로 연결해 봅시다.

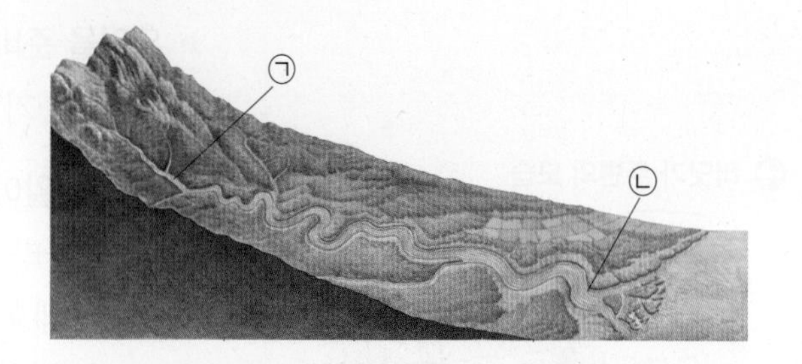

(1) 물의 흐름이 빨라 침식 작용이 잘 일어남. •　　　• ㉠ 강 상류

(2) 물의 흐름이 느려 퇴적 작용이 잘 일어남. •　　　• ㉡ 강 하류

3 다음 강 주변의 지형과 관찰할 수 있는 지역을 바르게 선으로 연결해 봅시다.

(1) 
▲ 폭포 •　　　• ㉠ 강 하류

(2) 
▲ 모래사장 •　　　• ㉡ 강 상류

5 바닷가 주변 지형은 누가 만들었을까요?

과학 64~65쪽

궁금해요

바닷가에서 볼 수 있는 지형을 이야기해 봅시다.

질문 친구들이 이야기하는 지형을 『과학』 부록 118쪽 바닷가 모습 붙임딱지에서 찾아 붙여 보아요. 도움①

예시 답안 파도가 드나들던 동굴이 기억에 남습니다. / 높은 절벽에서 푸른 바다를 내려다본 기억이 있습니다. / 모래성을 만들던 넓은 모래사장과 조개를 잡았던 갯벌이 기억에 남습니다.

탐구 활동 바닷가 주변 다양한 모습 찾기 도움②

자세한 해설은 72~73쪽에 있어요.

- **무엇을 준비할까요?**

스마트 기기, 그림 도구, 바닷가 지형 카드, 우리나라 지도

- **과정을 알아볼까요?**

1. 우리나라 바닷가에서 볼 수 있는 지형의 조사 계획을 세워 봅시다.
2. 조사 계획에 따라 바닷가 지형을 조사해 봅시다.
3. 조사한 내용으로 바닷가 지형 카드를 완성해 봅시다.
4. 조사한 바닷가 지형이 있는 곳을 우리나라 지도에서 찾고, 만든 카드를 붙여 봅시다.
5. 우리나라 바닷가에서는 어떤 지형을 볼 수 있는지 이야기해 봅시다.

- **관찰 내용 및 결과를 정리해요**

➲ 바닷가에서는 침식 작용으로 만들어진 지형과 퇴적 작용으로 만들어진 지형을 관찰할 수 있습니다.

➲ 침식 작용으로 만들어진 지형에는 동굴, 절벽이 있습니다.

➲ 퇴적 작용으로 만들어진 지형에는 갯벌, 모래사장이 있습니다.

➲ 바닷가 주변의 모습

잠깐 퀴즈!

➲ 바닷가 절벽은 (☑침식, ☐퇴적) 작용으로 만들어졌어요.

교과서 속 핵심 개념

- **바닷가 지형의 형성 원인:** 파도에 의한 침식 작용, 운반 및 퇴적 작용
- **바닷가에서 볼 수 있는 지형의 종류**
  - 파도의 침식 작용: 동굴, 절벽
  - 파도의 퇴적 작용: 모래사장, 갯벌

정답과 해설 3쪽

교과서 개념 확인 문제

도움 ① 붙임딱지 붙이기

붙임딱지를 붙일 때는 먼저 교과서 내용을 읽어보고 붙이도록 합니다. 붙임딱지는 다시 떼어서 붙일 수 있으므로, 잘못 붙인 경우에는 다시 떼어서 수정해 붙이도록 합니다.

도움 ② 바닷가 주변에서 볼 수 있는 지형

(1) 해안 침식 지형

- **절벽:** 파도의 침식 작용으로 만들어집니다. 주로 바닷가에서 바다 쪽으로 나온 지역에서 많이 보입니다.
- **동굴:** 절벽의 아래쪽 부분에 파도의 침식 작용으로 만들어집니다.

▲ 절벽

▲ 동굴

(2) 해안 퇴적 지형

- **모래사장:** 해안을 따라 모래가 쌓인 지형입니다.
- **갯벌:** 갯벌은 하천을 따라 이동한 육지의 퇴적물이 해안에 쌓여 만들어진 지형입니다. 육지와 바다가 만나는 지점에 위치하여 다양한 동식물이 살고 있습니다.

▲ 모래사장

▲ 갯벌

스스로 확인해요

- **바닷가 주변에서 볼 수 있는 지형의 특징을 설명할 수 있어요.**
  도움말 파도의 침식 작용과 퇴적 작용으로 만들어지는 지형의 특징을 설명합니다.
- **바닷가 지형을 조사하여 카드를 완성했어요.**
  도움말 바닷가 지형의 위치와 만들어진 과정을 조사합니다.

1 다음 ( ) 안에 들어갈 알맞은 말을 써 봅니다.

(1) 바닷가에서 ( )에 의해 육지가 깎인 곳에서는 ( )이나 동굴이 나타납니다.

(2) 바닷가에서 파도가 세지 않은 곳에는 운반된 고운 흙이나 모래가 ( )되어 갯벌이나 ( )이 나타납니다.

2 다음 설명이 옳으면 ○표, 옳지 않으면 ×표해 봅시다.

(1) 바닷가의 동굴은 파도의 침식 작용으로 만들어진 것입니다. ( )

(2) 갯벌은 우리나라 바닷가에서 볼 수 없는 지형입니다. ( )

3 다음과 같은 바닷가 주변 지형과 이 지형이 만들어진 방법을 바르게 선으로 연결해 봅시다.

(1) 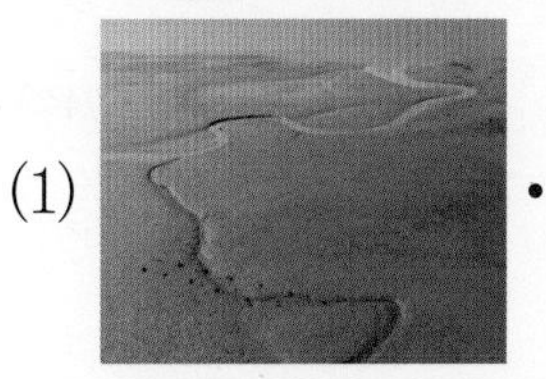
▲ 갯벌 •

(2) 
▲ 절벽 •

(3) 
▲ 모래사장 •

• ㉠ 파도의 침식 작용으로 만들어진 지형

• ㉡ 파도의 퇴적 작용으로 만들어진 지형

실험 관찰

의사소통

실험 관찰 34~35쪽

5 바닷가 주변 지형은 누가 만들었을까요?

탐구 활동 **바닷가 주변 다양한 모습 찾기**

탐구 활동 도움말

이 탐구 활동은 바닷가 주변의 다양한 지형에 대하여 스마트 기기로 조사하고, 조사한 내용으로 바닷가 지형 카드를 완성하여 우리나라 지도에 붙여 보는 활동입니다.

도움말

지형을 조사할 장소는 모둠원끼리 서로 의견을 교환하여 지역이 서로 겹치지 않도록 합니다.

도움말

스마트 기기를 이용하여 바닷가 지형을 조사할 때 지형이 만들어진 원인도 함께 조사하도록 합니다.

도움말

조사한 지형을 그림으로 그릴 때에는 특징적인 점을 중심으로 그리고, 너무 자세히 그리지 않아도 됩니다.

『실험 관찰』 꾸러미 69쪽 붙임딱지를 붙여요.

카드를 잃어버리지 않게 잘 보관해요.

무엇을 준비할까요?

준비물에 ○ 표시를 하면서 확인해 봅시다.

스마트 기기

그림 도구 (색연필, 사인펜 등)

바닷가 지형 카드 (『실험 관찰』 꾸러미 74쪽)

우리나라 지도

1 우리나라 바닷가에서 볼 수 있는 지형의 조사 계획을 세워 봅시다.

예시 답안	바닷가 지형 조사 계획
지형 이름	바닷가 동굴
장소(선택)	☑동해 ☐남해 ☐황해
조사 방법	스마트 기기를 이용한 기사 검색
선택한 까닭	지난해 가족 여행으로 방문한 지역이기 때문입니다.

2 조사 계획에 따라 바닷가 지형을 조사해 봅시다.

3 조사한 내용으로 바닷가 지형 카드를 완성해 봅시다.

❶ 『실험 관찰』 꾸러미 74쪽에 있는 바닷가 지형 카드를 한 장 뜯어서 준비합시다.

❷ 카드에 조사한 바닷가 지형을 그림으로 그리고 특징을 써 봅시다.

❸ 어떻게 만들어진 지형인지 카드에 ✓표시를 해 봅시다.

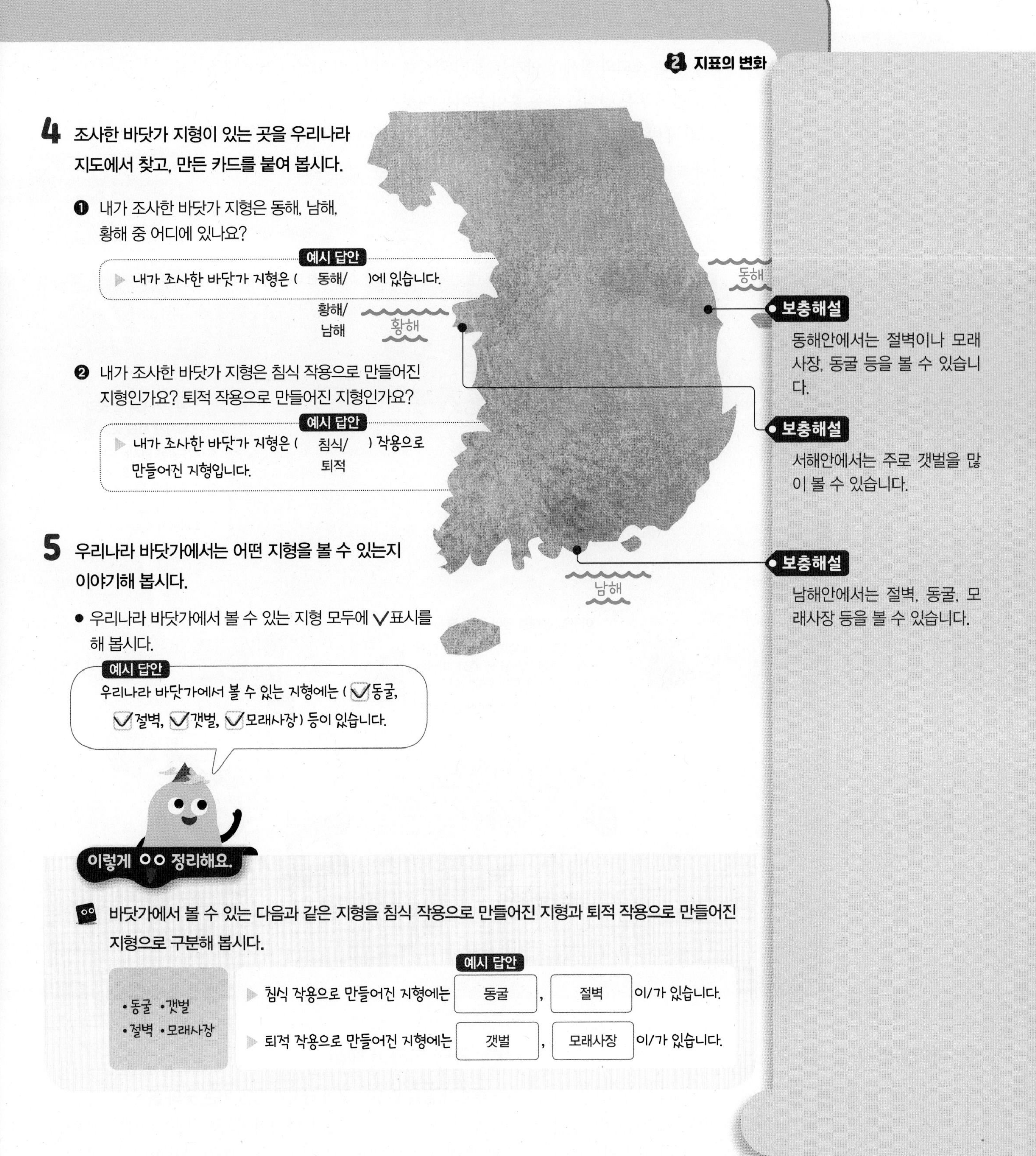

4 조사한 바닷가 지형이 있는 곳을 우리나라 지도에서 찾고, 만든 카드를 붙여 봅시다.

❶ 내가 조사한 바닷가 지형은 동해, 남해, 황해 중 어디에 있나요?

예시 답안

▶ 내가 조사한 바닷가 지형은 (동해/황해/남해)에 있습니다.

❷ 내가 조사한 바닷가 지형은 침식 작용으로 만들어진 지형인가요? 퇴적 작용으로 만들어진 지형인가요?

예시 답안

▶ 내가 조사한 바닷가 지형은 (침식/퇴적) 작용으로 만들어진 지형입니다.

5 우리나라 바닷가에서는 어떤 지형을 볼 수 있는지 이야기해 봅시다.

- 우리나라 바닷가에서 볼 수 있는 지형 모두에 ✓표시를 해 봅시다.

예시 답안

우리나라 바닷가에서 볼 수 있는 지형에는 (☑동굴, ☑절벽, ☑갯벌, ☑모래사장) 등이 있습니다.

보충해설

동해안에서는 절벽이나 모래사장, 동굴 등을 볼 수 있습니다.

보충해설

서해안에서는 주로 갯벌을 많이 볼 수 있습니다.

보충해설

남해안에서는 절벽, 동굴, 모래사장 등을 볼 수 있습니다.

이렇게 ○○ 정리해요.

바닷가에서 볼 수 있는 다음과 같은 지형을 침식 작용으로 만들어진 지형과 퇴적 작용으로 만들어진 지형으로 구분해 봅시다.

- 동굴 • 갯벌
- 절벽 • 모래사장

예시 답안

▶ 침식 작용으로 만들어진 지형에는 동굴, 절벽 이/가 있습니다.

▶ 퇴적 작용으로 만들어진 지형에는 갯벌, 모래사장 이/가 있습니다.

과학 더하기 도움말

과학 더하기의 내용은 야구장에 있는 흙이 모두 같은 것이 아니라 위치에 따라 조금씩 특징이 다르다는 것을 설명하는 자료입니다. 야구장에 있는 흙이 어디에 있는지에 따라 종류가 다르다는 것을 알아보면서 흙이 다양한 특징을 가지고 있다는 것을 이해하도록 합니다.

과학 더하기 해설

• 투수가 공을 던지는 곳과 타자가 공을 치는 곳의 흙

투수가 공을 던지는 곳과 타자가 공을 치는 곳에는 진흙과 모래가 9:1의 비율로 섞여 있는 흙을 사용합니다. 이곳의 흙에는 진흙의 양이 많아 물을 뿌려 다지면 벽돌만큼이나 단단해집니다. 따라서 투수가 공을 던질 때 바닥을 힘껏 디디어도 바닥이 쉽게 파이지 않습니다.

• 선수들이 달리는 곳의 흙

선수들이 달리고 수비를 하는 곳에는 모래와 진흙, 실트(모래와 진흙의 중간 크기의 흙)를 6:3:1의 비율로 섞은 흙을 사용합니다. 이 흙에는 모래의 양이 많아 푹신한 느낌을 주며, 선수가 친 공이 땅바닥에 맞았을 때 높이 튀어 오르지 않게 합니다.

• 야구장 전체를 덮어주는 흙

잔디가 있는 곳을 제외하고 야구장 전체를 이불처럼 덮어주는 흙은 동글동글하게 생긴 알갱이의 흙으로 구운 모래와 실트를 섞어서 만듭니다. 이 흙을 덮어주면 원래에 있던 흙이 머금고 있는 물이 쉽게 증발하는 것을 막아 줍니다. 또한, 이 흙은 쿠션 역할을 하여 경기 도중에 선수들이 다치는 것을 막아줍니다.

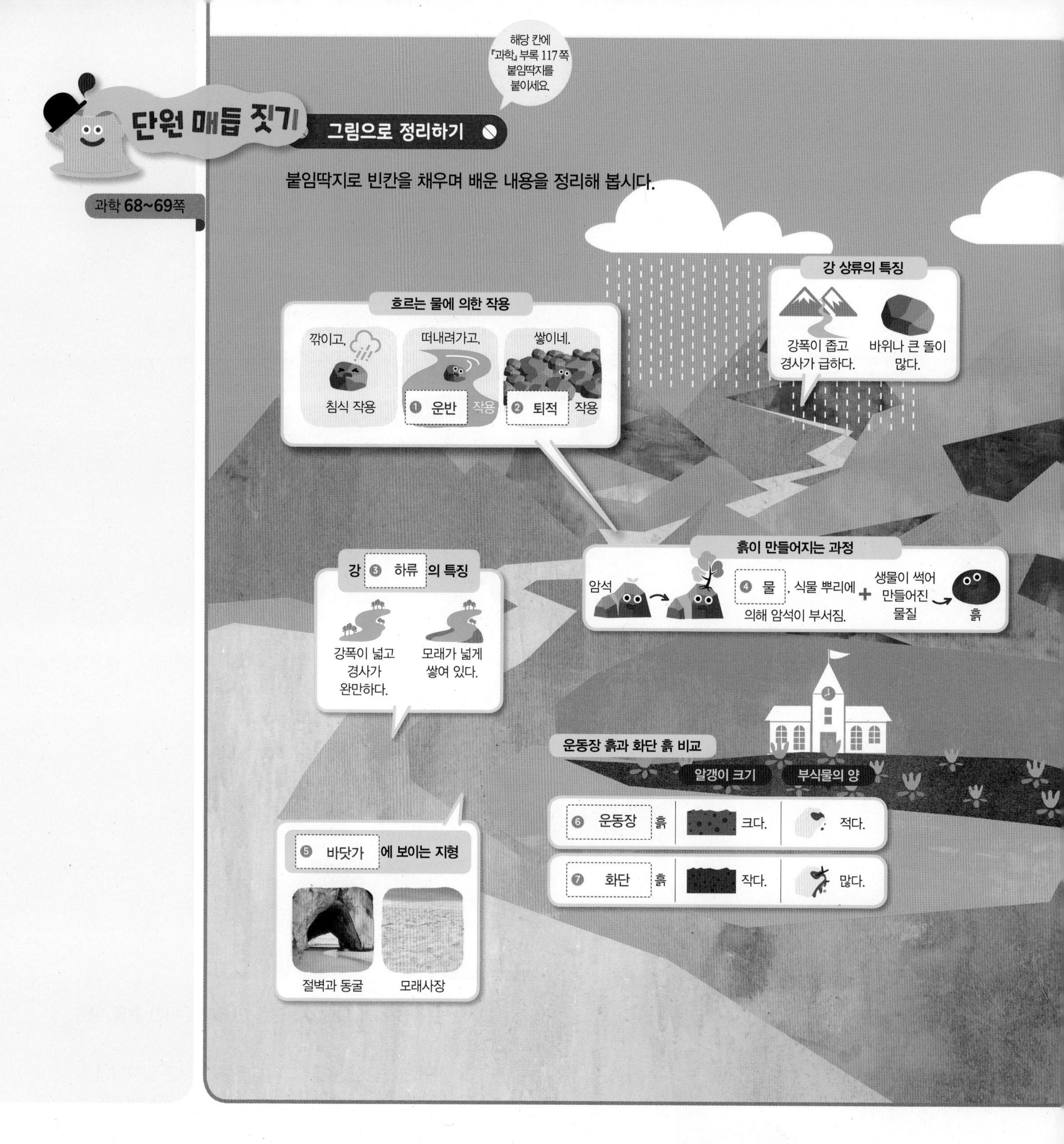

그림으로 정리하기 해설

❶, ❷ 흐르는 물에 의한 침식 작용, 운반 작용, 퇴적 작용으로 지표 변화가 나타납니다.

❸ 강 주변에서 볼 수 있는 지형은 강 상류, 중류, 하류에 따라 다릅니다.

❹ 암석이 물이나 식물 뿌리 등의 영향으로 잘게 부서진 물질에 생물이 썩어서 만들어진 물질이 섞여 흙이 만들어집니다.

❺ 바닷가 주변 지형은 파도의 침식과 운반 및 퇴적 작용으로 만들어집니다.

❻, ❼ 운동장 흙과 화단 흙의 특징을 비교하면 서로 다른 것을 알 수 있습니다.

문제로 확인하기 해설

❶ 지표 변화와 흙의 특징에 관련되는 낱말을 정확하게 알고 있는지 판단하는 문제입니다.

(1) 지형은 우리가 보는 지표의 모습입니다.

(2) 화단 흙에는 다양한 종류의 부식물이 포함되어 있어 식물이 잘 자랍니다.

문제로 확인하기

❶ 각각의 설명에 해당하는 단어를 다음 글자 상자에서 찾아 ○표를 하고, 그 내용을 빈칸에 써 봅시다.

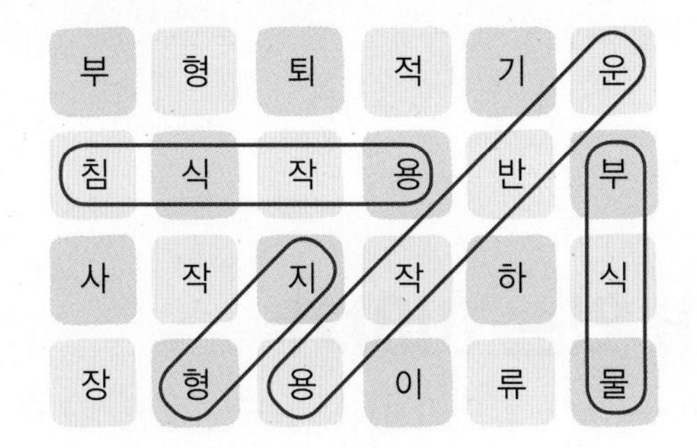

부	형	퇴	적	기	운
침	식	작	용	반	부
사	작	지	작	하	식
장	형	용	이	류	물

(1) 땅의 생김새를 지 형 (이)라고 합니다.

(2) 화단 흙에 포함되어 있는 부 식 물 은/는 식물의 잔뿌리, 나뭇잎, 죽은 곤충 등이 오랜 시간 동안 썩어서 만들어집니다.

(3) 지표에 있는 바위나 돌 · 흙이 부서지거나 깎이는 것을 침 식 작 용 (이)라고 합니다.

(4) 부서진 돌이나 흙이 다른 곳으로 이동하는 것을 운 반 작 용 (이)라고 합니다.

❷ 그림과 같은 지형을 강 상류 주변과 바닷가 중 어느 곳에서 볼 수 있는지 선으로 연결해 봅시다.

과학 글쓰기

❸ 자신이 강물에 떠내려가는 작은 돌이라고 생각해 봅시다. 강의 중류와 하류에서 겪을 수 있는 일을 친구에게 보내는 문자 메시지로 써 봅시다.

도움말 강의 위치와 흐르는 물의 빠르기를 생각하며 써야 합니다.

도전! 창의 융합

우리 주변 지형 속에 숨어 있는 이야기

우리 주변에서 보는 지형에는 어떤 이야기가 숨겨져 있는지 알아보고, 자신만의 이야기를 만들어 봅시다.

『실험관찰』 36쪽

❷ 강 주변의 지형과 바닷가 주변의 지형에 대해 알고 있는지 확인하는 문제입니다.

- 강 주변에서 볼 수 있는 지형은 강 상류, 중류, 하류에 따라 서로 다릅니다. 강 주변에서 볼 수 있는 지형 중 계곡과 폭포는 강 상류에서 주로 볼 수 있습니다.
- 바닷가 주변에서 볼 수 있는 지형에는 파도의 침식 작용으로 만들어진 동굴과 높은 절벽, 파도의 퇴적 작용으로 만들어진 모래사장과 갯벌 등을 볼 수 있습니다.

과학 글쓰기 해설

강의 중류와 하류에서 겪을 수 있는 일을 다음과 같이 쓸 수도 있습니다.

- 상류보다 물의 양이 많아져 많은 친구와 함께 떠내려갔어.
- 강폭이 넓어지면서 새로운 친구들을 많이 만나게 되었어.
- 하류에 도달하면서 물의 흐름이 느려져 친구들과 퇴적되었어.

실험 관찰

실험 관찰 36~37쪽

보충해설

큰 바위 얼굴에 대한 이야기: 월출산의 큰 바위 얼굴은 옛 책에 기록이 남아 있습니다. 월출산에는 흔들바위 세 개가 있는데, 이 흔들바위는 한 사람이 흔들거나 열 사람이 흔들어도 움직입니다. 이 세 개의 흔들바위로 인해 이 땅에 큰 인물이 난다는 전설이 있어 이를 시기한 중국인이 바위 세 개를 모두 떨어뜨렸는데 놀랍게도 그 가운데 하나가 스스로 제자리로 올라갔다고 합니다. 이후 이 바위를 신령한 바위라 했고, 고을 이름도 영암(신령스러운 바위)이라고 했다고 합니다.

우리 주변 지형 속에 숨어 있는 이야기

우리나라 곳곳에는 비바람에 깎여서 만들어진 다양한 모습의 지형들이 있어요. 이러한 지형 중에는 동물이나 사람의 모습을 닮아 이에 관련된 흥미로운 이야기가 전해지기도 해요.

우리가 주변에서 보는 지형에는 어떤 이야기가 숨겨져 있을까요?

보충해설
움푹 패인 또렷한 눈을 볼 수 있습니다.

보충해설
오뚝한 코를 볼 수 있습니다.

이름
예시 답안 물먹는 코끼리

이야기
예시 답안 먼 길을 가던 코끼리가 목이 말라 먹지 말아야 할 바닷물을 먹다가 돌로 남게 되었습니다.

교과서 평가 문제

1 다음 중 커다란 돌이 흙이 되는 과정에 대한 설명으로 옳지 않은 것은 어느 것입니까? (　　　)

① 오랜 시간 동안 만들어진다.
② 바람이나 흐르는 물에 의해 깎인다.
③ 돌끼리 서로 부딪쳐서 크기가 커진다.
④ 돌 틈으로 식물 뿌리가 자라며 돌이 부서진다.
⑤ 돌 틈으로 들어간 물이 얼었다 녹기를 반복하며 돌이 부서진다.

2 다음의 ㉠과 ㉡에 들어갈 알맞은 말을 옳게 짝지은 것은 어느 것입니까? (　　　)

> 사막에 있는 흙에는 (㉠)이/가 많으며, 산 위쪽에 있는 흙에는 (㉡)이/가 많습니다.

	㉠	㉡
①	돌	모래
②	모래	돌
③	돌	바위
④	바위	돌
⑤	자갈	모래

중요

3 다음 중 운동장 흙에 대한 설명으로 옳지 않은 것은 어느 것입니까? (　　　)

① 화단 흙보다 색깔이 밝다.
② 손으로 만지면 거친 느낌이 난다.
③ 화단 흙보다 알갱이 크기가 더 크다.
④ 화단 흙보다 물 위에 뜨는 것이 적다.
⑤ 부식물이 많아 식물이 잘 자라는 흙이다.

4~5 다음은 흐르는 물에 의한 흙 언덕의 변화를 관찰하는 실험입니다. 물음에 답하시오.

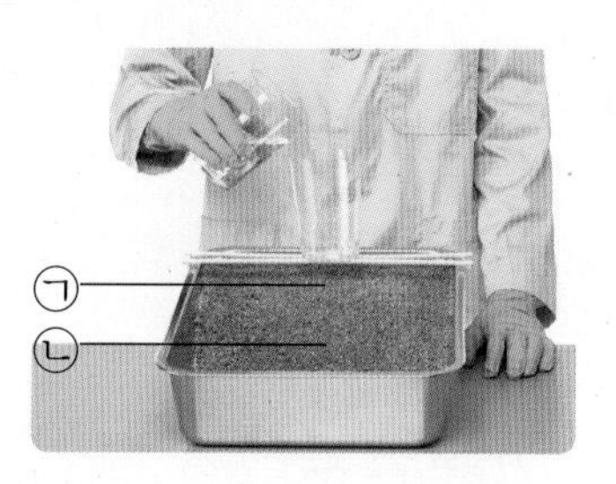

4 다음 중 물을 부은 뒤 흙 언덕의 모습 변화에 대한 설명으로 옳은 것은 어느 것입니까? (　　　)

① 흙 언덕 전체가 평평하게 변한다.
② ㉡ 부분이 ㉠ 부분보다 높아진다.
③ ㉡ 부분에 있던 흙이 ㉠ 부분으로 옮겨 간다.
④ ㉠ 부분에 있던 흙이 ㉡ 부분으로 내려와 쌓인다.
⑤ 아무런 변화가 없다.

중요

5 위의 실험 결과와 관련하여 다음 ㉠과 ㉡에 들어갈 알맞은 말을 쓰시오.

> 물에 의한 흙 언덕 변화 실험에서 경사가 급한 곳에서는 (㉠) 작용이 활발하고, 경사가 완만한 곳에서는 (㉡) 작용이 활발하게 일어납니다.

㉠: (　　　　　), ㉡: (　　　　　)

6 다음 중 강 상류 주변 모습에 대한 설명으로 옳지 않은 것은 어느 것입니까? (　　　)

① 물의 흐름이 빠르다.
② 강의 경사가 완만하다.
③ 강 하류보다 강폭이 좁다.
④ 폭포나 계곡을 볼 수 있다.
⑤ 모래보다는 바위를 많이 볼 수 있다.

7~8 다음은 강 주변 지형의 모습입니다. 물음에 답하시오.

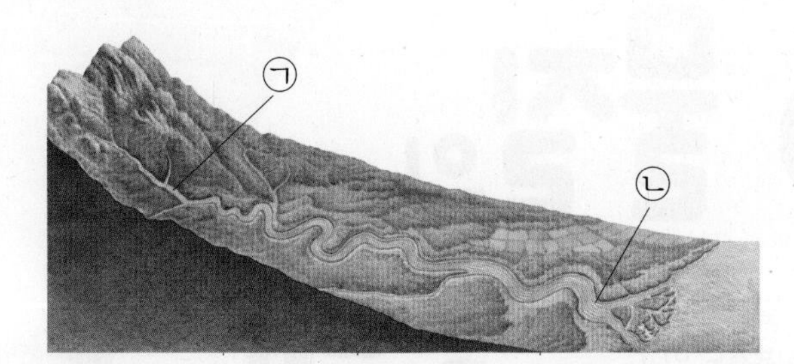

7 다음과 같은 모습을 주로 볼 수 있는 곳은 위 그림의 ㉠과 ㉡ 중 어느 곳인지 해당하는 곳의 기호를 쓰시오.

( )	( )

8 다음 중 위 그림의 ㉡ 지역에 대한 설명으로 옳지 않은 것은 어느 것입니까? ( )

① ㉡ 지역은 물의 흐름이 느리다.
② ㉡ 지역은 ㉠ 지역보다 강폭이 넓다.
③ ㉡ 지역은 ㉠ 지역보다 경사가 완만하다.
④ ㉡ 지역에서 넓고 평평한 땅을 볼 수 있다.
⑤ ㉡ 지역에서 돌과 흙을 깎거나 부수는 작용이 잘 일어난다.

9 다음 보기에서 파도에 의한 침식 작용으로 만들어진 지형끼리 옳게 짝 지은 것은 어느 것입니까? ( )

보기
㉠ 갯벌 ㉡ 모래사장 ㉢ 동굴 ㉣ 절벽

① ㉠, ㉡ ② ㉠, ㉢ ③ ㉡, ㉢
④ ㉡, ㉣ ⑤ ㉢, ㉣

서술형 문제

10 다음은 운동장 흙과 화단 흙의 특징을 비교한 표입니다. 물음에 답하시오.

구분	운동장 흙	화단 흙
색깔	밝음.	(㉠).
알갱이의 크기	(㉡).	작음.
물에 뜨는 물질	(㉢).	(㉣).

(1) 빈칸에 들어갈 알맞은 말을 쓰시오.
㉠: ( ), ㉡: ( ),
㉢: ( ), ㉣: ( )

(2) 운동장 흙과 화단 흙 중 식물이 잘 자라는 흙이 어느 흙인지 쓰고, 그 까닭도 쓰시오.

서술형 문제

11 오른쪽 그림은 운동장 흙과 화단 흙의 물 빠짐을 비교하는 실험입니다. 물음에 답하시오.

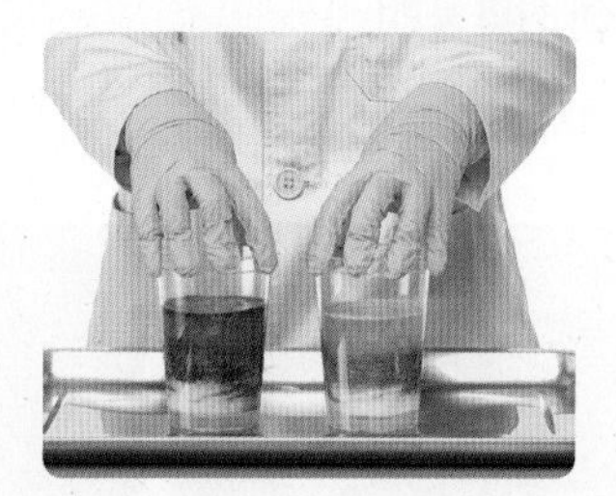

(1) 운동장 흙과 화단 흙 중 같은 시간 동안 컵 아래로 빠진 물의 양이 더 많은 흙은 어느 흙인지 쓰시오.
( )

(2) 운동장 흙과 화단 흙 중 물 빠짐이 더 좋은 흙은 어느 흙인지 쓰시오.
( )

(3) 운동장 흙과 화단 흙의 물 빠짐이 서로 다른 까닭을 쓰시오.

이 단원에서 공부할 내용

3 물질의 상태

과학관 앞에는
물을 뿜는 분수도 있고,
쉴 수 있는 의자도 있고,
알록달록한 풍선도 있어요.
이렇게 다양한 물질을 상태에 따라 분류할 수 있다고
해요. 어떤 차이점이 있는지 함께 알아볼까요?

비눗방울 안에는
무엇이 들어
있을까요?

단원 그림은 학생들이 과학관 앞 공원에 있는 다양한 물질을 보면서 비눗방울 안에 무엇이 들어 있을지 궁금해 하는 장면입니다. 그림 속 물질들을 물질의 상태와 관련 지으면서 앞으로 배울 내용에 대해 생각해 봅니다.

좀 더 설명할게요

나무에서 얻어지는 끈적끈적한 물질을 수액 또는 나무즙이라고 합니다. 1년 중 밤과 낮의 온도 차이가 15 ℃ 이상 날 때 얻을 수 있습니다. 아주 옛날 사람들은 도구를 만들 때 이 수액을 접착제로 활용하기도 하였습니다.

▲ 나무에서 나오는 수액

질문과 답

비눗방울 안에는 무엇이 들어 있을까요?

공기가 들어 있습니다.

과학 놀이터 도움말

물이 든 높고 폭이 좁은 용기 속에 공기 발생 장치를 설치한 뒤, 다양한 견과류를 넣고 각 물질의 움직임을 관찰하는 활동입니다.

이렇게 해요

유의점

- 용기가 넘어져 물이 쏟아지지 않도록 주의합니다.

준비물 도움말

- 용기의 폭이 좁을수록 견과류가 움직일 수 있는 범위가 좁아져서 활동 결과가 더 잘 나타납니다.

활동 도움말

② 길쭉하고 투명한 용기에 물을 반쯤 담아 봅시다.

도움말 공기 발생 장치를 작동했을 때 물이 넘칠 수 있으므로 용기에 물을 너무 가득 담지 않도록 합니다.

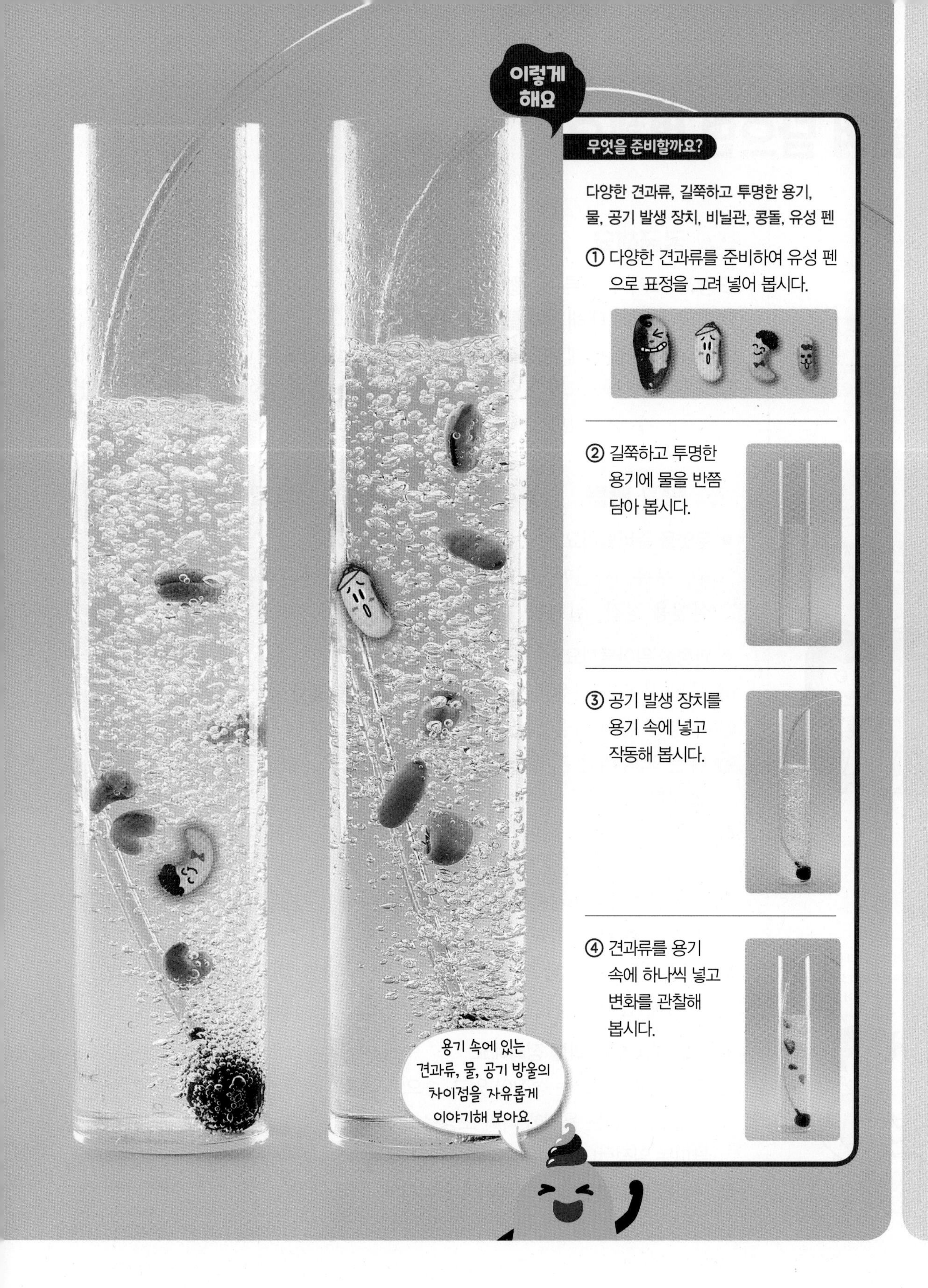

③ 공기 발생 장치를 용기 속에 넣고 작동해 봅시다.

도움말 공기 발생 장치에서 나오는 공기 방울의 모양과 움직임을 관찰해 봅니다.

④ 견과류를 용기 속에 하나씩 넣고 변화를 관찰해 봅시다.

도움말 견과류를 하나씩 천천히 넣으면서 용기 속 물질들의 모습을 비교해 봅니다.

질문

- 용기 속에 있는 견과류, 물, 공기 방울의 차이점을 자유롭게 이야기해 보아요.

나의 답 물은 찰랑거리고, 공기 발생 장치는 물속에서 조금 흔들렸습니다. / 공기 방울은 아래쪽에서 보글보글 올라오다가 위쪽에서 터졌고, 견과류는 물속에서 오르락내리락했습니다.

1 옮겨 담으면 변해요

과학 74~75쪽

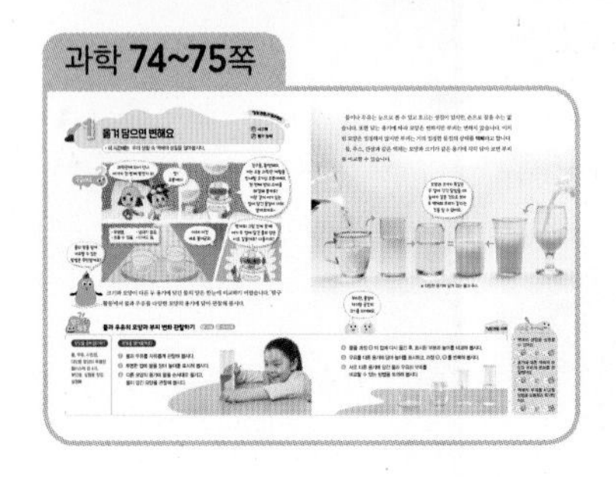

➡ 액체의 성질

➡ 액체의 모양과 부피

궁금해요

모양과 크기가 다른 두 컵에 담긴 물의 양을 비교하는 방법을 생각하면서 액체의 성질에 대해 흥미를 가져 봅시다.

질문 물의 양을 쉽게 비교할 수 있는 방법은 무엇일까요?

예시 답안 모양과 크기가 같은 두 용기에 각각 옮겨 담아 보면 쉽게 비교할 수 있습니다.

탐구 활동 물과 우유의 모양과 부피 변화 관찰하기

자세한 해설은 88~89쪽에 있어요.

- **무엇을 준비할까요?**

물, 우유, 사인펜, 다양한 모양의 투명한 플라스틱 컵 4개, 보안경, 실험용 장갑, 실험복

- **과정을 알아볼까요?**

❶ 물과 우유를 자유롭게 관찰해 봅시다. 도움①

❷ 투명한 컵에 물을 담아 높이를 표시해 봅시다. 도움②

❸ 다른 모양의 용기에 물을 순서대로 옮기고, 물이 담긴 모양을 관찰해 봅시다.

❹ 물을 과정 ❷의 컵에 다시 옮긴 후, 표시된 부분과 높이를 비교해 봅시다.

❺ 우유를 다른 용기에 담아 높이를 표시하고, 과정 ❸, ❹를 반복해 봅시다. 도움③

❻ 서로 다른 용기에 담긴 물과 우유의 부피를 비교할 수 있는 방법을 토의해 봅시다.

- **관찰 내용 및 결과를 정리해요**

➡ 물과 우유는 흐르는 성질이 있고, 손으로 잡을 수 없으며, 담는 용기에 따라 모양은 변하지만 부피는 일정합니다.

➡ 이러한 물질의 상태를 액체라고 합니다.

▲ 다양한 용기에 든 같은 양의 우유

교과서 속 핵심 개념

- **액체:** 흐르는 성질이 있고, 모양은 일정하지 않지만 부피는 일정한 물질의 상태
- **액체의 모양과 부피**
  - 담는 용기에 따라 액체의 모양은 변하지만, 부피는 변하지 않음.
  - 액체의 부피는 모양과 크기가 같은 용기에 담아 보면 쉽게 비교할 수 있음.

정답과 해설 4쪽

교과서 개념 확인 문제

도움 ① 모든 액체는 물로 만들어졌을까?

물은 생활에서 쉽게 볼 수 있는 대표적인 액체입니다. 그래서 모든 액체가 물로 만들어지거나 물과 관련된 것이라는 잘못된 생각을 할 수 있습니다. 또 물과 달리 끈적끈적한 꿀이나 걸쭉한 소스, 기름 같은 것을 액체가 아니라고 생각하는 경우가 있습니다.
물은 다양한 액체 물질 중 하나입니다. 그리고 꿀이나 소스, 기름 같은 것도 모두 액체에 해당합니다.

도움 ② 액체의 부피 측정 방법

액체의 부피를 보다 정확하게 측정하기 위해 눈금실린더를 사용할 수도 있습니다. 이때 액체 표면의 위치와 관찰자의 눈높이를 같게 하여 눈금을 읽습니다.

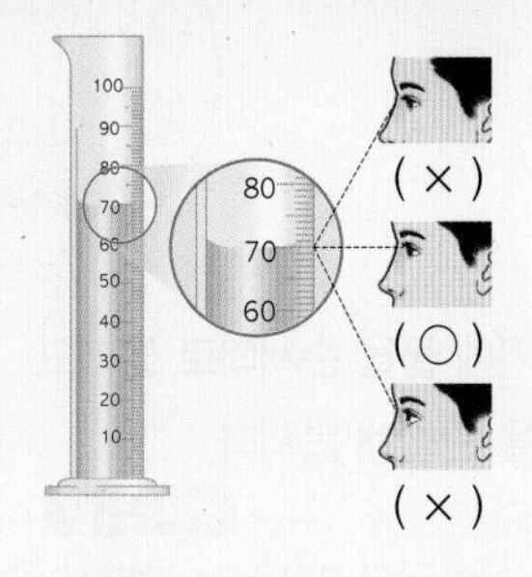

도움 ③ 물과 우유의 부피 변화

투명한 컵에 물이나 우유를 담아 높이를 표시하고 다양한 용기에 옮겨 담아 보면, 용기에 따라 모양은 변하지만 부피는 변하지 않습니다.

스스로 확인해요

- **액체의 성질을 설명할 수 있어요.**
  도움말 흐르는 성질과 용기에 따른 모양 변화를 설명합니다.
- **용기에 따른 액체의 모양과 부피의 변화를 관찰했어요.**
  도움말 다양한 모양의 용기에 같은 양의 액체를 옮겨 담아 보고, 모양은 변하지만 부피는 변하지 않음을 관찰합니다.
- **액체의 부피를 비교할 방법을 모둠원과 토의했어요.**
  도움말 '탐구 활동'에서 컵에 담긴 물과 우유의 높이를 비교한 경험을 떠올리며 이야기합니다.

1 물질의 상태 중 눈에 보이고, 흐르는 성질이 있으며, 담는 그릇에 따라 모양은 일정하지 않지만 부피의 변화는 거의 없는 것은 무엇인지 써 봅시다.

( )

2 물의 상태에 따른 성질에 맞게 ( ) 안에 알맞은 말을 써 봅시다.

> 물을 여러 가지 모양의 그릇에 옮겨 담으면 ( )은/는 변하지만, 물이 차지하는 공간의 크기인 ( )은/는 거의 변하지 않습니다.

3 다음은 액체의 성질에 대한 설명입니다. 옳으면 ○표, 옳지 않으면 ×표해 봅시다.

(1) 손으로 쉽게 잡을 수 없습니다. ( )

(2) 담는 그릇에 따라 색깔이 변합니다. ( )

(3) 담는 그릇에 따라 부피가 변합니다. ( )

(4) 담는 그릇에 따라 모양이 변합니다. ( )

4 다음 중 물질의 상태가 나머지와 다른 하나는 어느 것입니까? ( )

① 물 ② 우유 ③ 주스
④ 식용유 ⑤ 돌멩이

실험 관찰

관찰 의사소통

실험 관찰 40~41쪽

1 옮겨 담으면 변해요

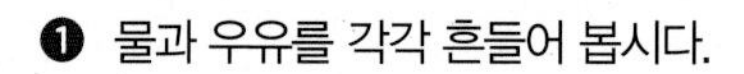

탐구 활동 물과 우유의 모양과 부피 변화 관찰하기

탐구 활동 도움말

이 탐구 활동은 물과 우유를 다른 모양의 용기에 옮겨 담아 보며 액체의 모양과 부피 변화를 관찰하는 활동입니다.

도움말

- 색깔이나 흐르는 정도도 관찰할 수 있습니다.
- 활동 중 물질을 함부로 먹거나 바닥에 흘리지 않도록 주의합니다.

「실험 관찰」 꾸러미 69쪽 붙임딱지를 붙여요.

물과 우유를 바닥에 흘리지 않아요.

무엇을 준비할까요?

준비물에 ◯ 표시를 하면서 확인해 봅시다.

물

우유

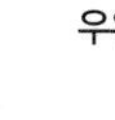

사인펜

다양한 모양의 투명한 플라스틱 컵 4개

보안경

실험용 장갑

실험복

1 물과 우유를 자유롭게 관찰해 봅시다.

❶ 물과 우유를 각각 흔들어 봅시다.

❷ 물과 우유를 각각 손으로 만져 봅시다.

눈의 높이와 물의 높이를 같게 하여 표시해요.

2 투명한 컵에 물을 담아 높이를 표시해 봅시다.

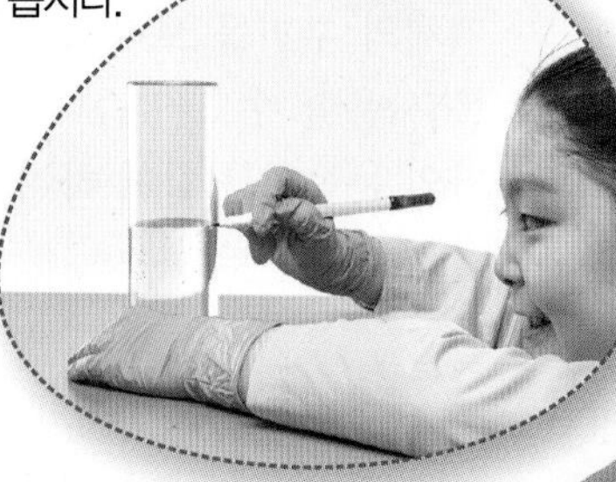

3 다른 모양의 용기에 물을 순서대로 옮기고, 물이 담긴 모양을 관찰해 봅시다.

예시 답안

▶ 용기에 따라 물이 담긴 모양은 (☑ 변했습니다, ☐ 변하지 않았습니다).

도움말

물을 옮겨 담을 때 용기의 벽면이나 바닥에 남아 있는 액체가 최대한 없도록 합니다.

4 물을 과정 2의 컵에 다시 옮긴 후, 표시된 부분과 높이를 비교해 봅시다.

예시 답안

▶ 옮긴 물의 높이는 표시한 높이와 (☑ 거의 같습니다, ☐ 매우 다릅니다).

▶ 용기에 따라 물의 부피는 (☐ 변했습니다, ☑ 변하지 않았습니다).

5 우유를 다른 용기에 담아 높이를 표시하고, 과정 3, 4를 반복해 봅시다.

예시 답안
- 용기에 따라 우유가 담긴 모양은 (☑ 변했습니다, ☐ 변하지 않았습니다).
- 옮긴 우유의 높이는 표시한 높이와 (☑ 거의 같습니다, ☐ 매우 다릅니다).
- 용기에 따라 우유의 부피는 (☐ 변했습니다, ☑ 변하지 않았습니다).

6 서로 다른 용기에 담긴 물과 우유의 부피를 비교할 수 있는 방법을 토의해 봅시다.

예시 답안 물과 우유를 각각 모양과 크기가 같은 컵에 담아 보면 됩니다.

도움말
정확한 비교를 위해서 눈금실린더를 활용할 수도 있습니다.

이렇게 ○○ 정리해요

이 활동을 통해 알 수 있는 액체의 성질을 정리해 봅시다.

예시 답안
- 물이나 우유와 같은 액체는 담는 용기에 따라 (☑ 모양, ☐ 부피)은/는 변하지만, (☐ 모양, ☑ 부피)은/는 변하지 않습니다.

2 옮겨 담아도 변하지 않아요

과학 76~77쪽

궁금해요

우리 생활에서 사용하는 물건 중에서 손으로 잡을 수 있는 물체에는 무엇이 있는지 알아봅시다.

질문 우리 주변에서 손으로 쉽게 잡을 수 있는 물체는 또 어떤 것들이 있을까요?

예시 답안 모빌, 이불, 공책, 숟가락 등이 있습니다.

해 보기 손으로 잡을 수 있는 물체의 공통점 발견하기

● 무엇을 준비할까요?

다양한 물체, 다양한 모양의 투명한 플라스틱 용기 3개, 보안경, 면장갑, 실험복

● 어떻게 할까요?

❶ 손으로 잡을 수 있는 물체를 모둠별로 두 가지씩 준비해 봅시다.

➲ 연필, 구슬, 자, 인형, 컵, 책 등

❷ 준비한 물체를 자유롭게 관찰해 봅시다.

➲ 흔들어 보기, 눌러 보기, 쌓아 보기, 옮겨 보기, (긁어 보기) 등

❸ 물체들을 각각 서로 다른 용기에 옮겨 담아 보고, 관찰한 결과를 정리해 봅시다.

	연필	자	인형
눈으로 볼 수 있다.	○	○	○
담는 용기를 바꾸면 모양이 변한다.	×	×	×
담는 용기를 바꾸면 부피가 변한다.	×	×	×
만져 보면 단단하다.	○	○	×

❹ 주어진 단어를 사용하여 관찰한 물체들의 공통점을 써 봅시다. 도움①

➲ 눈, 손, 용기, 모양, 부피

• 손으로 잡을 수 있다.	• 눈으로 볼 수 있다.
• 용기를 바꿔도 모양이 변하지 않는다.	• 용기를 바꿔도 부피가 변하지 않는다.

➲ 고체의 성질

➲ 고체의 모양

교과서 속 핵심 개념

● **고체:** 눈으로 볼 수 있고, 손으로 만질 수 있으며, 용기와 관계없이 모양과 부피가 일정한 물질의 상태

● **고체의 종류:** 연필, 구슬, 돌멩이, 컵, 건물 등

도움 1 고체일까, 아닐까?

- 문제 1: 모든 고체는 단단하고, 푹신한 것은 고체가 아니다.

▲ 인형

▲ 베개

- 답: 우리 주변에 딱딱하거나 단단한 고체가 많기 때문에 가방, 인형, 베개, 스펀지 등과 같이 부드러운 물체는 고체가 아니라고 생각할 수 있습니다. 하지만 고체마다 단단한 정도, 휘어지는 정도 등의 성질이 다를 수 있습니다. 따라서 옮겨 담았을 때 물질의 모양과 부피 변화에 따라 물질의 상태를 판단하는 것이 더 정확합니다.
- 문제 2: 가루 형태의 물질은 고체가 아니다.

▲ 모래

- 답: 고체와 액체의 성질을 모두 학습하고 나면, 모래나 소금과 같은 가루 물질은 다른 용기에 옮겨 담았을 때 모양이 변하는 것처럼 보여 고체가 아니라고 생각할 수 있습니다.
가루는 잘게 부서지거나 갈린 작은 고체 알갱이들이 모인 것입니다. 이때 담는 용기의 모양에 따라 가루 전체의 모양은 변할 수 있지만, 알갱이 하나의 모양은 변하지 않습니다. 이렇게 고체인지를 판단할 때에는 가루 전체의 모양이 아닌 알갱이 하나의 모양을 비교하는 것이 더 정확합니다.

스스로 확인해요

- **고체의 성질을 설명할 수 있어요.**
도움말 액체의 성질과 비교하며 고체는 모양과 부피가 일정함을 설명합니다.
- **고체 상태인 물체들의 공통점을 관찰했어요.**
도움말 담는 그릇에 관계없이 고체의 모양과 부피가 변하지 않는 모습을 관찰합니다.

정답과 해설 4쪽

교과서 개념 확인 문제

1 다음 물체의 상태에 따른 성질에 맞게 (　　) 안에 알맞은 말을 각각 써 봅시다.

> 공책, 색연필, 지우개와 같은 상태의 물체는 다른 용기에 옮겨 담아도 (　　　　)와/과 (　　　　)이/가 변하지 않습니다.

2 물질의 상태 중 눈으로 볼 수 있고, 손이나 도구로 쉽게 잡을 수 있으며, 옮겨 담아도 모양과 부피가 달라지지 않는 것은 무엇인지 써 봅시다.

(　　　　　　)

3 다음은 고체의 성질에 대한 설명입니다. 옳으면 ○표, 옳지 않으면 ×표해 봅시다.

(1) 눈으로 볼 수 있습니다. (　　)

(2) 손으로 잡을 수 있습니다. (　　)

(3) 모양이 일정하지 않습니다. (　　)

(4) 흘러서 손으로 잡기 힘듭니다. (　　)

(5) 담는 그릇에 따라 부피가 변합니다. (　　)

4 다음 중 물질의 상태가 나머지와 다른 하나는 어느 것입니까? (　　)

① 책　② 컵　③ 간장
④ 연필　⑤ 돌멩이

3 보이지도, 잡히지도 않아요

과학 78~79쪽

궁금해요

커다란 풍선이나 봉지를 가득 채울 방법을 생각해 봅시다.

질문 10초 안에 봉지를 무엇으로 가득 채울 수 있을까요?

예시 답안
- 공기로 가득 채울 수 있습니다.
- 물을 가득 넣어 채울 수 있습니다.

탐구 활동 공간을 차지하는 공기 확인하기

자세한 해설은 94~95쪽에 있어요.

● 무엇을 준비할까요?

물, 페트병 뚜껑, 수조, 유성 펜, 구멍이 뚫리지 않은 플라스틱 컵, 구멍이 뚫린 플라스틱 컵, 보안경, 실험용 장갑, 실험복

● 과정을 알아볼까요?

❶ 수조에 물을 채우고, 물의 높이를 표시해 봅시다.
❷ 페트병 뚜껑을 물에 띄워 봅시다.
❸ 바닥에 구멍이 뚫리지 않은 컵으로 페트병 뚜껑을 덮고, 수조 바닥까지 밀어 넣었다가 천천히 들어 올리면서 관찰해 봅시다.
❹ 바닥에 구멍이 뚫린 컵으로 페트병 뚜껑을 덮고, 수조 바닥까지 밀어 넣었다가 천천히 들어 올리면서 관찰해 봅시다.
❺ 과정 ❸, ❹의 결과를 비교해 봅시다.

● 관찰 내용 및 결과를 정리해요

➡ 바닥에 구멍이 뚫리지 않은 컵: 컵 안에 있는 공기가 공간을 차지하고 있으므로 물이 컵 밖으로 밀려 나와 수조 속 물의 높이가 약간 높아지고, 페트병 뚜껑이 아래로 내려갑니다.

➡ 바닥에 구멍이 뚫린 컵: 컵 안에 있던 공기가 구멍으로 빠져나가 컵 속으로 물이 완전히 차오르고, 수조 속 물의 높이나 페트병 뚜껑의 위치는 변화가 없습니다.

더 알아보기

우리 주변에서 공기를 가득 채워서 사용하는 물체는 또 어떤 것이 있을까요?

예시 답안 풍선 미끄럼틀, 공기베개, 축구공 등

➡ **공기의 성질**

교과서 속 핵심 개념

- **공기의 성질:** 주어진 공간을 고르게 채울 수 있음.
- **공기가 공간을 차지하는 것을 이용하는 예:** 튜브, 구명조끼, 비치 볼, 타이어, 풍선 등 도움①

정답과 해설 4쪽

교과서 개념 확인 문제

도움 ① 공간을 차지하는 공기의 이용

- 우리가 숨을 쉬고, 냄새를 맡고, 소리를 듣고, 시원한 바람을 느낄 수 있는 것은 우리 주변에 공기가 있기 때문입니다.
- 우리는 생활 속에서 튜브나 구명조끼, 비치 볼 등에 공기를 가득 채워 사용합니다. 튜브나 구명조끼에 공기를 가득 채우면 물에 잘 뜨게 됩니다.
- 타이어 속에도 공기를 채워 사용합니다. 질기고 잘 늘어나는 성질이 있는 고무 타이어 속에 공기를 가득 채워 넣으면, 자전거나 자동차가 달리면서 생기는 충격을 줄여서 승차감을 좋게 할 수 있습니다.
- 공기가 주어진 공간을 가득 채우는 성질은 운동할 때 사용하는 공, 충격을 줄이거나 온도 변화를 줄이는 데 사용하는 뽁뽁이, 말랑말랑하고 재미있는 풍선 미끄럼틀, 하늘을 높이 나는 열기구 등 우리 생활에서 다양하게 이용되고 있습니다.

▲ 구명조끼

▲ 비치 볼

▲ 타이어

▲ 축구공

▲ 뽁뽁이

▲ 열기구

스스로 확인해요

- **공기가 공간을 차지하고 있음을 설명할 수 있어요.**
  도움말 우리 주변이 눈에 보이지 않는 공기로 가득 차 있음을 설명합니다.
- **물이 담긴 수조 속에 두 컵을 넣는 실험을 하고, 결과를 비교했어요.**
  도움말 바닥에 구멍이 뚫린 컵과 뚫리지 않은 컵의 실험 결과를 비교하고, 그 까닭을 설명합니다.

1 공기의 특징에 맞게 (　　) 안에 알맞은 말을 써 봅시다.

> 공기는 눈에 보이지 않지만, 우리 주변에 있고 (　　　　)을/를 차지합니다.

2 다음은 놀이공원에서 볼 수 있는 풍선 미끄럼틀입니다. 풍선 미끄럼틀 속에 가득 들어 있는 물질로 옳은 것은 어느 것입니까? (　　　)

▲ 풍선 미끄럼틀

① 물　② 모래　③ 공기　④ 나무　⑤ 고무

3 다음 중 공기의 특징으로 옳지 않은 것은 어느 것입니까? (　　　)

① 냄새가 없다.
② 공간을 차지한다.
③ 눈에 보이지 않는다.
④ 손으로 잡을 수 있다.
⑤ 튜브나 타이어 속을 가득 채울 수 있다.

4 다음 중 공기가 주어진 공간을 가득 채운 생활 속 예로 옳지 않은 것은 어느 것입니까? (　　　)

① 튜브　② 타이어　③ 선풍기　④ 비치 볼　⑤ 구명조끼

실험 관찰

관찰 추리

실험 관찰 42~43쪽

3 보이지도, 잡히지도 않아요

탐구 활동 공간을 차지하는 공기 확인하기

탐구 활동 도움말

이 탐구 활동은 눈에 보이지 않는 공기가 공간을 차지하고 있음을 확인하는 활동입니다.

도움말

활동 중 물로 장난을 치거나 물을 바닥에 흘리지 않도록 주의합니다.

보충해설

컵 속 공기의 부피만큼 물의 높이가 높아집니다.

『실험 관찰』 꾸러미 69쪽 붙임딱지를 붙여요.

바닥에 물을 흘리지 않도록 주의해요.

무엇을 준비할까요?

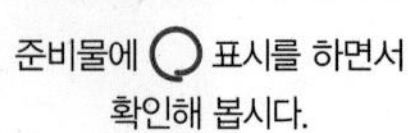

준비물에 ○ 표시를 하면서 확인해 봅시다.

물

페트병 뚜껑

수조

유성 펜

구멍이 뚫리지 않은 플라스틱 컵

구멍이 뚫린 플라스틱 컵

보안경

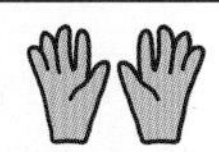

실험용 장갑

실험복

1 수조에 물을 채우고, 물의 높이를 표시해 봅시다.

❶ 수조에 물을 절반 정도 넣습니다.

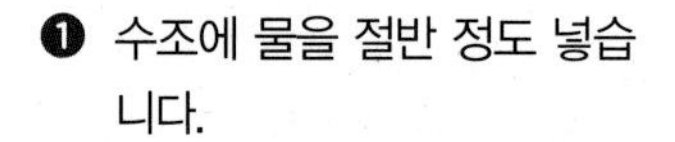

❷ 물의 높이를 유성 펜으로 표시합니다.

2 페트병 뚜껑을 물에 띄워 봅시다.

3 바닥에 구멍이 뚫리지 않은 컵으로 페트병 뚜껑을 덮고, 수조 바닥까지 밀어 넣었다가 천천히 들어 올리면서 관찰해 봅시다.

컵을 수조 바닥까지 밀어 넣을 때

▶ 페트병 뚜껑은 예시 답안 내려갑니다.

▶ 수조 속 물의 높이는 예시 답안 높아집니다.

컵을 천천히 들어 올릴 때

▶ 페트병 뚜껑은 예시 답안 올라갑니다.

▶ 수조 속 물의 높이는 예시 답안 낮아집니다.

4 바닥에 구멍이 뚫린 컵으로 페트병 뚜껑을 덮고, 수조 바닥까지 밀어 넣었다가 천천히 들어 올리면서 관찰해 봅시다.

컵을 수조 바닥까지 밀어 넣을 때

- 페트병 뚜껑은
  예시 답안 그대로 있습니다.
- 수조 속 물의 높이는
  예시 답안 변하지 않습니다.

컵을 천천히 들어 올릴 때

- 페트병 뚜껑은
  예시 답안 그대로 있습니다.
- 수조 속 물의 높이는
  예시 답안 변하지 않습니다.

보충해설

컵 속의 공기가 구멍을 통해 컵 밖으로 빠져나가고, 그 공간을 물이 채웁니다.

5 과정 3, 4의 결과를 비교해 봅시다.

- 결과가 다르게 나타난 까닭을 정리해 봅시다.

예시 답안 구멍이 (☐ 뚫린, ☑ 뚫리지 않은) 플라스틱 컵을 사용했을 때, 페트병 뚜껑이 수조 아래로 내려가는 것을 볼 수 있었습니다. 그 까닭은 공기가 컵 속 공간을 차지하여 물을 밀어냈기 때문입니다.

이렇게 ○○ 정리해요

이 활동을 통해 알 수 있는 공기의 성질을 다음 단어들을 포함하여 정리해 봅시다.

• 차지 • 공간 • 공기

예시 답안 공기는 공간을 차지합니다.

보충해설

공기는 부피를 가지고 있어서 공간을 차지합니다.

4 공기가 든 봉지가 점점 작아져요

과학 80~81쪽

궁금해요

공기가 가득 들어 있는 풍선이나 봉지의 입구를 열면, 그 크기가 점점 작아집니다. 이때 풍선이나 봉지가 작아진 까닭을 알아봅시다.

질문 봉지가 작아진 까닭은 무엇일까요?

예시 답안 공기가 봉지 밖으로 빠져나갔기 때문입니다.

질문 봉지를 다시 원래대로 팽팽하게 만들려면 어떻게 해야 할까요?

예시 답안
- 봉지의 입구를 꽉 묶어 줍니다.
- 봉지에 구멍이 뚫린 부분을 찾아 셀로판테이프를 붙이고, 입구에 공기를 채워 넣습니다.

➲ 공기의 이동

해 보기 움직이는 풍선 보트 만들기

- **무엇을 준비할까요?**

CD, 양면테이프, 가위, 어린이 음료수 뚜껑, 풍선, 공기 주입기 도움①

- **어떻게 할까요?**

❶ CD 앞면 중앙에 양면테이프로 어린이 음료수 뚜껑을 붙여 봅시다. 도움②

❷ 풍선에 공기를 가득 채워 봅시다.

❸ 바람이 빠지지 않도록 주의하며 풍선을 뚜껑에 끼워 봅시다. 도움③

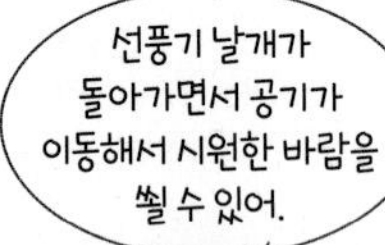

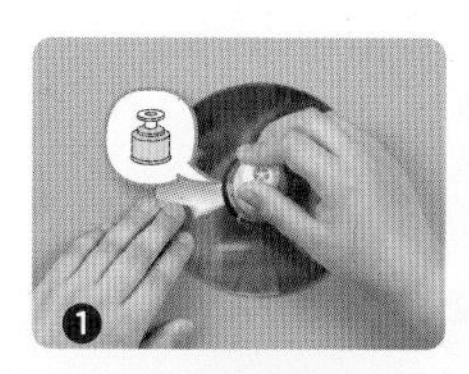

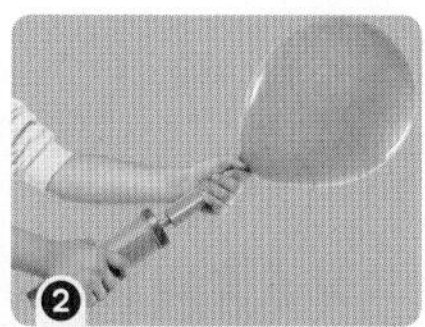

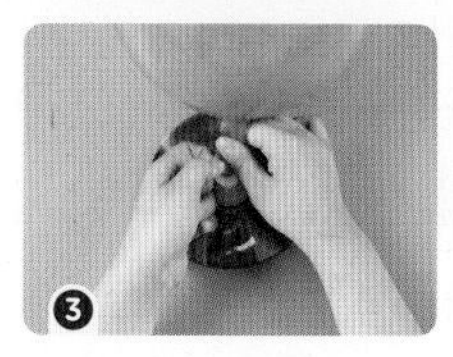

❹ 책상 위에서 뚜껑의 윗부분을 위로 잡아당겨 봅시다.

❺ 풍선 보트의 움직임을 관찰해 봅시다.

➲ 풍선 속을 가득 채우고 있던 공기의 일부가 풍선 밖으로 (이동)하면서 풍선의 크기가 (☐커지고, ☑작아지고) 풍선 보트가 움직입니다. 도움④

교과서 속 핵심 개념

- **기체:** 공기와 같이 담는 용기에 따라 모양이 변하고, 그 공간을 항상 가득 채우는 물질의 상태. 대부분 눈에 보이지 않지만 다른 곳으로 이동할 수 있음.
- **기체의 이동을 알 수 있는 예**
  - 불수록 커지는 비눗방울
  - 입으로 불면 펼쳐지는 코끼리 나팔
  - 공기 주입기에 의해 부풀어 오르는 튜브
  - 공기의 흐름에 따라 움직이는 바람 인형
  - 선풍기 날개가 회전하면서 느껴지는 바람

정답과 해설 4쪽

교과서 개념 확인 문제

도움 ① 공기 주입기
공기 주입기의 좁은 입구 쪽에 풍선을 끼우고, 반대쪽 펌프를 밀면 바깥 공기가 구멍을 통해 공기 주입기 안으로 들어오고, 이 공기가 좁은 입구를 통해 풍선 안으로 이동하여 풍선이 크게 부풀어 오릅니다. 이렇게 공기 주입기는 공기가 이동할 수 있는 성질을 이용하여 풍선이나 튜브를 공기로 가득 채울 수 있습니다.

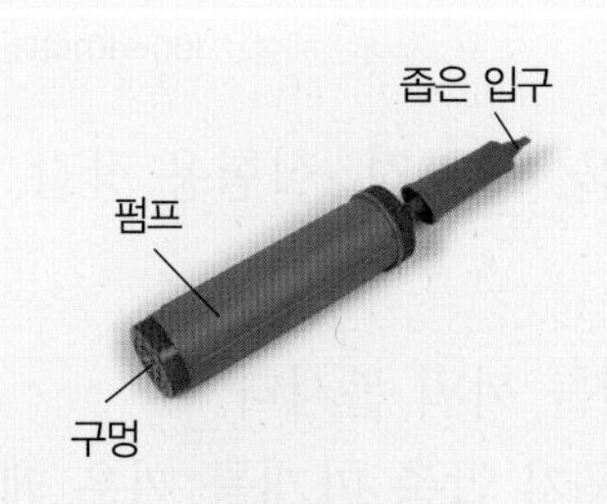

▲ 공기 주입기

도움 ② 양면테이프 붙이기
양면테이프를 오밀조밀하게 붙이면 음료수 뚜껑의 잠금을 해제하기 전까지 CD 구멍으로 풍선의 공기가 쉽게 빠져나가지 않아서 편리합니다.

도움 ③ 음료수 뚜껑 끼우기
- 이때 음료수 뚜껑의 윗부분은 아래로 내려 잠겨진 상태여야 합니다.
- 빨래집게로 풍선 입구를 막으면 풍선을 수월하게 끼울 수 있습니다.

도움 ④ 풍선 보트가 움직이는 원리
풍선 속 공기가 풍선 밖으로 이동함에 따라 풍선 보트가 공중에 살짝 떠서 이리저리 움직이게 됩니다.

스스로 확인해요

- **공기의 이동을 실생활 사례를 들어 설명할 수 있어요.**
  도움말 공기가 공간을 차지하는 사례가 아니라 이동하는 사례를 들어 설명합니다.
- **공기가 이동하여 움직이는 풍선 보트를 만들었어요.**
  도움말 풍선 안의 공기가 밖으로 이동하면서 풍선 보트가 움직이는 모습을 관찰합니다.

1 다음 (　　) 안에 알맞은 말을 써 봅시다.

> 공기와 같이 모양이나 부피는 일정하지 않지만, 공간을 차지하며 다른 곳으로 이동할 수 있는 물질의 상태를 (　　　　)(이)라고 합니다.

2 다음 중 공기의 이동을 이용한 예로 옳지 않은 것은 어느 것입니까? (　　　)

① 선풍기 바람 쐬기
② 풍선을 크게 불기
③ 구명조끼 입고 수영하기
④ 코끼리 나팔 불어서 펼치기
⑤ 공기 주입기로 타이어에 공기 넣기

3 다음은 비눗방울을 만드는 과정에 대한 설명입니다. (　　) 안에 들어갈 말로 옳은 것은 어느 것입니까? (　　　)

> 비눗물이 묻은 빨대 반대편에 입을 대고 공기를 불어 넣으면, 공기가 입속에서 비눗물 쪽으로 (　　　)합니다.

① 관찰　② 비교　③ 이동
④ 실험　⑤ 회전

4 다음 중 공기의 성질에 대한 설명으로 옳지 않은 것은 어느 것입니까? (　　　)

① 이동할 수 있다.
② 공간을 차지한다.
③ 눈에 보이지 않는다.
④ 손으로 잡을 수 없다.
⑤ 담는 용기에 따라 모양이 변하지 않는다.

5 공기도 무게가 있을까요?

과학 82~83쪽

궁금해요

모양과 크기가 같은 두 공기통을 구분하는 방법을 알아봅시다.

질문 두 공기통을 어떻게 구분할 수 있을까요?

예시 답안 어느 것이 더 무거운지 비교해 보면 됩니다.

탐구 활동 공기의 무게 확인하기

자세한 해설은 100~101쪽에 있어요.

● **무엇을 준비할까요?**

페트병, 공기 압축 마개, 전자저울, 보안경, 실험용 장갑, 실험복 도움①

● **과정을 알아볼까요?**

❶ 페트병의 입구에 공기 압축 마개를 끼워 봅시다.

❷ 전자저울을 수평한 곳에 놓고, 공기 압축 마개를 끼운 페트병의 무게를 전자저울로 측정해 봅시다. 도움②

❸ 페트병을 책상 위에 내려놓고, 공기 압축 마개를 눌러 페트병이 더 이상 눌러지지 않을 때까지 공기를 가득 채워 봅시다. 도움③

❹ 공기를 가득 채운 페트병의 무게를 전자저울로 측정해 봅시다.

❺ 과정 ❷와 ❹에서 측정한 페트병의 무게를 비교해 봅시다. 도움④

● **관찰 내용 및 결과를 정리해요**

➲ 공기 압축 마개를 끼우고 바로 측정한 페트병의 무게는 48.76 g이고, 공기 압축 마개를 여러 번 눌러 공기를 가득 넣은 페트병의 무게는 49.26 g입니다.

➲ 공기가 많이 들어 있는 페트병이 무게가 더 많이 나가므로, 공기와 같은 기체도 무게가 있음을 알 수 있습니다.

▲ 공기가 든 페트병의 무게 측정하기

➲ **공기의 무게**

교과서 속 핵심 개념

● **눈에 보이지 않는 공기와 같은 기체도 고체, 액체와 마찬가지로 무게가 있음.**

● **문이 닫힌 버스 1대 안을 가득 채우고 있는 공기의 무게는 약 100 kg으로, 금속 식판 200개의 무게와 비슷함.**

교과서 개념 확인 문제

도움 ① 전자저울 준비하기
- 전자저울은 소수 첫째 자리까지는 측정할 수 있는 것으로 준비합니다.
- 전자저울의 액정 화면에 나타나는 단위가 kg이 아닌, g으로 설정되어 있는지 확인합니다.

도움 ② 공기가 든 페트병의 무게 측정하기
- 공기 압축 마개로 닫힌 페트병 속에도 우리 주변과 같이 공기가 들어 있음을 이해합니다.
- 이때 전자저울로 측정한 무게는 페트병, 공기 압축 마개, 페트병 안에 들어 있는 공기의 무게를 모두 합한 값임을 이해합니다.

도움 ③ 공기 압축 마개를 누를 때 유의할 점
공기 압축 마개를 무리해서 많이 누르면 활동 후 페트병에서 분리할 때 공기 압축 마개가 튕겨 나가 다칠 수도 있습니다. 따라서 공기 압축 마개를 장난으로 너무 많이 누르지 않도록 합니다. 또, 페트병에서 공기 압축 마개를 분리할 때에는 선생님의 도움을 받도록 합니다.

도움 ④ 무게 비교한 결과 발표하기
다른 모둠이 발표한 내용을 집중해서 듣고, '탐구 활동'의 과정과 결과를 다양한 관점에서 생각해 보도록 합니다.

스스로 확인해요

- **기체도 무게가 있음을 설명할 수 있어요.**
  도움말 눈에 보이지 않는 기체에도 가볍거나 무겁다는 표현을 사용할 수 있음을 설명합니다.
- **공기 압축 마개를 눌러 공기를 넣기 전과 넣은 후의 페트병의 무게를 비교했어요.**
  도움말 공기 압축 마개를 눌러 공기를 더 넣어 주었을 때 무게 차이가 나는지 비교합니다.

1 다음은 공기의 무게를 측정하는 실험의 결과입니다. 알맞은 말에 ○표해 봅시다.

> 공기 압축 마개를 누르기 전과 여러 번 누른 후의 페트병의 무게를 비교하면, 누르기 전이 누른 후보다 더 (가볍습니다, 무겁습니다).

2 다음 중 고체, 액체, 기체의 공통점으로 옳은 것은 어느 것입니까? (　　　　)

① 눈에 보인다.
② 무게가 있다.
③ 손으로 만질 수 있다.
④ 담는 용기에 따라 색깔이 변한다.
⑤ 담는 용기에 따라 모양이 변한다.

3 모양과 크기가 같은 두 페트병에 공기 압축 마개를 끼우고, 공기의 양을 각각 다르게 넣었습니다. 이때 두 페트병의 무게를 >, = ,<를 사용하여 비교해 봅시다.

공기 압축 마개를 10번 누른 페트병	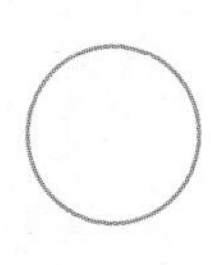	공기 압축 마개를 30번 누른 페트병

4 다음은 위 3번 문제를 통해서 알 수 있는 사실을 정리한 것입니다. (　　) 안에 알맞은 말을 써 봅시다.

> 공기를 많이 넣은 페트병일수록 무게가 더 많이 나갑니다. 따라서 공기와 같은 기체도 (　　　　　)이/가 있음을 알 수 있습니다.

실험 관찰

측정 추리

실험 관찰 44~45쪽

5 공기도 무게가 있을까요?

탐구 활동 공기의 무게 확인하기

탐구 활동 도움말

이 탐구 활동은 공기 압축 마개로 공기를 가득 채우기 전과 채운 후의 페트병의 무게를 비교하며 공기도 무게가 있는지 알아보는 활동입니다.

「실험 관찰」 꾸러미 69쪽 붙임딱지를 붙여요.

압축마개로 장난을 치지 않아요.

무엇을 준비할까요?

준비물에 ◯ 표시를 하면서 확인해 봅시다.

페트병

공기 압축 마개

전자저울

보안경

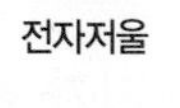

실험용 장갑

실험복

1 페트병의 입구에 공기 압축 마개를 끼워 봅시다.

2 전자저울을 수평한 곳에 놓고, 공기 압축 마개를 끼운 페트병의 무게를 전자저울로 측정해 봅시다.

보충해설

이때 측정한 무게는 페트병, 공기 압축 마개, 페트병 안에 들어 있는 공기의 무게를 모두 합한 값입니다.

예시 답안

공기 압축 마개를 끼운 페트병의 무게는 (48.76) g입니다.

페트병을 올리기 전에 영점 버튼을 눌러서 숫자가 0이 되어 있는지 확인해요.

3 페트병을 책상 위에 내려놓고, 공기 압축 마개를 눌러 페트병이 더 이상 눌러지지 않을 때까지 공기를 가득 채워 봅시다.

주의!

페트병 속에 공기를 너무 많이 넣으면 공기 압축 마개를 분리할 때 큰 소리가 나거나 세게 튕겨져 나올 수 있으니 조심해요.

4 공기를 가득 채운 페트병의 무게를 전자저울로 측정해 봅시다.

예시 답안

공기 압축 마개를 여러 번 눌러 공기를 가득 채운 페트병의 무게는 (49.26) g입니다.

보충해설

평균적으로 어른이 공기 압축 마개를 30~40번 눌렀을 때 무게가 0.5 g 정도 증가합니다.

5 과정 2와 4에서 측정한 페트병의 무게를 비교해 봅시다.

과정 2와 4의 결과를 비교해 보고, 그 까닭을 추리해 봅시다.

❶ 결과가 다르게 나타난 까닭을 정리하고 발표해 봅시다.

예시 답안 공기 압축 마개를 여러 번 누른 페트병이 공기 압축 마개를 누르기 전 페트병보다 무게가 더 (☑ 많이, ☐ 적게) 나갑니다. 그 까닭은 눈에 보이지 않는 공기도 무게가 있어서 양이 많을수록 무거워지기 때문입니다.

❷ 다른 모둠의 발표를 듣고, 우리 모둠에서 생각하지 못한 내용이 있었다면 적어 봅시다.

예시 답안 공기 압축 마개를 누르면 외부 공기가 페트병 속으로 이동합니다. 공기 압축 마개를 여러 번 누를수록 공기가 페트병 속으로 많이 이동하여 공기의 양이 많아집니다.

이렇게 ○○ 정리해요

이 활동을 통해 알 수 있는 공기의 성질을 정리해 봅시다.

예시 답안

▶ 눈에 보이지 않는 공기도 [무게] 이/가 있습니다.

6 세 가지 상태로 나누어 보아요

과학 84~85쪽

➡ 물질의 세 가지 상태

궁금해요

미로를 따라가며 주어진 팻말 속 질문에 맞게 물질을 분류해 봅시다.

질문 미로 곳곳에 있는 질문들의 의미는 무엇일까요? 도움①

예시 답안 주어진 물질을 각각 고체, 액체, 기체로 분류하는 것입니다.

질문 여섯 가지 물질 중 팻말 속 질문에 해당하는 것은 무엇일까요?

예시 답안 안경, 책 / 우유, 주스 / 튜브 속 공기, 풍선 속 공기입니다.

해 보기 물질을 분류하여 상태 카드 만들기

- 무엇을 준비할까요?

  스마트 기기, 상태 카드, 가위, 풀, 사인펜, 색연필

- 어떻게 할까요?

❶ 스마트 기기에서 고체, 액체, 기체 상태의 물질을 각각 두 가지씩 찾아봅시다. 도움②

➡ 고체: 돌, 가방, 플라스틱 컵 등

액체: 물, 우유, 참기름 등

기체: 풍선 속 공기, 타이어 속 공기, 열기구 속 공기 등

❷ 찾아낸 물질의 사진을 붙이거나 그려서 상태 카드를 완성해 봅시다.

❸ 교실을 다니면서 상태 카드를 교환해 봅시다. 도움③

➡ 카드를 교환하는 기준은 물질의 이름, 색깔, 사용 장소 등 다양하게 세울 수 있습니다.

- '악기'라는 공통점이 있는 '피아노' 카드와 '트라이앵글' 카드를 교환했습니다.
- 글자 수가 같은 '주스' 카드와 '시계' 카드를 교환했습니다.
- 색깔이 같은 '사과' 카드와 '단풍잎' 카드를 교환했습니다.
- 사용하는 장소가 비슷한 '튜브' 카드와 '물안경' 카드를 교환했습니다.

❹ 모둠별로 상태 카드를 모아 세 가지 상태로 분류해 봅시다. 도움④

➡ 고체: 시계, 피아노, 물안경 등

액체: 주스, 우유, 식초 등

기체: 풍선 속 공기, 튜브 속 공기, 농구공 속 공기 등

교과서 속 핵심 개념

- 물질은 고체, 액체, 기체로 분류할 수 있음.
- 우리는 고체, 액체, 기체 상태로 존재하는 다양한 물질을 적절히 이용하며 살아감.

정답과 해설 4쪽

교과서 개념 확인 문제

도움 ① 팻말 속 질문

- 옮겨도 모양이 일정하고 손으로 잡을 수 있는 것은?
  ➡ 고체
- 옮겨 담으면 부피는 일정하지만 모양은 변하는 것은?
  ➡ 액체
- 담는 용기를 항상 가득 채우는 것은?
  ➡ 기체

도움 ② 생활 속 고체, 액체, 기체

- 고체, 액체, 기체 중 두 가지 이상의 물질이 포함되어 분류하기 어려운 물질이 있으면 모둠별로 충분히 논의합니다.
- 우리는 고체인 건물에서 생활하고, 액체인 물을 마시며, 기체인 공기 덕분에 편안하게 숨을 쉴 수 있습니다.

도움 ③ 상태 카드 교환하기

카드에 쓴 물질 이름의 글자 수, 사진이나 그림에 사용된 색깔, 물질을 사용하는 장소 등 다양한 공통점을 찾아 물질의 상태에 관계없이 자유롭게 교환해 봅니다.

도움 ④ 상태 카드 분류하기

- 모둠별로 교환해 온 카드를 모두 책상 가운데로 모은 뒤, 물질의 상태에 따라 분류합니다.
- 고체, 액체, 기체에 해당하는 카드가 각각 몇 장인지 확인합니다.

▲ 상태 카드 예시

스스로 확인해요

- **물질의 세 가지 상태를 구분할 수 있어요.**
  도움말 용기에 따른 모양과 부피의 변화를 떠올리며 구분합니다.
- **우리 주변의 다양한 물질을 고체, 액체, 기체로 분류했어요.**
  도움말 생활 속 다양한 물질을 관찰하고, 물질의 상태에 따른 성질에 맞게 분류합니다.

1 다음 (　　) 안에 알맞은 말을 써 봅시다.

(1) (　　　　)은/는 눈으로 볼 수 있고, 손으로 잡을 수 있습니다.

(2) (　　　　)은/는 눈으로 볼 수 있지만, 흐르는 성질이 있어서 손으로 잡을 수 없습니다.

(3) (　　　　)은/는 눈으로 보기 어렵고, 손으로 잡을 수도 없습니다.

2 다음 각 물질을 상태에 맞게 선으로 연결해 봅시다.

(1)	안경 •	• ㉠	액체
(2)	우유 •	• ㉡	고체
(3)	공기 •	• ㉢	기체

3 다음 중 물질을 상태에 따라 옳게 분류한 사람은 누구인지 써 봅시다.

- **미나:** 물, 돌, 책은 모두 고체야.
- **지민:** 기름, 동전, 공기는 모두 액체야.
- **태호:** 풍선 속에 든 공기, 튜브 속에 든 공기는 모두 기체야.

(　　　　　　　　)

과학 86~87쪽

입안에서 사르르~ 부드러운 아이스크림의 비밀은?

시원한 아이스크림 속에는 고체와 액체, 기체가 모두 들어 있습니다. 아이스크림 속에 들어 있는 세 가지 상태의 물질이 무엇인지 알아봅시다.

맛있는 아이스크림 속에는 어떤 물질이 들어 있을까요? 바로 얼음과 설탕, 우유, 그리고 수많은 공기 방울이 들어 있답니다.

아이스크림은 우유에 크림과 설탕 등을 넣고 만듭니다. 이때 재료들을 섞고 휘젓는 과정에서 재료들 사이사이에 공기 방울이 생기게 됩니다. 마치 작은 비누 거품이 뭉쳐 있는 것과 같은 모습이 되지요. 아이스크림이 부피에 비해 가벼운 이유도 공기가 많이 들어 있기 때문입니다.

아이스크림에 들어 있는 공기의 양은 아이스크림의 종류에 따라 달라집니다. 공기가 많이 들어간 아이스크림은 적게 들어간 아이스크림에 비해 좀 더 부드럽습니다.

과학 더하기 도움말

달콤한 아이스크림을 만드는 과정에서 사용되는 고체, 액체, 기체 상태의 재료에는 어떤 것들이 있는지 알아보고, 아이스크림에 공기가 들어가는 까닭을 생각해 봅니다. 또, 3가지 상태의 물질이 모두 들어 있는 다른 음식을 찾아보도록 합니다.

과학 더하기 해설

우유, 설탕 등을 그대로 얼리면 너무 딱딱해집니다. 우리가 먹을 수 있는 부드러운 아이스크림을 만들기 위해서는 공기가 필요합니다.

▲ 아이스크림 재료를 휘젓는 모습

- **고체, 액체, 기체가 모두 들어 있는 음식은 또 어떤 것이 있을지 이야기해 보아요.**

▶ 설탕, 시럽, 공기가 모두 들어 있는 마시멜로가 있습니다.

▶ 쌀알과 물을 넣고 뜨거운 공기로 익혀 만드는 쌀밥이 있습니다.

얼음과 설탕, 우유, 크림 등을 넣고 휘젓는 과정에서 공기 방울이 생겨나는데, 이 공기가 빠져나가기 전에 빠르게 얼리면 훨씬 부드러운 아이스크림이 됩니다.
소프트아이스크림은 일반적으로 부피의 절반 정도가 공기로 이루어져 있어서 부드러운 맛을 냅니다. 반면 젤라또 아이스크림은 공기가 비교적 적게 들어 있어서 먹을 때 쫀득한 느낌을 냅니다.

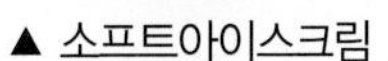

▲ 소프트아이스크림

▲ 젤라또 아이스크림

그림으로 정리하기 해설

❶ 액체는 담는 용기에 따라 모양은 바뀌지만 부피는 일정합니다. 눈으로 볼 수 있고 손으로 만질 수 있지만, 흐르는 성질이 있어서 움켜잡을 수는 없습니다.

❷, ❸ 고체는 담는 용기와 관계없이 모양과 부피가 일정합니다. 눈으로 볼 수 있고 손으로 잡을 수 있습니다.

❹ 기체는 담는 용기에 따라 모양이 바뀌고, 대부분 눈에 보이지도 손에 잡히지도 않습니다. 그리고 주어진 공간을 항상 가득 채웁니다.

❺ 눈에 보이지 않는 공기와 같은 기체도 다른 곳으로 이동할 수 있습니다.

❻ 페트병에 공기 압축 마개를 끼우고 손으로 공기 압축 마개를 여러 번 눌러 주면, 외부에 있던 공기가 페트병 속으로 이동합니다. 이때 공기가 많이 들어 있을수록 페트병의 무게가 많이 나갑니다. 따라서 기체도 무게가 있다는 것을 알 수 있습니다.

문제로 확인하기

❶ 다음 중 고체 상태인 물질을 모두 골라 써 봅시다.

유리구슬

식용유

지구의

풍선 속 공기

유리구슬, 지구의

❷ 다음 물체에 이용된 기체의 성질로 옳은 것을 찾아 ○표시를 해 봅시다.

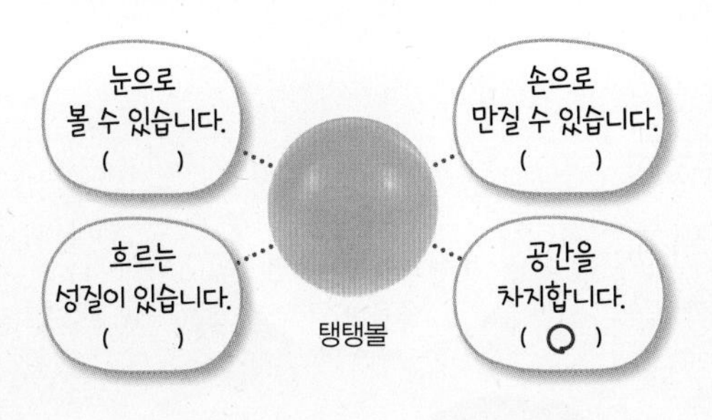

❸ 서로 다른 용기에 담긴 두 액체의 양을 비교하려면 어떻게 해야 할지 생각해 보고, 형의 대답으로 알맞은 말을 골라 ✓표시를 해 봅시다.

과학 글쓰기

❹ 호기심 로봇과 함께 배운 내용을 떠올리며 빈칸을 채워 과학관 홍보 포스터를 완성해 봅시다.

첫 번째 미션 양이 더 많은 물을 찾아라!
- 액체는 담는 용기에 따라 모양이 변하지만 부피는 일정해요.

두 번째 미션 로봇의 방을 조사하라!
- 고체는 눈으로 볼 수 있고, 모양과 부피가 일정해요.

세 번째 미션 봉지의 방을 탐험하라!

예시 답안 기체는 주어진 공간을 가득 채우고, 이동할 수 있어요.

네 번째 미션 쌍둥이 공기통을 구분하라!
- 기체는 눈에 보이지 않지만, 무게가 있어요.

마지막 미션 미로를 통과하라!
- 물질은 세 가지 상태로 분류할 수 있어요.

일시 : 20○○년 ○월 ○일 / 장소 ○○시 ○○구 ○○과학관

도움말

고체, 액체, 기체의 성질을 바르게 알고, 세 번째 방의 미션에 맞게 홍보 포스터를 완성합니다.

도전! 창의 융합

세 가지 상태의 물질로 여행 가방 꾸리기

꿈속에서 만난 외계인에게 지구에 있는 물질의 세 가지 상태를 소개하려고 합니다. 여러 가지 물질을 분류해서 가방을 꾸려 봅시다.

『실험 관찰』 46쪽

문제로 확인하기 해설

❶ 식용유는 액체 상태, 풍선 속 공기는 기체 상태에 해당하는 물질입니다.

❷ 탱탱볼은 공기를 가득 넣어 사용하는 물체로, 기체가 주어진 공간을 가득 채우는 성질을 이용한 것입니다.

❸ 두 음료의 양(부피)을 비교하기 위해서는 모양과 크기가 같은 컵에 각각 담은 뒤 높이를 비교하면 됩니다.

과학 글쓰기 해설

- 공기와 같은 기체는 주어진 공간을 고르게 채울 수 있으므로 담는 용기에 따라 모양이 변하며, 그 공간을 항상 가득 채울 수 있습니다. 그리고 다른 곳으로 이동할 수도 있습니다.

실험 관찰

실험 관찰 46~47쪽

도전! 창의 융합

도움말

- 가방 속에 제시된 다양한 물질을 각각 고체, 액체, 기체로 분류해 봅니다.
- 분류한 고체, 액체, 기체 상태의 물질 중 외계 행성에 가져가서 소개하고 싶은 물질을 하나씩 선택하고, 그 물질의 성질을 각 상태의 특징과 연결 지어 써 봅니다.

세 가지 상태의 물질로 여행 가방 꾸리기

어린이 과학관에 다녀온 날 밤, 외계 행성에 살고 있는 외계인이 꿈속에 찾아와 초대장을 건네주었어요. 외계 행성에 소개하고 싶은 물질을 고체, 액체, 기체 중 한 가지씩 골라서 여행 가방을 꾸려 볼까요?

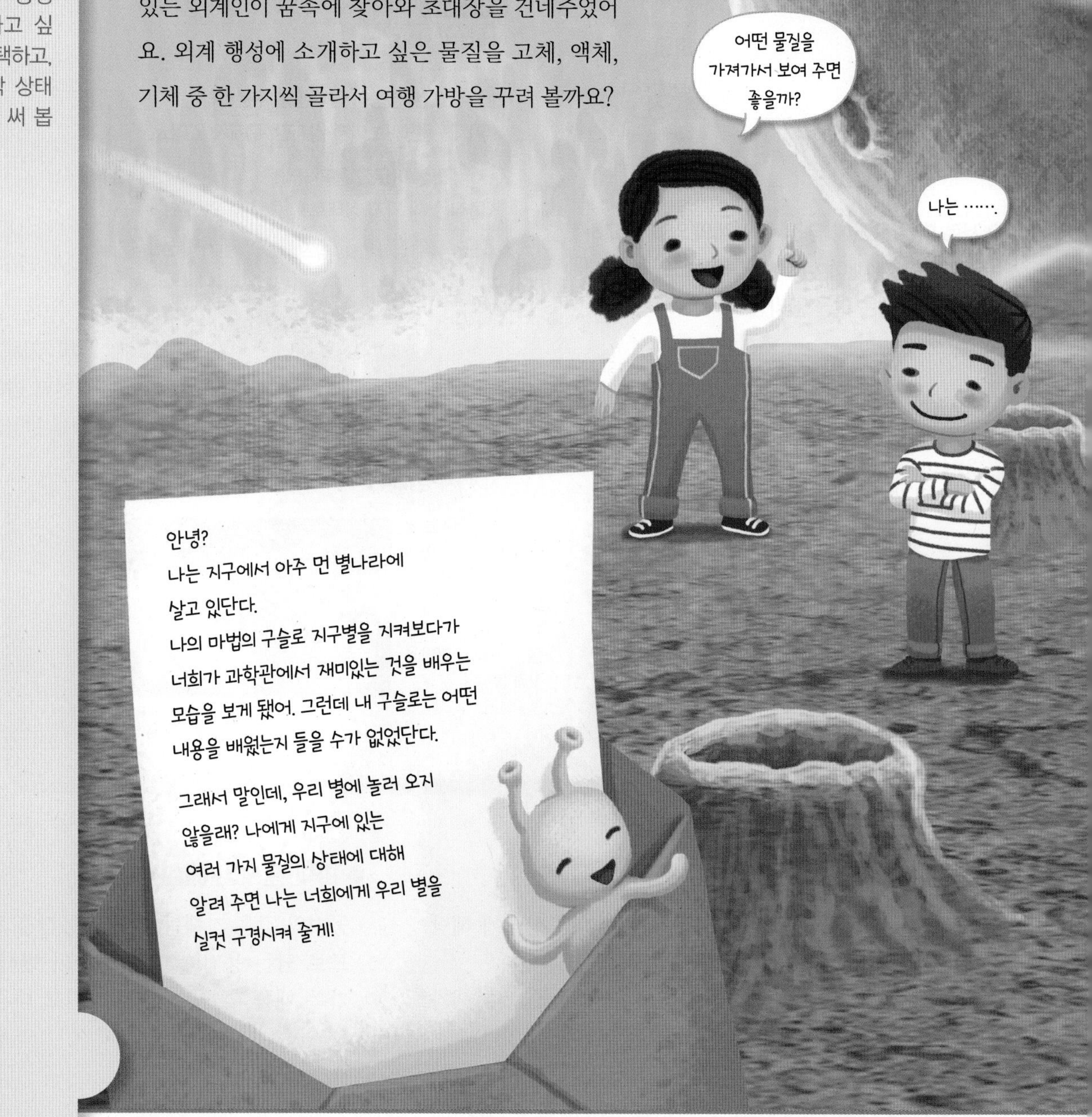

어떤 물질을
가져가서 보여 주면
좋을까?
나는 …….
안녕?
나는 지구에서 아주 먼 별나라에
살고 있단다.
나의 마법의 구슬로 지구별을 지켜보다가
너희가 과학관에서 재미있는 것을 배우는
모습을 보게 됐어. 그런데 내 구슬로는 어떤
내용을 배웠는지 들을 수가 없었단다.
그래서 말인데, 우리 별에 놀러 오지
않을래? 나에게 지구에 있는
여러 가지 물질의 상태에 대해
알려 주면 나는 너희에게 우리 별을
실컷 구경시켜 줄게!

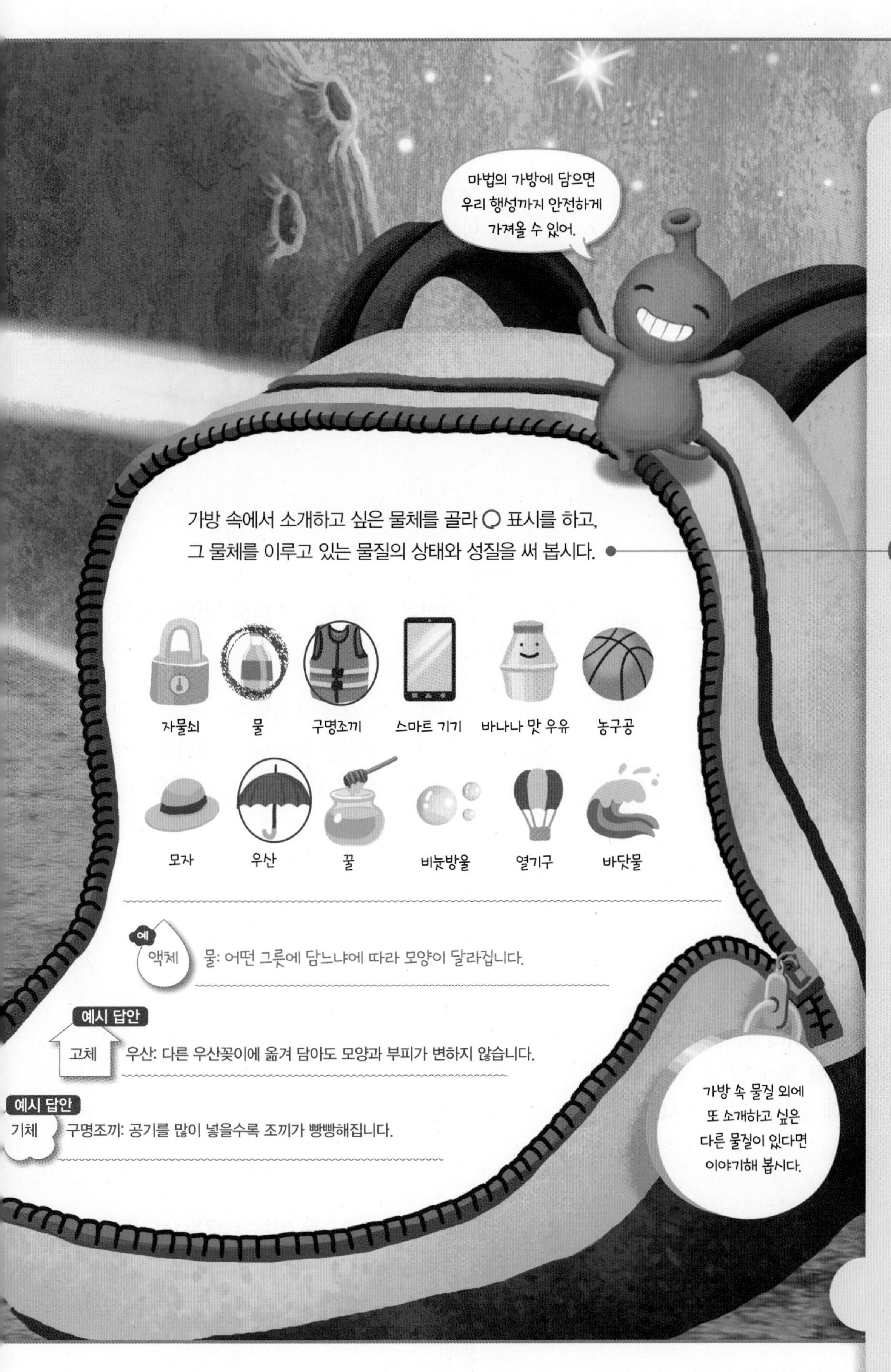

도움말

- 물질을 고를 때 액체 2가지, 기체 1가지와 같이 하나의 상태를 2가지 이상 쓰는 것도 좋습니다. 단, 농구공과 같이 표면은 고체로, 그 안에 든 공기는 기체로 분류할 수 있는 물질의 경우를 충분히 이해하고 있도록 합니다.

교과서 평가 문제

1 **다음 중 물에 대한 설명으로 옳지 않은 것은 어느 것입니까? (　　　)**

▲ 물

① 투명하다.
② 흐르는 성질이 있다.
③ 손으로 움켜잡을 수 없다.
④ 담는 용기에 따라 부피가 변한다.
⑤ 담는 용기에 따라 모양이 변한다.

2 **다음 중 액체인 물질로 옳지 않은 것은 어느 것입니까?** (　　　)

① 물　② 우유
③ 간장　④ 물병
⑤ 식용유

중요

3 **다음은 같은 양의 우유를 여러 가지 모양의 컵에 담은 모습입니다. 이를 통해 알 수 있는 액체의 성질로 (　) 안에 알맞은 말을 쓰시오.**

우유와 같은 액체는 담는 용기에 따라 (　　　　)이/가 변합니다.

4 **다음 중 연필을 관찰한 결과로 옳은 것은 어느 것입니까? (　　　)**

① 눈으로 볼 수 없다.
② 만져 보면 물렁물렁하다.
③ 손으로 움켜잡을 수 있다.
④ 담는 용기를 바꾸면 모양이 변한다.
⑤ 담는 용기를 바꾸면 부피가 변한다.

중요

5 **다음 설명을 읽고, (　) 안에 알맞은 말을 쓰시오.**

구슬, 컵 등과 같은 물체는 눈으로 볼 수 있고, 손이나 도구로 잡을 수 있습니다. 또한 다른 용기에 옮겨 담아도 원래의 모양과 부피가 변하지 않습니다. 이처럼 모양과 부피가 일정한 물질의 상태를 (　　　　)(이)라고 합니다.

(　　　　　　　　)

6 **다음 중 공기가 공간을 가득 채우는 성질을 이용한 물체로 옳지 않은 것은 어느 것입니까?** (　　　)

① 풍선　② 부채
③ 열기구　④ 축구공
⑤ 뽁뽁이

7 다음과 같이 물이 든 수조에 띄운 페트병 뚜껑을 바닥에 구멍이 뚫린 컵으로 눌렀을 때에 대한 설명으로 옳은 것은 어느 것입니까? (　　　)

① 뽀글뽀글 소리가 난다.
② 수조 속 물이 흐려진다.
③ 수조 속 물의 높이가 높아진다.
④ 페트병 뚜껑이 아래로 내려간다.
⑤ 페트병 뚜껑의 위치가 변하지 않는다.

중요

8 다음 중 크게 부풀어 오른 풍선의 입구를 열었을 때 풍선의 크기가 작아지는 것과 가장 관련 있는 공기의 성질은 어느 것입니까? (　　　)

① 공기는 무게가 있다.
② 공기는 이동할 수 있다.
③ 공기는 눈에 보이지 않는다.
④ 공기는 손으로 움켜잡을 수 없다.
⑤ 공기는 담는 용기에 따라 모양이 변한다.

9 다음은 공기도 무게가 있는지를 알아보는 실험의 결과입니다. 알맞은 말에 ○표하시오.

> 페트병에 공기 압축 마개를 끼우고 무게를 재었더니 48 g이었습니다. 공기 압축 마개를 여러 번 누른 뒤 다시 무게를 재니 무게가 (줄었습니다, 변화가 없었습니다, 늘었습니다).

서술형 문제

10 다음은 물에 띄운 페트병 뚜껑을 바닥에 구멍이 뚫리지 않은 컵으로 누르는 실험입니다. 물음에 답하시오.

(1) 위 실험에서 페트병 뚜껑을 컵으로 눌렀을 때 나타나는 결과를 2가지 쓰시오.

(2) 위 (1)번과 같은 결과가 나타나는 까닭을 쓰시오.

서술형 문제

11 다음은 가위와 딱풀을 여러 가지 용기에 옮겨 담았을 때의 모습입니다. 이를 통해 알 수 있는 고체의 성질을 2가지 쓰시오.

4 소리의 성질

우리는 주변에서 항상 다양한 소리를 듣고 있어요.
그럼 바닷속은 어떨까요? 조용해 보이는
바닷속에서도 여러 가지 소리를 들을 수 있어요.
우리가 듣는 소리가 어떻게 생겨나고
어떻게 전달되는지 함께 알아볼까요?

이 단원에서 공부할 내용

단원 그림 도움말

단원 그림은 바닷속에서 들리는 다양한 소리를 나타낸 것입니다. 그림을 보면서 바닷속에서 어떤 소리를 들을 수 있을지 생각해 보고, 바닷속에서도 소리가 생겨나고 전달됨을 알아봅니다.

좀 더 설명할게요

연구 결과에 따르면 청어가 겁을 먹거나 물속을 오르내릴 때 항문에서 거품을 내는데, 이때의 소리가 마치 휘파람 소리나 탁탁 치는 듯한 소리처럼 들린다고 합니다. 곧, 청어가 내는 소리는 일종의 방귀 소리인 셈입니다. 청어뿐만 아니라 민어나 참조기도 서로의 위치를 확인하거나 짝짓기, 산란을 위해 소리를 낸다고 합니다.

질문과 답

바닷속에서 뱃고동 소리를 들을 수 있을까요?

딱총새우랑 청어 소리처럼 바닷속에서도 뱃고동 소리를 들을 수 있습니다.

과학 놀이터 도움말

재활용품으로 악기를 만들어 소리의 발생 및 소리의 세기와 높낮이를 체험하는 놀이를 통해 소리에 대한 흥미 및 호기심을 가질 수 있습니다.

이렇게 해요

유의점

- 완성된 악기를 불 때 높은 소리와 낮은 소리의 구분보다 다른 소리가 난다는 것에 집중할 수 있도록 합니다.
- 아이스크림 막대를 이용한 하모니카 외에도 다른 재활용품을 이용해 소고나 마라카스, 캐스터네츠 등의 악기를 만들어 볼 수 있습니다.

활동 도움말

① 아이스크림 막대 크기로 투명 필름을 자른 뒤 막대 사이에 끼웁니다.

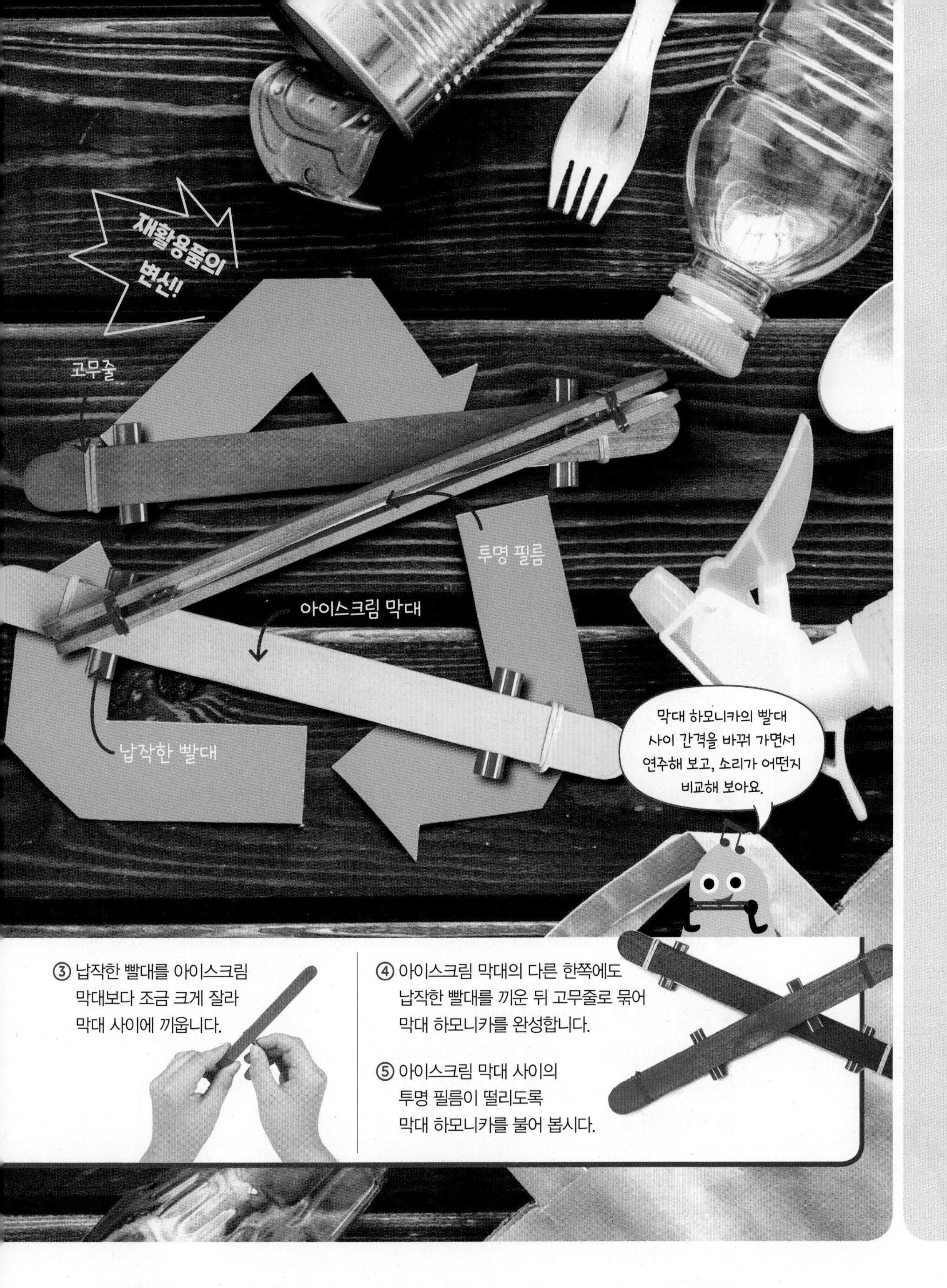

도움말 유성 펜을 이용해 투명 필름에 아이스크림 막대 모양을 먼저 표시한 뒤 표시한 크기보다 필름을 조금 작게 자르도록 합니다.

② 아이스크림 막대의 한쪽 끝을 고무줄로 묶습니다.

도움말 고무줄은 두 막대를 나란히 고정할 정도로만 묶습니다.

⑤ 아이스크림 막대 사이의 투명 필름이 떨리도록 막대 하모니카를 불어 봅시다.

도움말 아이스크림 막대 사이의 투명 필름이 구겨질 경우 소리가 잘 안 날 수 있으므로 주의합니다.

질문

- 막대 하모니카의 빨대 사이 간격을 바꿔 가면서 연주해 보고, 소리가 어떤지 비교해 보아요.

나의 답 빨대 사이 간격이 달라지면 소리도 조금씩 달라지는 듯합니다. / 빨대 사이의 간격이 좁을 때는 가는 소리가 나고, 빨대 사이 간격이 넓을 때는 좀 더 굵은 소리가 나는 듯합니다.

1 소리, 알고 싶어요

과학 94~95쪽

➲ 소리와 떨림

➲ 벌이 날 때 나는 소리

궁금해요

유명 작곡가의 이야기 그림에서 작곡가의 연주 장면이 일반적인 연주 장면과 다른 점을 찾아서 소리가 날 때 물체가 어떤 특징을 나타낼지 예상해 봅시다.

질문 그림의 작곡가가 물고 있는 막대와 무엇이 닿아 있나요?

예시 답안 피아노와 닿아 있습니다.

질문 이 작곡가는 어떻게 소리를 들었을까요?

예시 답안 입에 문 막대를 이용해 피아노 소리를 들었을 것 같습니다.

탐구 활동 물체에서 소리가 날 때의 공통된 특징 찾기

자세한 해설은 118~119쪽에 있어요.

- **무엇을 준비할까요?**

스피커, 스마트 기기(소리 발생용), 소리굽쇠, 고무망치, 물, 수조 도움①

- **과정을 알아볼까요?**

❶ 목에 손을 대고 소리를 내지 않을 때와 소리를 낼 때 손의 느낌을 비교해 봅시다.

❷ 스피커에 손을 대고 소리가 나지 않을 때와 소리가 날 때 손의 느낌을 비교해 봅시다. 도움②

❸ 과정 ❶과 ❷에서 관찰한 결과를 써 보고, 소리가 나지 않을 때와 소리가 날 때의 공통된 특징을 생각해 봅시다.

❹ 소리가 나지 않는 소리굽쇠와 소리가 나는 소리굽쇠를 물에 댔을 때 나타나는 현상을 관찰하고, 차이가 있다면 그 까닭을 생각해 봅시다. 도움③

- **관찰 내용 및 결과를 정리해요**

➲ 목과 스피커에서 소리가 날 때 손에서 떨림이 느껴집니다.

➲ 소리가 나는 소리굽쇠를 물에 대면 소리굽쇠 주변의 물이 튀어 오릅니다.

➲ 물체에서 소리가 날 때는 공통적으로 떨림이 있습니다.

더 알아보기

소리가 나는 종을 손으로 감쌀 때 소리가 어떻게 달라질지 예상해 보고, 그 까닭을 이야기해 봅시다.

예시 답안 물체가 떨리면서 소리가 나므로, 종을 손으로 감싸면 떨림이 멈추면서 더 이상 소리가 나지 않습니다.

교과서 속 핵심 개념

- **물체에서 소리가 날 때의 공통된 특징:** 떨림이 있음.
- **소리가 나는 물체를 소리가 나지 않게 하는 방법:** 소리가 나는 물체를 떨리지 않게 함.

정답과 해설 5쪽

도움 ①

- 소리굽쇠 대신 트라이앵글 등 떨림을 느낄 수 있는 다른 타악기를 활용할 수 있습니다.
- 소리가 나는 소리굽쇠를 손으로 잡아 보고 목이나 스피커와 동일하게 떨림을 확인할 수 있습니다.
- 소리가 나는 소리굽쇠를 손으로 꽉 잡으면 떨림이 멈추며 소리가 멈추므로 이를 통해 소리와 떨림의 관계를 확인해 볼 수도 있습니다.

도움 ② 소리가 나는 원리

소리가 나는 물체가 떨리면서 이 물체의 떨림이 우리 귓속 막에 전달되어 막을 울리면서 소리를 듣게 됩니다.

악기를 두드릴 때 소리	벌이 날 때 소리

악기를 두드릴 때 생기는 떨림으로 악기의 소리가 남.	벌이 날 때 날개가 빠르게 떨리면서 소리가 남.

도움 ③ 소리굽쇠에서 소리가 나는 원리

소리굽쇠는 강철 막대를 구부려 U자 모양으로 만든 것입니다. 고무망치로 소리굽쇠를 치면 소리굽쇠의 모양이 한쪽으로 변형되었다가 원래 모양으로 되돌아가려는 과정에서 휘어짐을 반복하며 떨림이 생기고, 이 떨림이 주변의 공기를 떨게 하여 소리가 납니다.

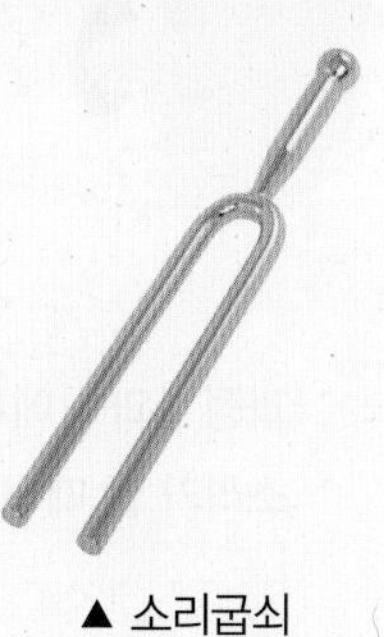

▲ 소리굽쇠

스스로 확인해요

- **물체에서 소리가 날 때의 공통된 특징을 찾아 이야기할 수 있어요.**

  도움말 목과 스피커, 소리굽쇠에서 각각 소리가 날 때의 관찰 결과를 떠올려 소리가 나는 물체는 공통적으로 떨림이 있다는 것을 설명합니다.

- **여러 가지 물체에서 소리가 나는 현상을 관찰했어요.**

  도움말 소리가 날 때와 소리가 나지 않을 때의 차이인 떨림을 관찰합니다.

교과서 개념 확인 문제

1 소리의 특징에 맞게 (   ) 안에 알맞은 말을 써 봅시다.

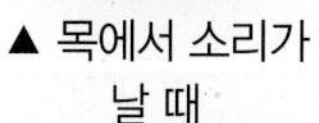

▲ 목에서 소리가 날 때

▲ 스피커에서 음악이 나올 때

▲ 벌이 날 때

> 소리가 날 때는 공통적으로 물체의 (   ) 이/가 있습니다.

2 다음 중 떨림이 느껴지는 경우에는 ○표, 떨림이 느껴지지 않는 경우에는 ×표해 봅시다.

(1) 두드리고 있는 북 (   )

(2) 전원이 꺼진 스피커 (   )

(3) 고무망치로 친 소리굽쇠 (   )

3 종소리를 멈추게 하는 방법입니다. (   ) 안에 알맞은 말을 써 봅시다.

> 소리가 나는 종을 손으로 잡아서 (   )지 않게 하면 소리가 멈춥니다.

실험 관찰

관찰 추리

실험 관찰 50~51쪽

1 소리, 알고 싶어요

탐구 활동 물체에서 소리가 날 때의 공통된 특징 찾기

탐구 활동 도움말

이 탐구 활동은 여러 가지 물체에서 소리가 나는 현상을 관찰하고, 물체에서 소리가 날 때의 공통된 특징을 찾아보는 활동입니다.

『실험 관찰』 꾸러미 69쪽 붙임딱지를 붙여요.

무엇을 준비할까요?

준비물에 ○ 표시를 하면서 확인해 봅시다.

스피커

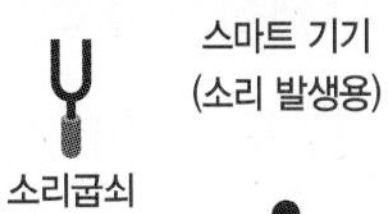
스마트 기기 (소리 발생용)

소리굽쇠

물

고무망치

수조

도움말

스피커와 스마트 기기(소리 발생용)와의 연결 가능 상태를 미리 확인합니다.

1 목에 손을 대고 소리를 내지 않을 때와 소리를 낼 때 손의 느낌을 비교해 봅시다.

2 스피커에 손을 대고 소리가 나지 않을 때와 소리가 날 때 손의 느낌을 비교해 봅시다.

도움말

떨림과 관련하여 관찰 결과를 씁니다. 이번 실험에서는 떨림의 크기에는 주목하지 않아도 됩니다.

3 과정 1과 2에서 관찰한 결과를 써 보고, 소리가 나지 않을 때와 소리가 날 때의 공통된 특징을 생각해 봅시다.

구분	소리가 나지 않을 때	소리가 날 때
목에 손을 댄 느낌	예시 답안 아무런 느낌이 없습니다.	예시 답안 떨림이 느껴집니다.
스피커에 손을 댄 느낌	예시 답안 아무런 느낌이 없습니다.	예시 답안 떨림이 느껴집니다.

4 소리가 나지 않는 소리굽쇠와 소리가 나는 소리굽쇠를 물에 댔을 때 나타나는 현상을 관찰하고, 차이가 있다면 그 까닭을 생각해 봅시다.

구분	소리가 나지 않는 소리굽쇠	소리가 나는 소리굽쇠
관찰 결과	예시 답안 아무런 변화가 없습니다.	예시 답안 소리굽쇠 주변의 물이 튀어 오릅니다.
까닭	예시 답안 소리가 나는 소리굽쇠의 떨림 때문에 주변의 물도 같이 떨려 튀어 오릅니다.	

주의!
- 소리굽쇠를 발 위에 떨어뜨리지 않도록 조심해요.
- 고무망치로 소리굽쇠를 칠 때 손을 다치지 않도록 조심해요.

보충해설

소리가 나지 않는 소리굽쇠를 수조 속에 넣으면 접촉에 의해 작은 물결이 생길 수 있는데, 이러한 물결은 금방 사라집니다.

도움말

접촉에 의한 물결과 소리가 나는 소리굽쇠의 떨림으로 인한 물의 튀어 오름을 구별하기 위해 소리가 나는 소리굽쇠와 소리가 나지 않는 소리굽쇠를 동시에 넣고 그 차이를 관찰하도록 합니다.

이렇게 ○○ 정리해요

소리가 나는 물체의 공통된 특징을 정리해 봅시다.

▶ 물체에서 소리가 날 때 물체는 예시 답안 떨립니다 .

2 똑똑, 내 소리가 들리나요?

과학 96~97쪽

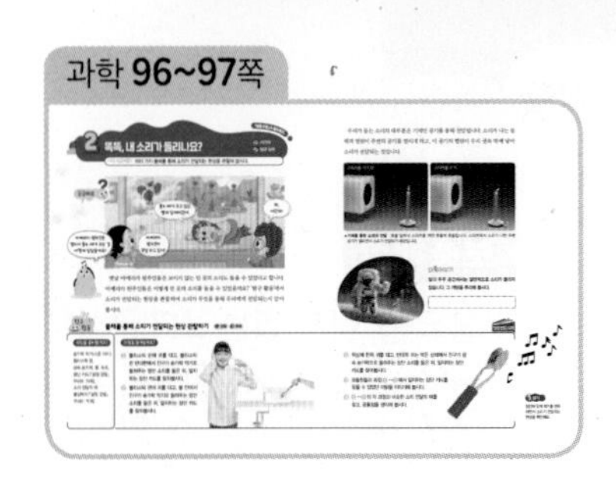

궁금해요

그림에서 아메리카 원주민이 어떤 행동을 하는지 먼저 살펴본 뒤, 먼 곳에서 몰려오는 들소 떼를 어떻게 미리 알 수 있었는지 추측해 봅시다.

질문 아메리카 원주민이 어떤 행동을 하고 있나요?

예시 답안
- 땅에 엎드려 있습니다.
- 땅에 귀를 대고 있습니다.

질문 아메리카 원주민은 멀리서 들소 떼가 오는 걸 어떻게 알았을까요?

예시 답안
- 들소 떼의 발자국 소리를 들었을 것 같습니다.
- 들소 떼에 의해 땅이 울리는 소리를 들었을 것 같습니다.
- 땅에 귀를 댔을 때 들린 들소 떼의 발자국 소리로 알았을 것 같습니다.

탐구 활동 물체를 통해 소리가 전달되는 현상 관찰하기

자세한 해설은 124~125쪽에 있어요.

- **무엇을 준비할까요?**

숟가락 악기(스푼 터치), 플라스틱 관, 금속 숟가락, 물, 수조, 장단 카드, 소리 전달의 예 붙임딱지

- **과정을 알아볼까요?**

❶ 플라스틱 관에 귀를 대고, 플라스틱 관 반대편에서 친구가 숟가락 악기로 들려주는 장단 소리를 들은 뒤, 일치하는 장단 카드를 찾아봅시다.

❷ 플라스틱 관에 귀를 대고, 물 안에서 친구가 숟가락 악기로 들려주는 장단 소리를 들은 뒤, 일치하는 장단 카드를 찾아봅시다.

❸ 책상에 한쪽 귀를 대고, 반대쪽 귀는 막은 상태에서 친구가 금속 숟가락으로 들려주는 장단 소리를 들은 뒤, 일치하는 장단 카드를 찾아봅시다.

❹ 모둠원들과 과정 ❶~❸에서 일치하는 장단 카드를 찾을 수 있었던 까닭을 이야기해 봅시다.

❺ ❶~❸의 각 과정과 비슷한 소리 전달의 예를 찾고, 공통점을 생각해 봅시다.

- **관찰 내용 및 결과를 정리해요**

➔ 공기(기체), 물(액체), 나무(고체)를 통해 소리가 전달됩니다.

➔ 소리는 기체, 액체, 고체 물질을 통해 전달됩니다. 도움①

➔ 소리를 전달하는 물질

▲ 공기

▲ 바닷물

▲ 철

➔ 우주 공간에서의 소리 전달

더 알아보기

달과 우주 공간에서는 일반적으로 소리가 들리지 않습니다. 그 까닭을 추리해 봅시다.

예시 답안 소리를 전달할 수 있는 공기가 없기 때문에 소리가 들리지 않습니다.

교과서 속 핵심 개념

- **소리의 전달:** 소리는 여러 가지 물질을 통해 전달됨.
- **소리를 전달하는 물질의 상태**
  - 기체: 소리는 대부분 기체인 공기를 통해 전달됨.
  - 액체: 소리는 물이나 바닷물을 통해 전달됨.
  - 고체: 소리는 철, 나무 등을 통해 전달됨.

도움 1 소리를 전달하는 물질

- **소리의 전달:** 떨림을 전달할 물질이 있을 때 전달됩니다.
- **물질의 상태에 따른 소리 전달의 예**
  - **기체를 통한 소리 전달의 예**

멀리 있는 친구를 부를 때 공기를 통해 소리가 전달됨.	스피커의 소리가 공기를 통해 전달되어 촛불이 흔들림.

- **액체를 통한 소리 전달의 예**

스피커에서 나오는 음악 소리가 물을 통해 수중 발레 선수에게 전달됨.	배가 다가오는 소리가 바닷물을 통해 물속의 잠수부에게 전달됨.

- **고체를 통한 소리 전달의 예**

철봉을 두드리는 소리가 철을 통해 전달됨.	정글짐을 발로 구르는 소리가 철을 통해 전달됨.

- **전달하는 물질이 없을 때의 소리:** 소리는 전달하는 물질이 없을 때 전달되지 않습니다. 공기를 뺄 수 있는 장치에 소리 나는 물체를 넣고 공기를 빼면 소리를 전달하는 물질인 공기가 거의 없어 소리가 잘 들리지 않습니다.

공기를 빼기 전		공기를 뺀 뒤	
	스피커에서 나는 소리가 잘 들림.	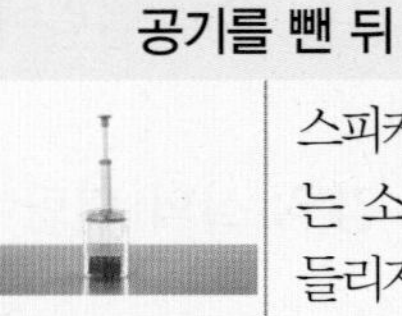	스피커에서 나는 소리가 잘 들리지 않음.

정답과 해설 5쪽

교과서 개념 확인 문제

1 다음 ( ) 안에 알맞은 말을 보기에서 골라 써 봅시다.

> 보기
> 고체, 액체, 기체

(1) 멀리 있는 친구를 부를 때 ( )인 공기를 통해 소리가 전달됩니다.

(2) 수중 발레 선수에게는 물, 곧 ( )를 통해 음악 소리가 전달됩니다.

(3) 정글짐을 발로 구르는 소리는 ( )인 철을 통해 전달됩니다.

2 소리의 전달에 대한 설명이 옳으면 ○표, 옳지 않으면 ×표해 봅시다.

(1) 소리는 기체를 통해서만 전달됩니다. ( )

(2) 물속에서는 물 밖에서 나는 소리를 들을 수 없습니다. ( )

(3) 우주 공간에서는 공기가 없으므로 소리가 전달되지 않습니다. ( )

3 공기를 뺄 수 있는 장치에 소리가 나는 스피커를 넣고 공기를 빼면 스피커의 소리가 잘 들리지 않습니다. 그 까닭으로 옳은 것을 찾아 기호를 써 봅시다.

> ㉠ 스피커가 떨리기 때문에
> ㉡ 장치 안에 공기를 더 넣어 주었기 때문에
> ㉢ 소리를 전달하는 공기의 양이 줄어들었기 때문에

( )

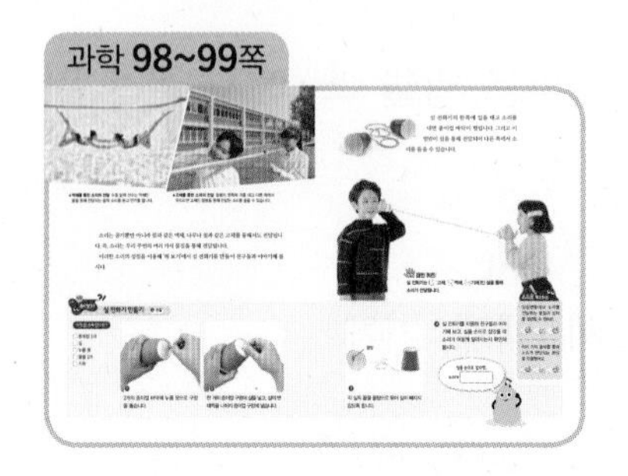

해 보기 실 전화기 만들기

- **무엇을 준비할까요?**

종이컵 2개, 실, 누름 못, 클립 2개, 가위

- **과정을 알아볼까요?**

❶ 2개의 종이컵 바닥에 누름 못으로 구멍을 뚫습니다.

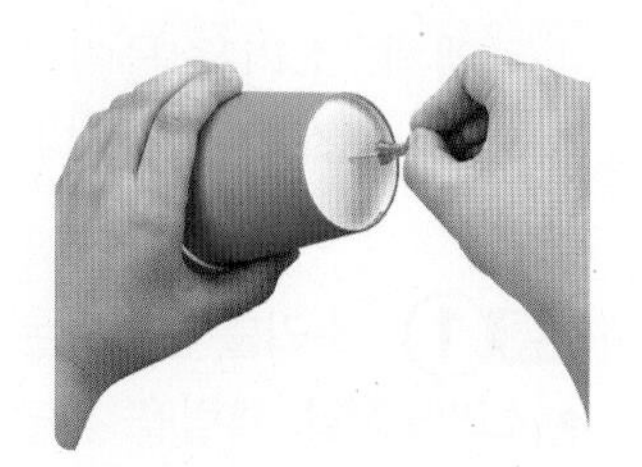

도움말 누름 못을 사용할 때 손을 다치지 않도록 주의합니다.

❷ 한 개의 종이컵 구멍에 실을 넣고, 실의 반대쪽을 나머지 종이컵 구멍에 넣습니다.

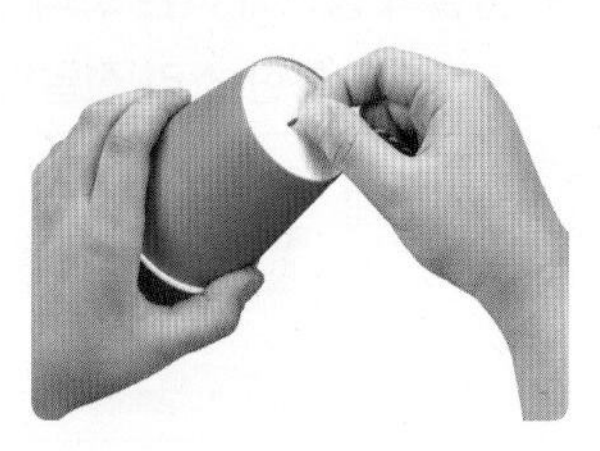

❸ 각 실의 끝을 클립으로 묶어 실이 빠지지 않도록 합니다.

도움말 셀로판테이프를 사용하여 실을 붙일 경우 소리의 떨림이 잘 전달되지 않을 수 있으므로 실은 클립에 묶어 고정하도록 합니다.

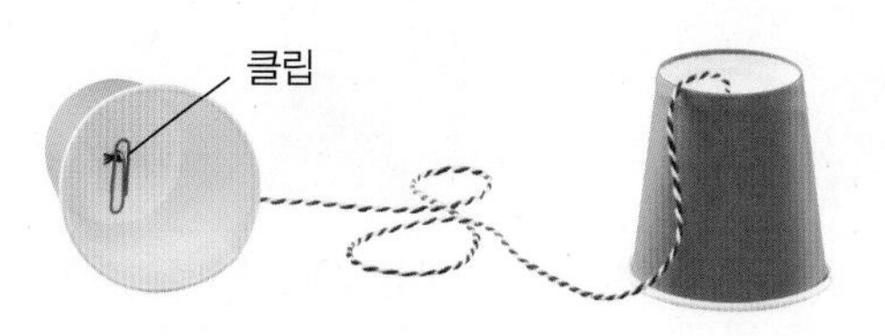

❹ 실 전화기를 이용해 친구들과 이야기해 보고, 실을 손으로 잡았을 때 소리가 어떻게 달라지는지 확인해 봅시다.

➲ 실을 손으로 잡으면, 소리가 (잘 전달되지 않습니다.)

도움말 실은 되도록 팽팽하게 당긴 상태로 실험해야 소리가 잘 전달됩니다. 도움①

➲ 실 전화기를 통한 소리 전달

잠깐 퀴즈!

➲ 실 전화기는 (☑고체, ☐액체, ☐기체)인 실을 통해 소리가 전달됩니다.

교과서 속 핵심 개념

- **실 전화기를 통한 소리의 전달 과정:** 실 전화기의 한쪽에 입을 대고 소리를 내면 종이컵 바닥이 떨리면서 실을 통해 떨림이 전달되어 반대편에서 소리를 들을 수 있음. 도움②
- **실 전화기의 실을 손으로 잡는 경우:** 실의 떨림이 멈춰서 소리가 잘 전달되지 않음.

도움 ① 실 전화기의 소리를 더 잘 들리게 하는 방법

- 실에 물을 묻히면 소리가 더 잘 전달됩니다.
- 실의 떨림을 방해할 수 있으므로 실에 손을 대지 않습니다.
- 실에서 생긴 소리가 컵으로 잘 전달되기 위해서 컵의 바닥과 실이 붙어 있어야 합니다.
- 실이 팽팽할수록 소리를 잘 전달하므로 실이 팽팽하게 당겨진 거리에서 이야기합니다.
- 실의 길이가 너무 길면 소리가 잘 전달되지 않으므로 실의 길이가 너무 길지 않게 합니다.
- 가는 실보다 두꺼운 실이 더 단단하게 당겨질 수 있기 때문에 되도록 두꺼운 실을 사용합니다.

도움 ② 실 전화기 소리 전달 과정

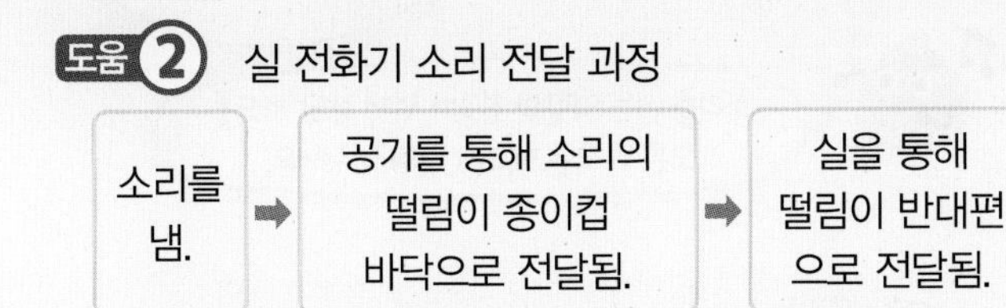

➡ 반대편 종이컵 속 공기가 떨림. ➡ 소리를 들음.

스스로 확인해요

- **일상생활에서 소리를 전달하는 물질과 상태를 설명할 수 있어요.**
  도움말 공기(기체), 물(액체), 나무(고체), 철(고체) 등 여러 가지 물질을 통해 소리가 전달된다는 것을 설명합니다.
- **여러 가지 물체를 통해 소리가 전달되는 현상을 관찰했어요.**
  도움말 공기, 물, 책상 등 여러 가지 물체를 통해서 소리가 전달되는 것을 관찰합니다.

정답과 해설 5쪽

교과서 개념 확인 문제

1 **실 전화기에 대한 설명으로 옳으면 ○표, 옳지 않으면 ×표해 봅시다.**

(1) 실 전화기는 소리를 크게 만드는 도구입니다. (　　)

(2) 실 전화기에서 실을 팽팽하게 하면 소리가 잘 들립니다. (　　)

2 **다음은 실 전화기로 대화를 할 때 소리가 전달되는 원리를 설명한 것입니다. 알맞은 말에 ○해 봅시다.**

실 전화기의 한쪽에서 이야기를 하면 종이컵 바닥의 떨림이 (실, 공기)을/를 통해 반대쪽 종이컵에 전달되어 소리를 듣게 됩니다.

3 **다음 그림과 같은 경우 실 전화기의 소리가 잘 전달되지 않습니다. 소리를 잘 전달하기 위해서 어떻게 해야 하는지 써 봅시다.**

(　　　　　　　　　　　　　　　　　　)

실험 관찰

관찰 추리

실험 관찰 52~53쪽

2 똑똑, 내 소리가 들리나요?

탐구 활동 **물체를 통해 소리가 전달되는 현상 관찰하기**

탐구 활동 도움말

이 탐구 활동은 여러 가지 물체를 통해 소리가 전달되는 현상을 관찰해 보고, 일상생활에서 소리를 전달하는 물질과 상태를 알아보는 활동입니다.

도움말

숟가락 악기 사이 간격이 너무 가까우면 부딪치는 소리가 작아 들리지 않을 수 있으므로, 적당한 간격을 두고 소리를 내도록 합니다.

도움말

플라스틱 관은 숟가락 악기가 들어갈 수 있는 지름이 큰 관을 준비합니다.

도움말

경우에 따라 과정 1, 2보다 소리가 약하게 들릴 수 있으므로, 소리를 들을 때 꼭 듣는 쪽이 아닌 반대쪽 귀를 막아 다른 소리가 방해하지 않도록 합니다.

『실험 관찰』 꾸러미 69쪽 붙임딱지를 붙여요.

귀 가까이에서 악기 소리를 크게 내지 않아요.

무엇을 준비할까요?

준비물에 ◯ 표시를 하면서 확인해 봅시다.

숟가락 악기 (스푼 터치)

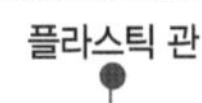
플라스틱 관

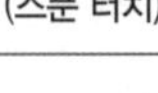
금속 숟가락

물

수조

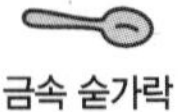
장단 카드 (『실험 관찰』 꾸러미 75쪽)

소리 전달의 예 붙임딱지 (『실험 관찰』 꾸러미 70쪽)

1 플라스틱 관에 귀를 대고, 플라스틱 관 반대편에서 친구가 숟가락 악기로 들려주는 장단 소리를 들은 뒤, 일치하는 장단 카드를 찾아봅시다.

소리를 내는 역할의 친구가 먼저 장단 카드를 고른 뒤 고른 카드에 맞춰 연주해요.

2 플라스틱 관에 귀를 대고, 물 안에서 친구가 숟가락 악기로 들려주는 장단 소리를 들은 뒤, 일치하는 장단 카드를 찾아봅시다.

플라스틱 관의 끝을 물에 넣고 물 안에서 나오는 소리를 들어요.

3 책상에 한쪽 귀를 대고, 반대쪽 귀는 막은 상태에서 친구가 금속 숟가락으로 들려주는 장단 소리를 들은 뒤, 일치하는 장단 카드를 찾아봅시다.

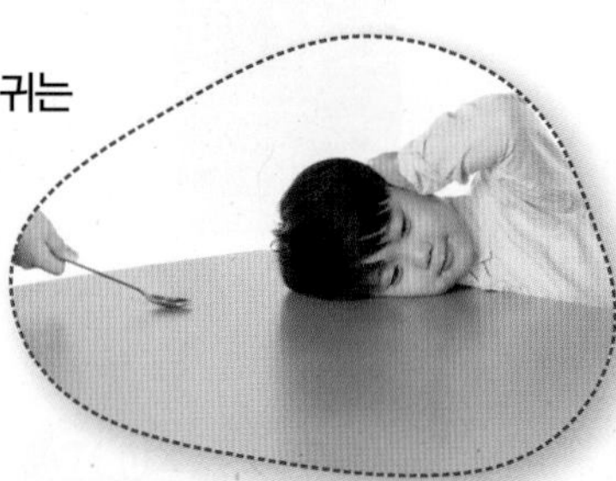

4 모둠원들과 과정 1~3에서 일치하는 장단 카드를 찾을 수 있었던 까닭을 이야기해 봅시다.

예시 답안 숟가락 악기와 숟가락에서 나는 소리가 여러 가지 물체를 통해 전달되기 때문입니다.

5 1~3의 각 과정과 비슷한 소리 전달의 예를 찾고, 공통점을 생각해 봅시다.

① 1~3의 각 과정에서 소리를 전달한 물질로 생각되는 것을 써 봅시다.

② 1~3의 각 과정과 비슷한 소리 전달의 예 붙임딱지를 찾아 붙여 봅시다.

③ ①, ②에서 소리를 전달한 물질의 상태를 서로 비교해 보고, 공통점을 생각해 봅시다.

붙임딱지의 그림에서 소리를 전달한 물질을 찾아 먼저 표시해 봐요.

과정	① 소리를 전달한 물질	② 비슷한 소리 전달의 예		③ 소리를 전달한 물질의 상태
1	  예 플라스틱 관 속 공기			예시 답안 기체 물질을 통해 소리가 전달됩니다.
2	 예시 답안 수조 속 (물)			예시 답안 액체 물질을 통해 소리가 전달됩니다.
3	 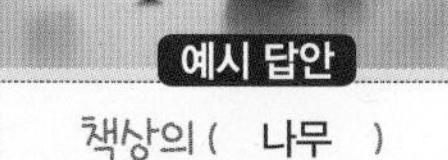 예시 답안 책상의 (나무)			예시 답안 고체 물질을 통해 소리가 전달됩니다.

보충해설

물(액체) 외에 플라스틱 관 속 공기(기체)를 통해서도 소리가 전달됩니다.

이렇게 ○○ 정리해요

〈보기〉에서 적절한 말을 골라 소리를 전달하는 물질을 정리해 봅시다.

<보기>
• 고체 • 액체 • 기체

예시 답안

▶ 소리는 공기와 같은 [기체]를 통해서 전달됩니다.

▶ 소리는 물, 바닷물과 같은 [액체]를 통해서 전달됩니다.

▶ 소리는 나무나 철과 같은 [고체]를 통해서 전달됩니다.

3 큰 소리와 작은 소리, 어떻게 다를까요?

과학 100~101쪽

궁금해요

운동회나 야구장 등에 가서 들었던 소리에 대한 경험을 떠올려 보고, 그림의 장면에서의 소리의 크기를 예상해 봅시다.

질문 라온이와 아띠가 내는 소리의 크기가 각각 어떨지 예상해 그림에 표시해 볼까요?

예시 답안 경기를 어떻게 할지 이야기하는 라온이는 작은 소리를, 응원하는 아띠는 큰 소리를 냅니다. 도움①

➲ 큰 소리와 작은 소리

탐구 활동 큰 소리와 작은 소리 비교하기

자세한 해설은 128~129쪽에 있어요.

- **무엇을 준비할까요?**

스피커, 스마트 기기(소리 발생용), 좁쌀, 징, 채, 랩, 금속 그릇, 그릇 받침대

- **과정을 알아볼까요?**

❶ 스피커에 손을 대고, 소리 조절 장치로 큰 소리와 작은 소리를 내면서 손의 느낌을 비교해 봅시다.

❷ 랩을 씌운 스피커 위에 좁쌀을 올려놓고, 소리 조절 장치로 큰 소리와 작은 소리를 내면서 좁쌀의 움직임을 비교해 봅시다.

❸ 과정 ❶과 ❷에서 관찰한 결과를 써 보고, 큰 소리가 날 때와 작은 소리가 날 때의 공통점을 생각해 봅시다.

❹ 징을 세게 칠 때와 약하게 칠 때 징 앞의 좁쌀의 움직임과 징 소리의 크고 작은 정도를 예상하고, 실험을 통해 확인해 봅시다.

➲ 큰 소리와 작은 소리의 떨림 비교

- **관찰 내용 및 결과를 정리해요**

➲ 스피커에서 큰 소리가 날 때 떨림이 크게 느껴지고, 좁쌀이 많이 움직입니다.

➲ 징을 세게 치면 징이 크게 떨리면서 큰 소리가 나고, 좁쌀이 많이 움직입니다.

➲ 물체가 크게 떨리면 큰 소리가 나고, 물체가 작게 떨리면 작은 소리가 납니다.

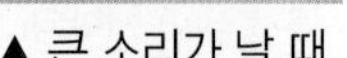

▲ 큰 소리가 날 때 ▲ 작은 소리가 날 때 ▲ 징을 세게 칠 때 ▲ 징을 약하게 칠 때

교과서 속 핵심 개념

- **소리의 세기:** 소리의 크고 작은 정도 도움②
- **물체의 떨림과 소리의 세기**
  - 물체가 크게 떨리면 큰 소리가 남.
  - 물체가 작게 떨리면 작은 소리가 남.

도움 ① 소리의 크기 예상

도움 ② 일상생활에서 소리의 세기가 다른 예

- **큰 소리를 낼 때:** 노래를 크게 부를 때, 수업 시간에 발표할 때, 멀리 있는 친구를 부를 때

- **작은 소리를 낼 때:** 도서관에서 이야기할 때, 곡을 조용하게 연주할 때, 자장가를 부를 때

스스로 확인해요

- **소리의 세기를 알고 있어요.**
  도움말 스피커, 징 등 물체에서의 큰 소리와 작은 소리를 떠올려 보고, 큰 소리, 작은 소리 등의 적절한 단어를 이용해 소리의 세기를 표현합니다.
- **큰 소리와 작은 소리가 날 때 물체의 떨림을 비교해 이야기할 수 있어요.**
  도움말 손의 느낌과 좁쌀의 움직임에서 큰 소리가 날 때와 작은 소리가 날 때 공통적인 특징인 떨림의 크기가 다르다는 사실을 이용해 이야기합니다.

정답과 해설 5쪽

교과서 개념 확인 문제

1 **우리가 일상생활에서 내는 소리 중 다음과 비슷한 크기의 소리가 나는 경우를 찾아서 ○해 봅시다.**

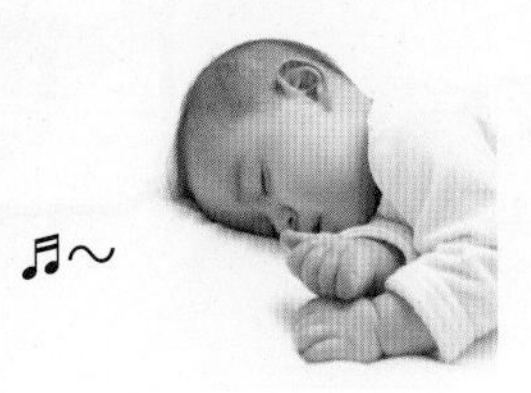

▲ 자장가를 부를 때

(1) 멀리 있는 친구를 부를 때 (　　　)

(2) 야구장에서 우리 팀을 응원할 때 (　　　)

(3) 수업 시간에 친구들 앞에서 발표할 때 (　　　)

(4) 도서관에서 친구와 귓속말로 이야기할 때 (　　　)

2 **같은 스피커 (가)와 (나) 위에 좁쌀을 올려놓고 음악을 틀었을 때 좁쌀의 움직임이 다음과 같았습니다. (가)와 (나) 스피커에서 나는 소리의 크기를 >, =, <를 사용하여 비교해 봅시다.**

(가) 좁쌀이 크게 움직임.	◯	(나) 좁쌀이 작게 움직임.

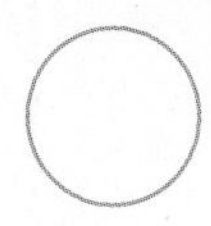

3 **징을 세게 칠 때와 약하게 칠 때 징 소리의 크고 작은 정도를 예상하여 (　　) 안에 알맞은 말을 써 봅시다.**

(1) 징을 세게 치면 징이 (　　　) 떨리면서 (　　　) 소리가 납니다.

(2) 징을 약하게 치면 징이 (　　　) 떨리면서 (　　　) 소리가 납니다.

실험 관찰

관찰 예상

실험 관찰 54~55쪽

3 큰 소리와 작은 소리, 어떻게 다를까요?

탐구 활동 큰 소리와 작은 소리 비교하기

탐구 활동 도움말

이 탐구 활동은 소리의 세기에 따라 손으로 느껴지는 떨림과 눈으로 보이는 좁쌀의 움직임이 어떻게 다른지 관찰해 보는 활동입니다.

「실험 관찰」 꾸러미 69쪽 붙임딱지를 붙여요.

젖은 손으로 전기 기구를 만지지 않아요.

도움말

스피커 대신 목소리를 크고 작게 내면서 큰 소리일 때의 목의 떨림과 작은 소리일 때의 목의 떨림을 비교해 볼 수 있습니다.

무엇을 준비할까요?

준비물에 ○ 표시를 하면서 확인해 봅시다.

스피커

스마트 기기 (소리 발생용)

좁쌀

징

채

랩

금속 그릇

그릇 받침대

1 스피커에 손을 대고, 소리 조절 장치로 큰 소리와 작은 소리를 내면서 손의 느낌을 비교해 봅시다.

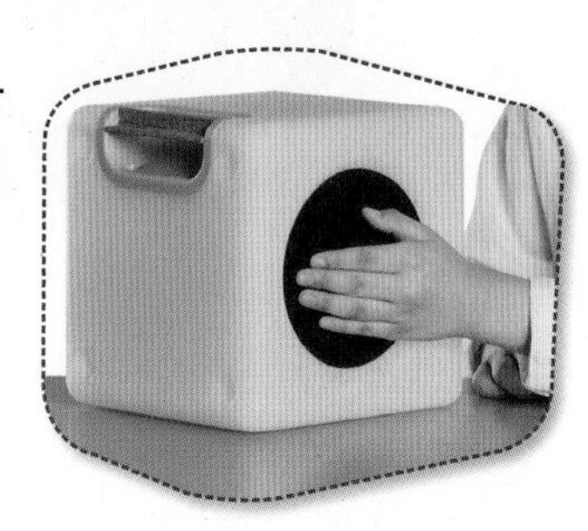

스피커의 소리 나는 쪽을 위로 하고 랩을 먼저 씌워요.

2 랩을 씌운 스피커 위에 좁쌀을 올려놓고, 소리 조절 장치로 큰 소리와 작은 소리를 내면서 좁쌀의 움직임을 비교해 봅시다.

도움말

스피커 위에 좁쌀을 올려놓기 힘들 경우 투명 컵을 올리고 그 안에 좁쌀을 얇게 깔아 실험할 수 있습니다.

3 과정 1과 2에서 관찰한 결과를 써 보고, 큰 소리가 날 때와 작은 소리가 날 때의 공통점을 생각해 봅시다.

구분	큰 소리가 날 때	작은 소리가 날 때
손의 느낌	예시 답안 떨림이 크게 느껴집니다.	예시 답안 떨림이 작게 느껴집니다.
좁쌀의 움직임	예시 답안 좁쌀이 많이 움직입니다.	예시 답안 좁쌀이 조금 움직입니다.

도움말

좁쌀이 스피커 울림통에 근접해 있기 때문에 스피커가 움직여서 좁쌀이 움직였다고 생각할 수 있습니다. 이때 스피커 위쪽에 스피커와 다소 공간을 띄우고 랩이나 종이컵을 놓고 소리에 의한 공기의 진동이 좁쌀을 움직였음을 확인해 볼 수 있습니다.

4 징을 세게 칠 때와 약하게 칠 때 징 앞의 좁쌀의 움직임과 징 소리의 크고 작은 정도를 예상하고, 실험을 통해 확인해 봅시다.

도움말 좁쌀이 멀리 튈 수도 있으므로 좁쌀이 놓인 그릇 주변에 신문지나 비닐, 돗자리를 깔아 두도록 합니다. 금속 그릇 둘레에 투명 필름으로 가림막을 세워 붙여 좁쌀이 그릇 밖으로 흩어지는 것을 막을 수도 있습니다.

❶ 징 앞에 좁쌀을 올린 금속 그릇을 두고 징을 세게 칠 때와 약하게 칠 때 좁쌀의 움직임을 예상해 봅시다.

예시 답안

▶ 징을 세게 치면 징이 (크게) 떨리면서 좁쌀이 (많이) 움직입니다.

▶ 징을 약하게 치면 징이 (작게) 떨리면서 좁쌀이 (조금) 움직입니다.

도움말 징을 칠 때 징 안쪽에서 생기는 바람 때문에 좁쌀이 움직였다고 생각될 경우 징을 좁쌀과 반대 방향으로 두고 칠 수도 있습니다.

❷ 징을 세게 칠 때와 약하게 칠 때 징 소리의 크고 작은 정도를 예상해 봅시다.

예시 답안

▶ 징을 세게 치면 징이 (크게) 떨리면서 (큰) 소리가 납니다.

▶ 징을 약하게 치면 징이 (작게) 떨리면서 (작은) 소리가 납니다.

❸ 과정 ❶과 ❷를 직접 실험해 보고, 예상한 내용이 맞는지 확인해 봅시다.

도움말 소리의 세기와 좁쌀의 움직임 차이가 명확히 보일 수 있도록 징을 칠 때 힘의 차이를 크게 하여 칩니다. 징을 세게 칠 때 좁쌀이 그릇 밖으로 쏟아질 수 있으므로 약하게 칠 때 움직임을 먼저 관찰한 뒤 세게 칠 때의 움직임을 관찰합니다.

이렇게 OO 정리해요

큰 소리가 날 때와 작은 소리가 날 때 물체의 떨림에 대해 정리해 봅시다.

예시 답안

▶ 큰 소리가 날 때와 작은 소리가 날 때 물체가 떨리는 정도는 서로 (☐ 같습니다, ☑ 다릅니다).

▶ 큰 소리가 날 때 물체는 (☑ 크게, ☐ 작게) 떨리고, 작은 소리가 날 때 물체는 (☐ 크게, ☑ 작게) 떨립니다.

4 높은 소리와 낮은 소리, 어떻게 다를까요?

과학 102~103쪽

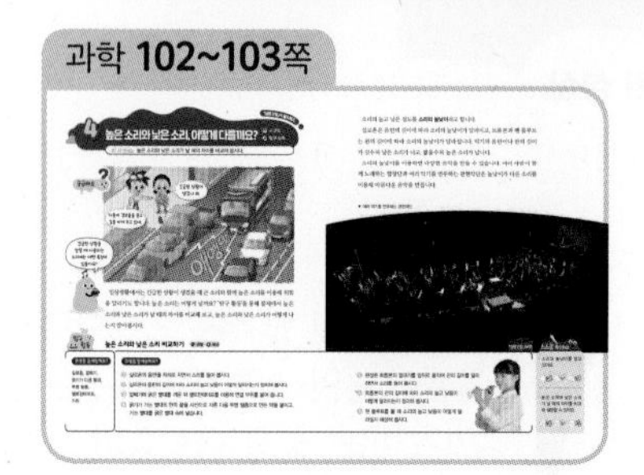

궁금해요

일상생활에서 긴급한 상황에 들었던 소리를 떠올려 보고, 이 소리들의 특징을 통해 소리의 높낮이에 대해 알아봅시다.

질문 긴급한 상황을 알릴 때 사용하는 소리에는 어떤 특징이 있을까요?

예시 답안
- 소리가 큰 것 같습니다.
- 다른 소리보다 더 높게 들리는 것 같습니다.

➲ 일상생활에서 높은 소리와 낮은 소리

탐구 활동 높은 소리와 낮은 소리 비교하기 도움①

자세한 해설은 132~133쪽에 있어요.

- **무엇을 준비할까요?**

실로폰, 깔때기, 굵기가 다른 빨대, 투명 필름, 셀로판테이프, 가위

- **과정을 알아볼까요?**

❶ 실로폰의 음판을 차례로 치면서 소리를 들어 봅시다.
❷ 실로폰의 음판의 길이에 따라 소리의 높고 낮음이 어떻게 달라지는지 정리해 봅시다.
❸ 깔때기에 굵은 빨대를 끼운 뒤 셀로판테이프를 이용해 연결 부위를 붙여 줍니다.
❹ 굵기가 가는 빨대의 한쪽 끝을 사선으로 자른 다음 투명 필름으로 만든 막을 붙이고, 가는 빨대를 굵은 빨대 속에 넣습니다.
❺ 완성된 트롬본의 깔때기를 앞뒤로 움직여 관의 길이를 달리하면서 소리를 들어 봅시다.
❻ 트롬본의 관의 길이에 따라 소리의 높고 낮음이 어떻게 달라지는지 정리해 봅시다.
❼ 팬 플루트를 불 때 소리의 높고 낮음이 어떻게 달라질지 예상해 봅시다.

- **관찰 내용 및 결과를 정리해요**

➲ 실로폰의 음판의 길이나 트롬본, 팬 플루트의 관의 길이가 길수록 낮은 소리가 납니다.

➲ 실로폰의 음판의 길이나 트롬본, 팬 플루트의 관의 길이가 짧을수록 높은 소리가 납니다.

➲ 높은 소리와 낮은 소리 비교

교과서 속 핵심 개념

- **소리의 높낮이:** 소리의 높고 낮은 정도 도움②
- **소리의 높낮이 비교하기**
  - 실로폰은 음판의 길이가 짧을수록 높은 소리가 남.
  - 트롬본과 팬 플루트는 관의 길이가 짧을수록 높은 소리가 남.
  - 악기의 음판이나 관의 길이가 길수록 낮은 소리가 나고, 짧을수록 높은 소리가 남.

도움 ① 물 실로폰 만들기

[준비물] 크기와 모양이 같은 빈 유리병, 물, 색소, 실로폰 채

① 크기와 모양이 같은 빈 유리병을 여러 개 준비합니다.

② 준비된 유리병에 색소 탄 물을 높이를 달리하여 순서대로 채웁니다.

③ 실로폰 채로 각각의 유리병을 두드리며 소리의 차이를 비교해 봅니다.

➡ 물이 많이 들어 있는 병일수록 낮은 소리가 나고, 적게 들어 있는 병일수록 높은 소리가 납니다.

도움 ② 일상생활에서 소리의 높낮이를 이용한 예

- **높은 소리와 낮은 소리를 이용한 예:** 관현악단, 합창단은 소리의 높낮이를 이용해 다양한 음악을 만듭니다.

- **높은 소리를 이용한 예:** 소방차 경보음이나 호루라기 소리, 화재경보기 소리 등 위험을 알릴 때 큰 소리와 함께 높은 소리를 이용합니다.

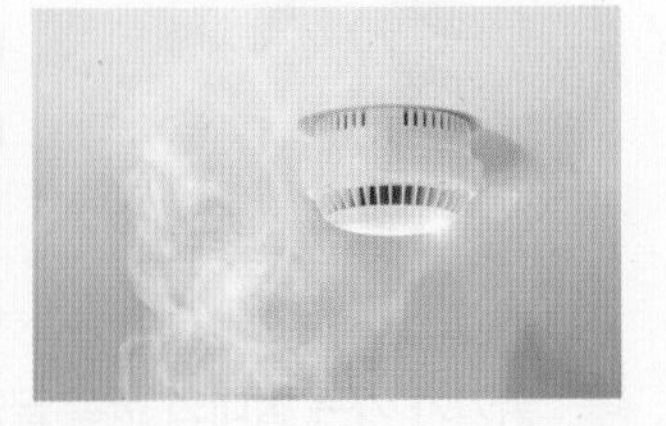

스스로 확인해요

- **소리의 높낮이를 알고 있어요.**

  도움말 일상생활에서 소리의 높낮이가 다른 경우를 떠올려 보고, 용어의 뜻을 생각합니다.

- **높은 소리와 낮은 소리가 날 때의 차이를 비교해 설명할 수 있어요.**

  도움말 실로폰 음판의 길이와 트롬본 관의 길이, 팬 플루트의 관의 길이가 길면 낮은 소리, 짧으면 높은 소리가 난다는 것을 비교해 설명합니다.

정답과 해설 5쪽

교과서 개념 확인 문제

1 실로폰에서 가장 높은 소리를 내는 부분과 가장 낮은 소리를 내는 부분을 찾아서 기호를 써 봅시다.

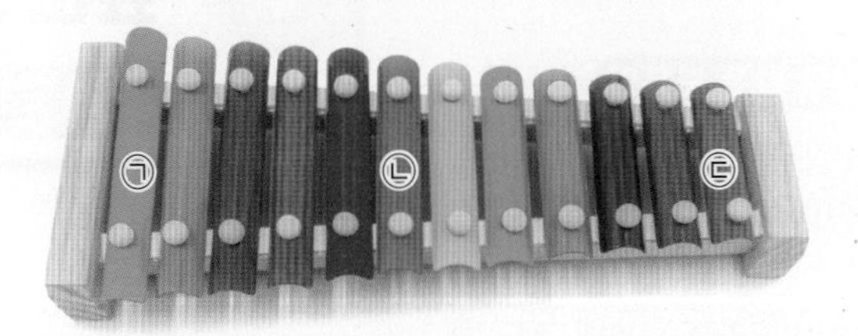

(1) 가장 높은 소리를 내는 부분: (　　　)

(2) 가장 낮은 소리를 내는 부분: (　　　)

2 다음과 같이 사람들에게 위급한 상황을 알릴 때는 높은 소리와 낮은 소리 중 어느 것을 사용하는지 써 봅시다.

- 구급차의 경보음
- 안전 요원의 호루라기 소리

(　　　　　)

3 소리의 높낮이에 대한 설명이 옳으면 ○표, 옳지 않으면 ×표해 봅시다.

(1) 실로폰은 짧은 음판보다 긴 음판이 더 낮은 소리를 냅니다. (　　)

(2) 팬 플루트는 관의 길이에 따라 소리의 높낮이가 달라집니다. (　　)

(3) 화재경보기 소리처럼 긴급한 상황을 알릴 때 높은 소리를 사용합니다. (　　)

(4) 트롬본의 소리를 높게 하고 싶으면 관의 길이를 길게 하면 됩니다. (　　)

실험 관찰

관찰 예상 | 실험 관찰 56~57쪽

4 높은 소리와 낮은 소리, 어떻게 다를까요?

탐구 활동 높은 소리와 낮은 소리 비교하기

탐구 활동 도움말

이 탐구 활동은 실로폰 음판의 길이와 트롬본 관의 길이에 따라 소리의 높고 낮음이 어떻게 달라지는지를 관찰해 보는 활동입니다.

도움말

높은 소리와 낮은 소리를 감각만으로 구분하기 어려울 경우 소리 측정 기기나 애플리케이션 등을 통해 눈에 보이는 숫자로 다른 소리임을 확인할 수 있습니다.

도움말

각각의 음을 충분히 비교할 수 있도록 음판을 몇 번 반복적으로 칩니다.

도움말

투명 필름으로 만든 막은 소리가 쉽게 나도록 하기 위한 것입니다. 투명 필름 막의 크기는 비스듬하게 자른 빨대 단면을 충분히 덮을 수 있는 정도로 합니다.

『실험 관찰』 꾸러미 69쪽 붙임딱지를 붙여요.

가위를 사용할 때 조심해요.

무엇을 준비할까요?

준비물에 ○ 표시를 하면서 확인해 봅시다.

실로폰

깔때기

굵기가 다른 빨대

투명 필름

셀로판테이프

가위

투명 필름을 ♀ 모양으로 잘라 막을 만들어요.

1 실로폰의 음판을 차례로 치면서 소리를 들어 봅시다.

같은 세기의 힘으로 음판을 쳐요.

2 실로폰의 음판의 길이에 따라 소리의 높고 낮음이 어떻게 달라지는지 정리해 봅시다.

예시 답안

음판의 길이가 (길어)지면 소리가 (높아, ✓낮아)집니다.	음판의 길이가 (짧아)지면 소리가 (✓높아, 낮아)집니다.

3 깔때기에 굵은 빨대를 끼운 뒤 셀로판테이프를 이용해 연결 부위를 붙여 줍니다.

4 굵기가 가는 빨대의 한쪽 끝을 사선으로 자른 다음 투명 필름으로 만든 막을 붙이고, 가는 빨대를 굵은 빨대 속에 넣습니다.

투명 필름 막

굵은 빨대

가는 빨대

5 완성된 트롬본의 깔때기를 앞뒤로 움직여 관의 길이를 달리하면서 소리를 들어 봅시다.

트롬본 관의 길이를 바꾼 뒤에도 같은 세기의 힘으로 불도록 해요.

도움말
빨대 트롬본을 불 때 입술로 빨대와 막을 눌렀다가 조금씩 사이를 떨어뜨리면서 소리 내기를 합니다.

6 트롬본의 관의 길이에 따라 소리의 높고 낮음이 어떻게 달라지는지 정리해 봅시다.

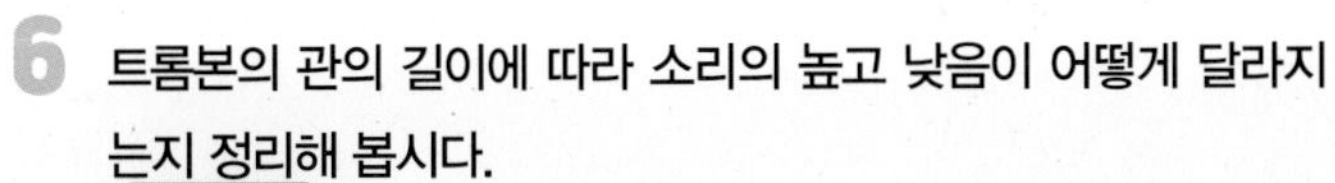

예시 답안

관의 길이가 길 때	관의 길이가 짧을 때
소리가 (낮아)집니다.	소리가 (높아)집니다.

보충해설
소리의 세기는 소리를 낼 때 세게 치거나 약하게 치는 것 등으로 조절되는 반면 소리의 높낮이는 음판 또는 관의 길이에 따라 조절됩니다.

7 팬 플루트를 불 때 소리의 높고 낮음이 어떻게 달라질지 예상해 봅시다.

예시 답안
㉮에서 ㉯쪽으로 불수록 소리는 점점 더 (☑낮아질, ☐높아질) 것입니다.
그 까닭은 ㉮에서 ㉯쪽으로 갈수록 팬 플루트 관의 길이가 길어지기 때문입니다.

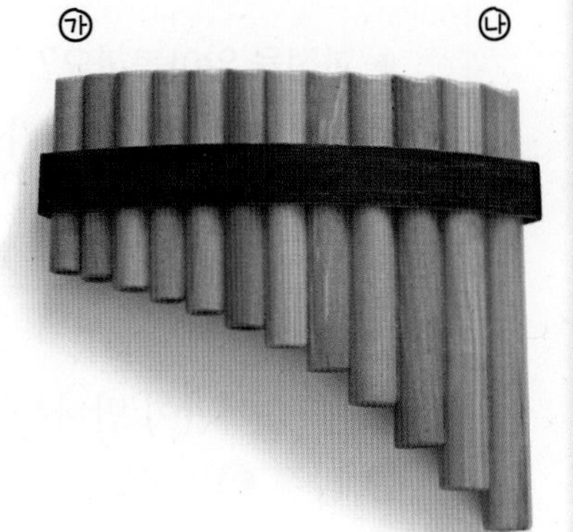

이렇게 ㅇㅇ 정리해요

악기에서 높은 소리가 날 때와 낮은 소리가 날 때의 차이를 정리해 봅시다.

예시 답안

높은 소리가 날 때	낮은 소리가 날 때
• 관의 길이가 (☐길니다, ☑짧습니다).	• 관의 길이가 (☑길니다, ☐짧습니다).
• 음판의 길이가 (☐길니다, ☑짧습니다).	• 음판의 길이가 (☑길니다, ☐짧습니다).

▶ 악기의 음판과 관의 길이에 따라 소리의 [높고 낮음] 이/가 달라집니다.

5 소리, 어디로 갈까요?

과학 104~105쪽

궁금해요

그림의 상황에서 소리가 어떻게 달라졌을지 경험을 바탕으로 생각해 본 뒤 주위 환경 중 어떤 것이 소리에 영향을 미쳤을지 찾아봅시다.

질문 연습 때와 대회가 시작되었을 때 주위 환경 중 무엇이 달라졌나요?

예시 답안
- 관객석에 사람들이 있습니다.
- 연습 때는 강당의 관객석이 비어 있었는데, 대회 때는 관객석이 가득 찼습니다.

➲ 일상생활 속 소리 반사의 예

▲ 동굴에서의 소리 반사

▲ 텅 빈 체육관에서의 소리 반사

➲ 물체에 따라 다른 소리의 반사

탐구 활동 소리가 물체에 부딪쳤을 때 현상 관찰하기

자세한 해설은 136~137쪽에 있어요.

- **무엇을 준비할까요?**

스피커, 스마트 기기(소리 발생용), 소음 측정기, 종이관 2개, 나무판, 플라스틱 판, 스펀지 판, 스타이로폼 판 2개

- **과정을 알아볼까요?**

❶ 스타이로폼 판을 가운데 두고, 두 개의 종이관을 양쪽으로 비스듬히 놓습니다.
❷ 한쪽 종이관 안에 스피커를 넣은 뒤, 다른 쪽 종이관에 귀를 대고 소리를 들어 봅시다.
❸ 두 종이관이 만나는 부분에 나무판을 세워 막은 뒤, 소리를 들어 봅시다.
❹ 과정 ❷와 ❸의 소리가 어떻게 다른지 비교해 보고, 그 까닭을 생각해 봅시다.
❺ 과정 ❸의 스피커에서 나오는 소리의 세기를 소음 측정기로 측정해 봅시다.
❻ 나무판을 다른 판으로 바꿔 가며 소음 측정기로 소리의 세기를 각각 측정해 봅시다.
❼ 측정한 소리의 세기를 비교하여 소리의 세기가 상대적으로 큰 경우와 작은 경우로 나눠 봅시다.
❽ 소리의 세기가 상대적으로 큰 경우와 작은 경우 사용한 판의 공통점을 찾아보고, 판의 종류에 따라 소리의 세기가 다른 까닭을 생각해 봅시다.

- **관찰 내용 및 결과를 정리해요**

➲ 소리가 나아가다 나무판, 플라스틱 판과 같이 딱딱한 물체에 부딪치면 되돌아오는 정도가 큽니다.

➲ 소리가 나아가다 스타이로폼 판, 스펀지 판과 같이 부드러운 물체에 부딪치면 되돌아오는 정도가 작습니다.

정답과 해설 5쪽

교과서 속 핵심 개념

- **소리의 반사:** 소리가 나아가다가 물체에 부딪쳐 되돌아오는 현상
- **부딪치는 물체의 종류에 따른 소리의 반사:** 딱딱한 물체와 부딪치면 반사가 잘 되지만 부드러운 물체와 부딪치면 반사가 잘 되지 않음.
- **일상생활에서의 소리의 반사 예:** 동굴, 목욕탕, 강당에서의 소리 울림, 산에서의 메아리, 공연장에서의 소리의 반사 도움 ①

도움 ①

- 산에서의 소리의 반사
  - 산에서 암벽 쪽으로 소리를 지르면 대체로 소리가 반사되어 소리를 지른 사람 쪽으로 되돌아옵니다.
  - 나무가 울창한 쪽으로 소리를 지르면 소리가 나무에 흡수되거나 흩어져 되돌아오는 소리가 작아 메아리를 듣지 못하게 됩니다.

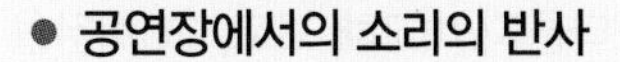

- 공연장에서의 소리의 반사
  - 공연장 천장의 반사판은 소리를 잘 반사해 소리가 관객석에 고루 전달되도록 합니다.
  - 공연장 벽이나 바닥의 부드러운 소재는 소리를 잘 반사하지 않아 소리가 지나치게 울리는 것을 막아줍니다.

스스로 확인해요

- **소리가 여러 가지 물체에 부딪쳐 반사되는 현상을 관찰하고, 설명할 수 있어요.**

  도움말 소리가 그대로 나아갈 때와 소리가 나아가다 물체에 부딪쳤을 때의 차이에 집중해 관찰하고, 결과를 바르게 설명합니다.

- **소리가 나아가다 부딪치는 물체의 종류에 따라 반사되는 정도가 다름을 설명할 수 있어요.**

  도움말 소리가 딱딱한 물체에 부딪치면 반사되는 정도가 크고, 부드러운 물체에 부딪치면 반사되는 정도가 작다는 것을 설명합니다.

교과서 개념 확인 문제

1 다음에서 공통적으로 알 수 있는 소리의 성질은 무엇인지 써 봅시다.

소리의 (　　　　　　　　　　)

2 다음 중 소리의 반사에 대한 설명으로 옳지 <u>않은</u> 것은 어느 것입니까? (　　　)

① 소리는 딱딱한 물체와 부딪치면 더 잘 반사된다.
② 스펀지 판보다 나무판에서 소리가 더 잘 반사된다.
③ 소리는 부드러운 물체와 부딪치면 잘 반사되지 않는다.
④ 스타이로폼 판보다 플라스틱 판에서 소리가 더 잘 반사된다.
⑤ 공연장 벽의 부드러운 소재는 소리를 잘 반사하여 소리가 잘 울리도록 해 준다.

3 오른쪽 장치에서 나무판을 스타이로폼 판으로 바꿨을 때 측정되는 소리의 세기가 어떻게 될지 알맞은 말에 ○해 봅시다.

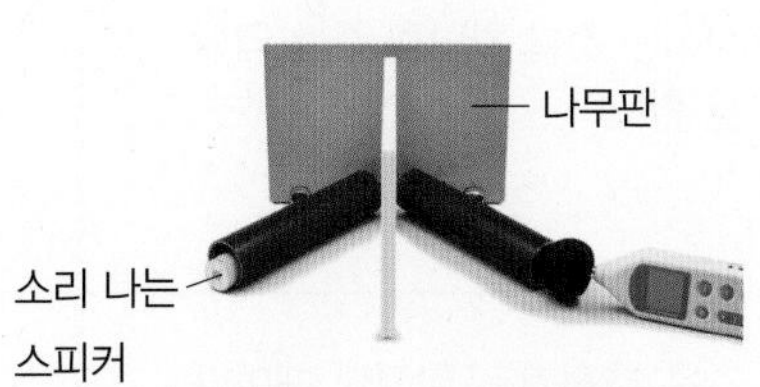

> 판의 종류에 따라 소리가 반사되는 정도가 (같으므로, 다르므로) 측정되는 소리의 세기는 (같습니다, 다릅니다).

실험 관찰

측정 추리

실험 관찰 58~59쪽

5 소리, 어디로 갈까요?

탐구 활동 소리가 물체에 부딪쳤을 때 현상 관찰하기

탐구 활동 도움말

이 탐구 활동은 소리가 물체에 부딪쳐 반사되는 현상을 관찰해 보고, 물체의 종류에 따라 반사되는 정도가 다름을 알아보는 활동입니다.

도움말

종이관을 움직이면서 소음 측정기로 가장 큰 소리가 측정되는 위치를 미리 표시해 두고 그 위치에 종이관을 고정해 놓습니다.

보충해설

두 종이관 사이에 세우는 스타이로폼 판은 불필요한 소리가 섞이는 것을 차단해 주는 역할을 합니다.

도움말

소음 측정기로 측정할 때마다 동일한 위치에서 측정을 해야 정확한 결과를 얻을 수 있습니다.

「실험 관찰」 꾸러미 69쪽 붙임딱지를 붙여요.

소리를 들을 때 큰 소리를 조심해요.

무엇을 준비할까요?

준비물에 ◯ 표시를 하면서 확인해 봅시다.

스피커

스마트 기기 (소리 발생용)

소음 측정기

종이관 2개

나무판

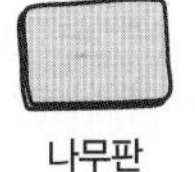

플라스틱 판

스펀지 판

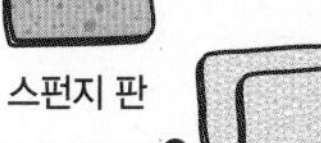

스타이로폼 판 2개

1 스타이로폼 판을 가운데 두고, 두 개의 종이관을 양쪽으로 비스듬히 놓습니다.

2 한쪽 종이관 안에 스피커를 넣은 뒤, 다른 쪽 종이관에 귀를 대고 소리를 들어 봅시다.

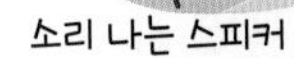

스마트 기기를 이용해 스피커에서 일정한 세기의 소리가 나도록 해요. (과정 2~3, 과정 5~6)

3 두 종이관이 만나는 부분에 나무판을 세워 막은 뒤, 소리를 들어 봅시다.

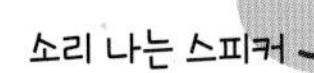

4 과정 2와 3의 소리가 어떻게 다른지 비교해 보고, 그 까닭을 생각해 봅시다.

예시 답안

종이관의 끝을 나무판으로 막았을 때가 막지 않았을 때보다 소리가 더 잘 (☑ 들립니다, ☐ 들리지 않습니다). 이것은 소리가 나아가다 나무판에 부딪쳐 (되돌아왔기) 때문입니다.

5 과정 3의 스피커에서 나오는 소리의 세기를 소음 측정기로 측정해 봅시다.

6 나무판을 다른 판으로 바꿔 가며 소음 측정기로 소리의 세기를 각각 측정해 봅시다.

예시 답안

사용한 판의 종류	소리의 세기	사용한 판의 종류	소리의 세기
나무판	71.8~74.9(데시벨)	스펀지 판	67.4~70.1(데시벨)
플라스틱 판	71.1~73.2(데시벨)	스타이로폼 판	68.3~71.4(데시벨)

7 측정한 소리의 세기를 비교하여 소리의 세기가 상대적으로 큰 경우와 작은 경우로 나눠 봅시다.

예시 답안

구분	소리의 세기가 상대적으로 큰 경우	소리의 세기가 상대적으로 작은 경우
사용한 판의 종류	나무판, 플라스틱 판	스펀지 판, 스타이로폼 판

8 소리의 세기가 상대적으로 큰 경우와 작은 경우 사용한 판의 공통점을 찾아보고, 판의 종류에 따라 소리의 세기가 다른 까닭을 생각해 봅시다.

예시 답안

판의 종류에 따라 측정된 소리의 세기가 다른 것은 소리가 나아가다가 부딪치는 물체의 종류에 따라 되돌아오는 정도가 (☐ 같기, ☑ 다르기) 때문입니다.

▶ 소리가 (나무판 , 플라스틱 판)와/과 같이 (☑ 딱딱한, ☐ 부드러운) 물체와 부딪치면 되돌아오는 정도가 (☑ 크기, ☐ 작기) 때문에 소리의 세기가 상대적으로 큽니다.

▶ 소리가 (스펀지 판 , 스타이로폼 판)와/과 같이 (☐ 딱딱한, ☑ 부드러운) 물체와 부딪치면 되돌아오는 정도가 (☐ 크기, ☑ 작기) 때문에 소리의 세기가 상대적으로 작습니다.

도움말

소리의 세기를 여러 번 반복 측정해, 측정되는 범위를 확인하여 비교해 보도록 합니다.

보충 해설

반사 실험에 사용한 판을 손으로 눌러 보고 판의 딱딱한 정도와 소리의 반사 정도를 연결할 수 있도록 합니다.

이렇게 ○○ 정리해요

소리가 나아가다가 물체에 부딪쳤을 때 물체의 종류에 따른 소리의 되돌아오는 정도와 상대적인 소리의 세기를 선으로 옳게 연결해 봅시다.

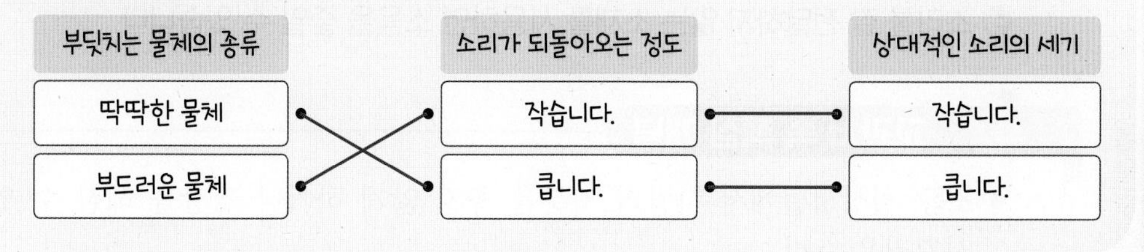

6 시끌시끌, 소음을 줄여 보아요

궁금해요

우리 주변에서 생기는 다양한 소리를 떠올려 보고, 기분이 좋은 소리와 좋지 않은 소리를 구분해 우리 주변의 소음에 대해 생각해 봅시다.

질문 그림의 상황에서 나는 소리에 어떤 것이 있을까요?

예시 답안 자장가 소리, 음악 소리, 뛰어다니는 소리, 자동차 경적 소리, 공사 현장의 소리, 확성기 소리, 기차 소리 등이 있습니다.

질문 그림의 상황에서 나는 소리 중 기분이 좋은 소리와 기분이 좋지 않은 소리에 붙임딱지를 붙여 볼까요? 도움①

예시 답안 음악 소리, 자장가 소리는 기분이 좋은 소리이고, 공사 현장 소리, 자동차 경적 소리, 기차 소리 등은 기분이 좋지 않은 소리입니다.

탐구 활동 소음을 줄이는 발명품 생각하기

자세한 해설은 140~141쪽에 있어요.

● **무엇을 준비할까요?**

스마트 기기, 큰 종이, 그림 도구(색연필, 사인펜 등)

● **과정을 알아볼까요?**

❶ 여러 가지 소리 중 모둠원들이 공통적으로 소음이라고 생각한 것을 정리해 봅시다.

❷ 과정 ❶의 소음을 줄이려면 어떻게 해야 할지 모둠원들과 토의한 뒤 생각그물로 자유롭게 나타내 봅시다.

❸ 여러 가지 소음 중 모둠원들과 가장 해결하고 싶은 소음 문제를 선택한 뒤 이를 줄일 수 있는 발명품을 생각해 봅시다.

❹ 모둠원들과 생각한 발명품에 대해 제품 설명서를 만든 뒤 발표해 봅시다.

● **관찰 내용 및 결과를 정리해요**

➲ 소리의 세기를 약하게 하면 소음이 줄어듭니다.

➲ 소리의 반사를 이용하면 소음을 줄일 수 있습니다.

➲ 소리를 잘 전달하지 않는 소재를 사용하면 소음을 줄일 수 있습니다.

➲ **소음을 줄이는 방법**

교과서 속 핵심 개념

- **소음:** 일상생활에서 사람의 기분을 좋지 않게 하거나 건강을 해칠 수 있는 시끄러운 소리
- **소음의 종류:** 자동차 경적 소리, 공사 현장 소리, 뛰어다니는 소리 등
- **소음을 줄이는 방법** 도움②
  - 소리를 반사함.
  - 소리의 세기를 줄임.
  - 소리가 잘 전달되지 않도록 함.

도움 ① 기분이 좋은 소리와 기분이 좋지 않은 소리

- **기분이 좋은 소리:** 자장가 소리, 음악 소리, 대화 소리 등
- **기분이 좋지 않은 소리:** 기차 소리, 자동차 경적 소리, 확성기 소리, 뛰어다니는 소리, 공사 현장 소리 등

도움 ② 일상생활에서 소음을 줄이는 방법의 예

- **소리를 잘 전달하지 않는 소재 활용:** 음악실 벽, 소음 방지 매트, 소음 방지 실내화 등
- **소리를 잘 반사하는 소재 활용:** 도로 방음벽 등

▲ 음악실 벽

▲ 도로 방음벽

스스로 확인해요

- **우리 주변에서 생기는 여러 가지 소음의 종류를 이야기할 수 있어요.**
  도움말 일상생활에서 사람의 기분을 좋지 않게 하거나 건강을 해칠 수 있는 시끄러운 소리를 찾아 이야기합니다.
- **소리의 성질을 이용하여 일상생활에서 소음을 줄이는 방법을 토의했어요.**
  도움말 소리의 세기를 줄이거나, 잘 전달되지 않도록 하거나, 반사를 이용해 소음을 줄일 수 있음을 이야기합니다.

정답과 해설 5쪽

교과서 개념 확인 문제

1 **다음 중 소음을 모두 찾아 기호를 써 봅시다.**

㉠ 연주회의 음악 소리
㉡ 공사 현장의 기계 소리
㉢ 밤늦게 위층에서 들리는 뛰는 소리
㉣ 복도에서 친구들이 크게 떠드는 소리

( )

2 **소음을 줄이는 방법에 대한 설명이 옳으면 ○표, 옳지 않으면 ×표해 봅시다.**

(1) 소음을 줄이는 방법 중 하나는 소리의 세기를 줄이는 것입니다. ( )

(2) 소음을 줄이기 위해서는 소음을 일으키는 물체의 떨림을 작게 만듭니다. ( )

(3) 음악실 벽에 소리를 잘 전달하는 소재를 붙이면 소음을 줄일 수 있습니다. ( )

3 **도로 주위에 세우는 방음벽은 어떤 방법으로 소음을 줄이는 것인지 찾아 ○표해 봅시다.**

(1) 소리의 반사를 이용합니다. ( )

(2) 소리를 전달하는 물질을 없앱니다. ( )

(3) 소음이 나는 물체의 소리를 직접 줄입니다. ( )

실험 관찰

예상 의사소통

실험 관찰 60~61쪽

6 시끌시끌, 소음을 줄여 보아요

탐구 활동 소음을 줄이는 발명품 생각하기

탐구 활동 도움말

이 탐구 활동은 일상생활에서 소음 문제를 생각해 보고, 어떤 소리의 성질을 이용하여 소음 문제를 해결할 수 있을지 예상하고, 개선 방법을 찾아보는 활동입니다.

『실험 관찰』 꾸러미 69쪽 붙임딱지를 붙여요.

친구가 발표할 때 주의 깊게 들어요.

무엇을 준비할까요?

준비물에 ○ 표시를 하면서 확인해 봅시다.

스마트 기기

큰 종이

그림 도구 (색연필, 사인펜 등)

도움말

그림 도구를 준비하지 못한 경우에는 필기도구를 사용할 수도 있습니다.

1 『과학』 106쪽의 여러 가지 소리 중 모둠원들이 공통적으로 소음이라고 생각한 것을 정리해 봅시다.

예시 답안 공사 현장 소리, 뛰어다니는 소리, 자동차 경적 소리, 기차 소리, 확성기 소리 등

2 과정 1의 소음을 줄이려면 어떻게 해야 할지 모둠원들과 토의한 뒤 생각그물로 자유롭게 나타내 봅시다.

예시 답안

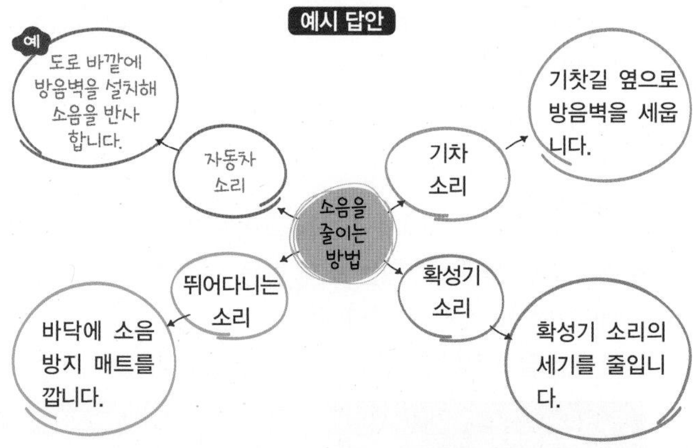

도움말

일상생활의 소음을 줄이기 위한 발명품을 구상할 때 소리의 성질과 연결시켜 생각해 보도록 합니다.

3 여러 가지 소음 중 모둠원들과 가장 해결하고 싶은 소음 문제를 선택한 뒤 이를 줄일 수 있는 발명품을 생각해 봅시다.

• 줄이려는 소음	예 뛰어다니는 소리
• 발명품의 과학 원리	예 소리를 잘 전달하지 않는 소재를 이용해 소음을 줄임.
• 발명품의 재료	예 두꺼운 양말, 스펀지

▶ 우리 모둠에서 고안한 발명품은 예 방음 양말 입니다.

4 모둠원들과 생각한 발명품에 대해 제품 설명서를 만든 뒤 발표해 봅시다.

도움말 제품 설명서에 어떠한 소리의 성질을 이용하여 소음을 줄였는지 설명해 보도록 합니다.

예

쿵쾅쿵쾅 NO! 배려 YES! 방음 양말

OO조 OO모둠: OOO, OOO, OOO, OOO

나도 모르게 걸음을 쿵쾅쿵쾅 걷고 있나요? 쿵쾅쿵쾅 걷는 소음에 괴로우신가요?
걷는 소리로 인한 소음을 방음 양말로 해결해 드리겠습니다.

도움말 제품 설명서에 어떤 발명품을 만들었는지 그림이나 사진을 이용하여 보여 주면 듣는 친구들이 더 쉽게 이해할 수 있습니다.

이럴 때 사용하세요!

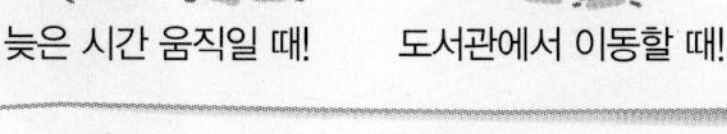

늦은 시간 움직일 때! 도서관에서 이동할 때!

이런 특징이 있어요!

- 재료를 주변에서 구하기 쉬워요.
- 소리를 흡수하는 재료로 스펀지를 사용하였어요.

이렇게 OO 정리해요

우리 모둠의 발명품에 대해 다른 모둠 모둠원들의 의견을 들어 봅시다.

예시 답안

친구 이름	의견
아띠 로운 혜윰	우리가 직접 만들 수 있어서 좋았습니다. 부드러운 스펀지가 소리를 잘 흡수할 것 같습니다. 소음은 줄어들었지만, 너무 두꺼워서 불편합니다.

도움말 다른 모둠의 발명품에 대한 의견을 말할 때는 잘된 점과 함께 개선할 부분을 이야기해 보도록 합니다.

모둠원들의 의견을 반영하여 발명품의 개선할 부분과 개선 내용을 정리해 봅시다.

예시 답안

개선할 부분	개선 내용
양말 바닥	소음 방지에는 좋지만, 너무 두꺼워 불편하기 때문에 스펀지를 눌러 얇게 만들어 신기 편하도록 하면 좋을 것 같습니다.

과학 108~109쪽

귀로 듣지 않는 음악회

청각에 장애가 있으면 귀를 통해 음악을 들을 수 없지만, 대신 '느낄 수' 있어요.

박자와 선율을 음이 아닌 떨림으로 받아, 몸으로 음악을 느낄 수 있답니다. 그리고 실제 이를 이용한 청각장애인을 위한 음악회가 열리고 있어요.

우리 함께 가 볼까요?

과학 더하기 도움말

소리에 의한 물체의 떨림이 귀뿐만 아니라 우리 몸의 여러 부분을 통해 전달될 수 있음을 알고, 과학 기술이 다양한 사람이 음악을 즐길 수 있게 활용되고 있음을 이해합니다.

과학 더하기 해설

한 음악회에서 손에 느껴지는 떨림으로 소리를 전달하는 공, 귓속뼈의 떨림으로 소리를 전달하는 헤드폰, 스피커의 떨림으로 소리를 전달하는 옷 등 다양한 첨단 기기를 활용해 청각 장애인들이 귀 대신 몸으로 음악을 감상할 수 있도록 하는 시도가 있었습니다.

- **청각에 장애가 있어도 음악을 느낄 수 있는 것은 소리 나는 물체의 공통된 특징 때문입니다. 그 특징이 무엇일까요?**

▶ 소리가 나는 물체는 공통적으로 떨림이 있습니다.

- 사운드 허그: 사운드 허그는 음악 소리에 따라 떨림이 발생하면서 색깔도 변하는 공 모양의 첨단 기기입니다.
- 골전도 헤드폰: 일반적으로 소리는 공기의 떨림으로 귓속 막이 떨리고, 이 떨림이 귓속뼈 등을 거쳐 뇌까지 전달되면서 소리를 인식합니다.
  그런데 골전도 헤드폰은 귓속 막 대신 소리의 떨림을 바로 귓속뼈로 전달해 소리를 인식합니다.
- 사운드 셔츠: 영국의 한 회사가 소리를 들을 수 있도록 개발한 셔츠의 이름입니다.
  사운드 셔츠는 일종의 피부 감각 센서를 옷에 달아 청각 장애인이 피부로 음악을 느낄 수 있도록 합니다. 팔에서 은은하게 느껴지는 떨림으로 바이올린 소리를 전달하고, 등 부분에 강한 떨림을 주어 드럼 소리를 전달하는 등 몸의 여러 부분에 각각 다른 떨림을 전달하여 다양한 악기 소리가 들리는 것처럼 인식하도록 설계하였습니다.

그림으로 정리하기 해설

❶ 물체에서 소리가 날 때 물체는 공통적으로 떨립니다.

❷ 소리는 대부분 기체인 공기를 통해 전달되고, 물과 같은 액체와 나무, 철과 같은 고체를 통해서도 전달됩니다.

❸ 소리의 크고 작은 정도를 소리의 세기라고 합니다. 물체가 크게 떨리면 큰 소리가 나고, 작게 떨리면 작은 소리가 납니다.

❹, ❺ 소리의 높고 낮은 정도를 소리의 높낮이라고 합니다. 실로폰이나 트롬본과 같은 악기에서 음판이나 관의 길이가 짧은 부분에서는 높은 소리, 긴 부분에서는 낮은 소리가 납니다.

❻ 소리가 나아가다가 물체에 부딪쳐 되돌아오는 성질을 소리의 반사라고 합니다. 암벽으로 된 산과 동굴의 메아리, 텅 빈 강당이나 목욕탕에서 소리가 울려서 들리는 것은 소리의 반사 때문입니다.

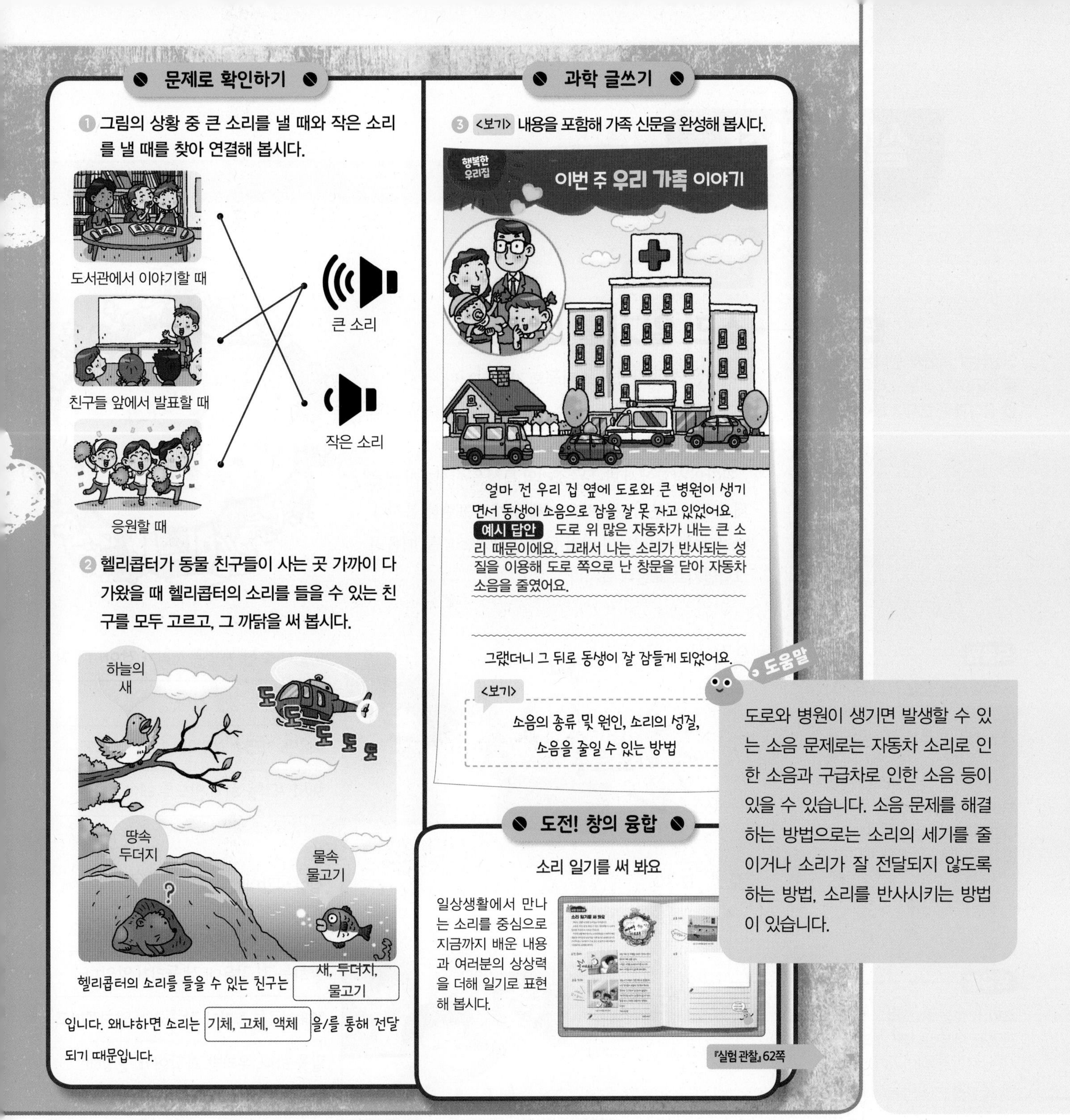

문제로 확인하기 해설

❶ 친구들과 도서관에서 대화를 나눌 때는 작은 소리, 친구들 앞에서 발표할 때나 응원할 때는 큰 소리를 냅니다.

❷ 헬리콥터의 소리를 들을 수 있는 친구는 하늘의 새, 땅속 두더지, 물속 물고기입니다. 왜냐하면 소리는 기체(공기), 액체(물), 고체(흙)를 통해 전달되기 때문입니다.

과학 글쓰기 해설

본문에 제시한 예시 답안 외에도 다음과 같은 답을 쓸 수도 있습니다.

- 병원의 구급차가 지나가면서 내는 높은 소리 때문이에요. 그래서 나는 소리를 잘 전달하지 않는 부드러운 소재를 벽에 붙여 소음을 줄였어요.
- 도로 위 차들의 큰 경적 소리 때문이에요. 일반 주택 앞에서는 경적 소리를 줄이도록 표지판을 붙여 소음을 줄였어요.

실험 관찰

실험 관찰 62~63쪽

보충해설

일상생활 속에서 만나는 소리를 지금까지 배운 소리의 다양한 성질과 관련지어 봅니다.

소리 일기를 써 봐요

세상은 정말 다양한 소리들로 가득합니다.

그림은 하루 동안 들을 수 있는 일상생활 속 소리의 일부를 가상으로 나타낸 것입니다.

각각의 상황에서 만나는 소리의 특성을 이제까지 배운 내용과 여러분의 상상력을 더해 일기로 표현해 봅시다. 마지막에는 여러분이 직접 들은 일상의 소리를 떠올려 그림일기로 표현해 봅시다.

도움말

소리의 성질 중 소리의 세기와 관련된 부분입니다. 소리의 세기는 소리의 크고 작은 정도를 의미합니다. 소리의 세기는 물체가 떨리는 정도에 따라 달라지며 크게 떨릴수록 큰 소리가 나고, 작게 떨릴수록 작은 소리가 납니다.

오전 8:00

오늘 새로 산 자명종 소리가 작아서 듣지 못하고 계속 잠을 잤다. 내일은 자명종 소리의 세기를 더 크게 해서 지각을 하지 않도록 해야겠다.

도움말

소리의 성질 중 소리의 반사와 관련된 부분입니다. 소리의 반사는 소리가 나아가다가 물체에 부딪쳐 되돌아오는 현상입니다. 창문과 같은 딱딱한 물체와 부딪치면 반사가 잘 되지만 부드러운 물체와 부딪치면 반사가 잘 되지 않습니다.

오후 12:30

도움 단어 창문, 소리 반사

점심 시간이었다. 창문 밖으로 운동장에 나간 친구들이 보였다. 친구들이 뭐라고 말하는 것 같은데 잘 들리지 않았다. "왜 친구들 소리가 잘 들리지 않지?"라고 말을 하니, 우리반 과학이가 설명해 주었다.

"왜냐하면

예시 답안 창문을 통해 밖의 소리가 반사되기

때문이야."

오후 3:30

도움 단어 수영장, 음악, 소리 전달

예시 답안

오늘은 수영장에 가는 날이다. 나는 수영장에서 수영을 배울 때 정말 신이 난다. 수영장 물 밖의 음악 소리가 물 안에서도 잘 들리기 때문이다.

오늘 수업 시간에 배운 소리의 전달로 그 이유를 알게 되었다. 소리는 물과 같은 액체에서도 전달되기 때문에 수영장 밖 스피커의 음악 소리를 물 안에서도 들을 수 있는 것이다.

도움말

소리의 성질 중 소리의 전달과 관련된 부분입니다. 소리는 여러 가지 물질을 통해 전달됩니다. 대부분 기체인 공기를 통해 전달되며, 물이나 바닷물과 같은 액체, 철이나 나무와 같은 고체를 통해 전달되기도 합니다.

오후 :

예시 답안

예시 답안 오후 09:30

"안녕히 주무세요."

저녁 인사를 하고 잠자리에 들었는데, '쿵쿵쿵쿵' 발소리가 크게 들린다. 가만히 들어보니 윗집에서 나는 소리였다. 나는 생각했다. '우리 집의 발소리와 음악 소리도 아랫집에 소음이 되겠구나.'

다음부터는 이웃을 위해 거실을 걸을 때 좀 더 조심해서 걷고, 밤에는 텔레비전과 음악도 작게 틀어야겠다고 생각했다.

우리 주변의 다양한 소리를 떠올려 봐요.

도움말

소음과 관련된 부분입니다. 소음은 일상생활에서 사람의 기분을 좋지 않게 하거나 건강을 해칠 수 있는 시끄러운 소리입니다. 소음을 줄이는 방법에는 소리의 세기를 줄이는 방법, 소리가 잘 전달되지 않는 소재를 활용하거나 소리를 반사시키는 방법이 있습니다.

교과서 평가 문제

1 다음은 물체에서 소리가 날 때의 공통된 특징입니다. (   ) 안에 알맞은 말을 쓰시오.

소리가 나는 물체에서는 (   )을/를 느낄 수 있습니다.

(   )

2 다음 중 소리의 높낮이와 관련한 설명으로 옳은 것은 어느 것입니까? (   )

① 소리의 크고 작은 정도이다.
② 소방차의 사이렌 소리는 낮은 소리를 이용한다.
③ 북은 소리의 높낮이를 이용해 연주하는 악기이다.
④ 실로폰은 음판을 치는 세기에 따라 소리의 높낮이가 다르다.
⑤ 실로폰의 음판이 길수록 낮은 소리가 나고, 짧을수록 높은 소리가 난다.

3 다음 중 소리를 전달하는 물질이 액체인 것은 어느 것입니까? (   )

① 실 전화기로 대화할 때
② 땅에 귀를 대고 땅을 통해 소리를 들을 때
③ 운동장에서 친구가 부르는 소리를 들을 때
④ 정글짐에 귀를 대고 발로 구르는 소리를 들을 때
⑤ 수중 발레 선수가 수중 스피커로 음악을 들을 때

4~5 다음과 같이 스타이로폼 판을 가운데 두고, 한쪽 종이관 안에 스피커를 넣은 뒤 다른 쪽 종이관에 귀를 대고 스피커에서 나오는 소리를 들어 보았습니다. 물음에 답하시오.

㉠
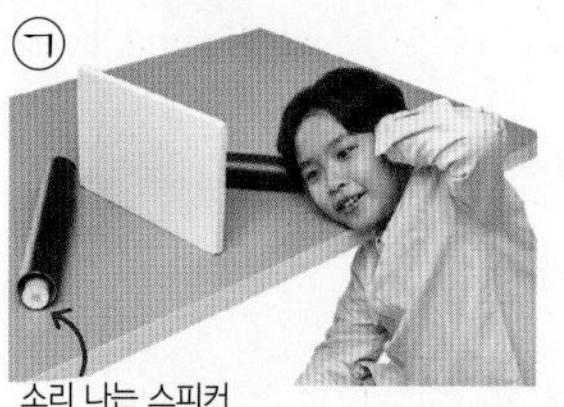

▲ 아무것도 막지 않았을 때

㉡

▲ 두 종이관 끝을 나무판으로 막았을 때

4 ㉠과 ㉡ 중에서 소리가 더 크게 들리는 것은 어느 쪽인지 쓰시오.

(   )

중요

5 다음은 ㉠과 ㉡의 소리 크기가 다르게 들리는 까닭입니다. (   ) 안에 알맞은 말을 쓰시오.

종이관의 끝을 나무판으로 막으면 소리가 나아가다 나무판에 부딪쳐 (   )되면서 되돌아오기 때문입니다.

(   )

6 다음 중 소리의 세기에 대한 설명으로 옳은 것을 2가지 고르시오. (,   )

① 소리가 아름다운 정도를 말한다.
② 소리의 크고 작은 정도를 말한다.
③ 물체가 떨리는 크기에 따라 다르다.
④ 소리가 빠르고 느린 정도에 따라 다르다.
⑤ 팬 플루트는 관의 길이에 따라 달라진다.

7 다음 중 일상생활에서 발생할 수 있는 소음으로 옳지 않은 것은 어느 것입니까? (　　　)

① 자동차의 경적 소리
② 기차가 지나가는 소리
③ 친구와 귓속말하는 소리
④ 밤에 쿵쿵 뛰어다니는 소리
⑤ 공사장에서 기계가 땅을 파는 소리

8 다음과 같이 실 전화기로 대화를 할 때 소리가 더 잘 들리게 하는 방법으로 옳은 것은 어느 것입니까? (　　　)

① 실을 더 느슨하게 한다.
② 실의 길이를 길게 한다.
③ 실을 손으로 잡으며 듣는다.
④ 실을 팽팽하게 당겨 듣는다.
⑤ 두 사람이 더 멀리 서서 대화한다.

중요

9 다음 중 소리의 반사가 나타나는 경우로 옳은 것을 모두 골라 기호를 쓰시오.

㉠ 북을 쳐서 소리가 나는 경우
㉡ 텅 빈 체육관에서 박수를 치는 경우
㉢ 상점에서 확성기로 물건 홍보하는 경우
㉣ 암벽으로 된 산에서 메아리가 들려오는 경우

(　　　　　　　　　　)

서술형 문제

10 다음은 소리굽쇠를 물에 대었을 때 나타나는 현상입니다. ㉠과 ㉡ 중 소리가 나는 소리굽쇠는 어느 것인지 기호를 쓰고, 그 까닭을 쓰시오.

▲ 아무 일도 일어나지 않음.　　▲ 물이 튀어 오름.

소리가 나는 소리굽쇠는 (　　　　)입니다.

왜냐하면 ______________________

____

서술형 문제

11 그림은 일상생활에서 들을 수 있는 여러 가지 소리에 대한 것입니다. 물음에 답하시오.

(1) 그림의 상황에서 들을 수 있는 소음을 2가지 쓰시오.

____

____

(2) (1)의 소음을 줄이기 위한 방법에는 어떠한 것들이 있는지 2가지 쓰시오.

____

____

우리학교 시험대비 평가 문제

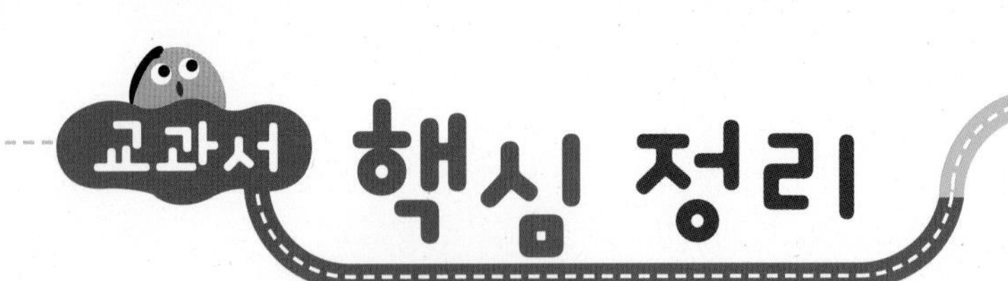

1 우리 주변 동물 탐험

(1) 학교에서 관찰한 동물

- 땅속과 그 주변: 개미, 지렁이, 공벌레, 지네, 매미 애벌레 등
- 나무와 그 주변: 매미, 사슴벌레, 거미, 참새, 제비 등
- 풀과 그 주변: 달팽이, 무당벌레와 진딧물, 벌, 나비, 메뚜기, 노린재 등

(2) 관찰한 동물의 특징

- 개미: ❶ ______ 개의 다리, 2개의 더듬이가 있음.
- 매미: 6개의 다리가 있으며, 4개의 날개가 있음. '맴맴~' 소리를 냄.
- 달팽이: 몸에 끈끈한 액체가 있고 배처럼 생긴 부분으로 미끄러지듯이 움직임. 껍데기가 있음.

▲ 지렁이

▲ 매미

▲ 무당벌레

▲ 벌

▲ 메뚜기

2 동물을 분류해 보아요

분류 기준	분류 결과	
❷ ______ 이/가 있는가?	**그렇다.**	**그렇지 않다.**
	나비, 참새, 메뚜기	공벌레, 지렁이, 잉어
❸ ______ 이/가 있는가?	**그렇다.**	**그렇지 않다.**
	나비, 참새, 메뚜기, 공벌레	지렁이, 잉어
❹ ______ 이/가 있는가?	**그렇다.**	**그렇지 않다.**
	나비, 메뚜기, 공벌레	참새, 지렁이, 잉어

3 물에 사는 동물을 살펴보아요

(1) 물에 사는 동물의 특징

- 붕어: 부드러운 곡선으로 된 몸, 지느러미
- 수달, 오리: 발가락 사이에 있는 ❺ ______, 기름이 있는 털

(2) 강이나 호수에 사는 동물: 수달, 오리, 붕어, 물장군, 우렁이, 개구리 등

(3) 바닷가에 사는 동물: 도요새, 따개비, 집게 등

(4) ❻ ______ 에 사는 동물: 바다거북, 돌고래, 오징어, 고등어 등

❶ 6
❷ 날개
❸ 다리
❹ 더듬이
❺ 물갈퀴
❻ 바닷속

1 단원

4 극한 환경에서 사는 동물을 살펴보아요

(1) 사막: 매우 ❼ [ ] 하고 낮과 밤의 온도차가 크며 먹이가 부족함.

- 사는 동물: 낙타, 사막뱀, 사막도마뱀, 사막여우 등
- 사는 동물의 특징: 오랫동안 ❽ [ ] 와/과 먹이를 먹지 않아도 살 수 있음.

(2) 극지방: 눈과 빙하로 덮여 있어 매우 ❾ [ ].

- 사는 동물: 황제펭귄, 남극물개, 북극곰, 북극여우 등
- 사는 동물의 특징: 보온이 잘되는 털이나 두꺼운 ❿ [ ] 을/를 가짐.

5 이유 있다! 동물의 생김새

- 동물은 사는 ⓫ [ ] 에 따라 먹이 종류가 다르고, ⓬ [ ] 에 따라 다양한 생김새를 가짐.

▲ 사자의 날카로운 이빨

▲ 왜가리의 긴 부리

▲ 기린의 긴 목

▲ 딱따구리의 단단하고 뾰족한 부리

6 꼭꼭 숨어라!

- 동물은 사는 곳의 환경과 비슷한 ⓭ [ ] 와/과 ⓮ [ ] 을/를 가짐.

▲ 메뚜기

▲ 이구아나

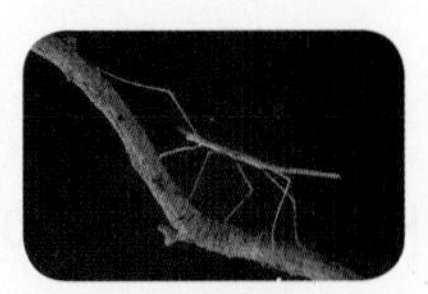
▲ 대벌레

▲ 나뭇잎벌레

7 동물의 특징을 활용해요

- 우리 생활 속에 동물의 ⓯ [ ] 을/를 활용하여 만든 물건들이 있음.

▲ 문어 빨판

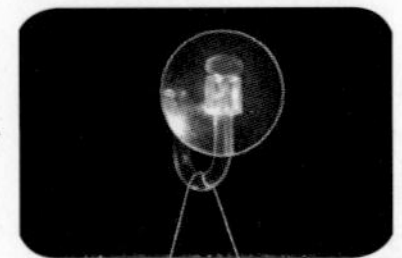
▲ 붙였다 뗄 수 있는 생활용품

▲ 독수리 날개

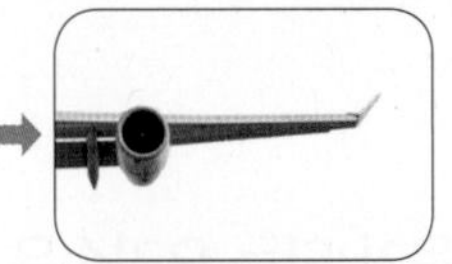
▲ 비행기 날개

❼ 건조 ❽ 물 ❾ 추움 ❿ 지방 ⓫ 환경 ⓬ 먹이 ⓭ 모양(색깔) ⓮ 색깔(모양) ⓯ 특징

정답과 해설 7쪽

1 (　　　　)와/과 그 주변에서 지네, 지렁이, 공벌레 등을 관찰할 수 있습니다.

2 일정한 기준에 따라서 나누는 것을 (　　　　)(이)라고 합니다.

3 분류 (　　　　)은/는 다른 친구들이 분류했을 때도 같은 분류 결과가 나오도록 정해야 합니다.

4 바닷속에 사는 동물은 몸이 부드러운 (　　　　) 모양이어서 헤엄치기에 알맞습니다.

5 매우 건조하고 낮과 밤의 온도 차이가 큰 지역을 (　　　　)(이)라고 합니다.

6 사막여우는 몸에 비해 큰 (　　　　)을/를 가지고 있어 몸의 열을 빠르게 식힙니다.

7 극지방에 사는 동물은 (　　　　)에 보온이 잘되는 털이나 바셀린과 같은 역할을 하는 부분이 두껍게 있어 추위를 잘 견딥니다.

8 동물은 사는 환경에 따라 먹이 종류가 다르고, 먹이에 따라 다양한 (　　　　)을/를 가지고 있습니다.

9 사는 곳과 비슷한 (　　　　)와/과 모양을 가진 동물은 자신을 잡아먹는 동물의 눈에 잘 띄지 않습니다.

10 수영할 때 이용하면 도움이 되는 오리손은 오리의 (　　　　)을/를 활용하여 만들었습니다.

1 다음 보기는 우리 주변에서 볼 수 있는 동물입니다. 나무와 그 주변에서 볼 수 있는 동물을 모두 골라 기호를 쓰시오.

보기

㉠ 참새	㉡ 거미	㉢ 금붕어
㉣ 매미	㉤ 달팽이	㉥ 공벌레
㉦ 지렁이	㉧ 개구리	㉨ 물장군
㉩ 소금쟁이	㉪ 사슴벌레	

( )

2 다음은 기준을 세워 동물을 분류한 결과입니다. ( ) 안에 들어갈 알맞은 말을 쓰시오.

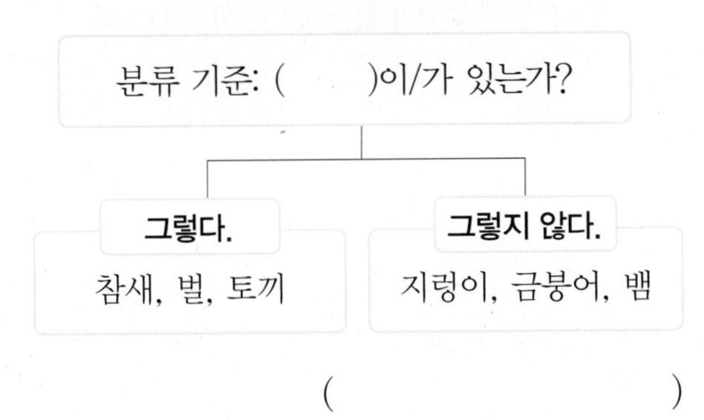

( )

3 다음 중 극지방에서 볼 수 없는 동물을 모두 찾아서 ○표하시오.

낙타	북극곰	황제펭귄
북극여우	사막여우	향유고래
사막전갈	바다코끼리	도둑갈매기

4 다음 설명이 옳으면 ○표, 옳지 않으면 ×표하시오.

(1) 새는 먹이에 따라 날개의 생김새가 다릅니다. ( )

(2) 동물은 사는 환경에 따라 먹이 종류가 다르고, 먹이에 따라 다양한 생김새를 갖습니다. ( )

(3) 왜가리는 단단하고 뾰족한 부리로 나무 속 벌레를 잘 잡아먹습니다. ( )

5 다음의 사진에서 숨어 있는 동물을 보기에서 찾아 기호를 쓰시오.

보기

㉠ 부엉이	㉡ 대벌레
㉢ 도마뱀	㉣ 나뭇잎벌레

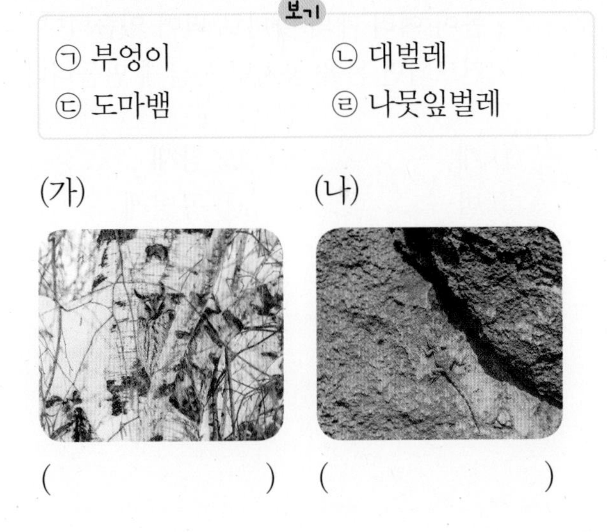

( ) ( )

6 다음은 수영할 때 도움을 주는 오리손에 대한 설명입니다. ( ) 안에 알맞은 말을 쓰시오.

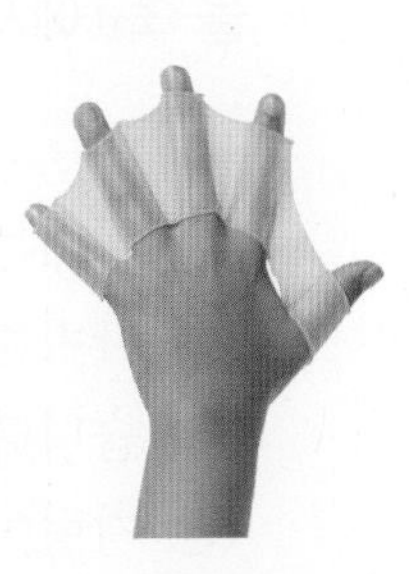

오리의 발에 있는 ( )의 특징을 활용하여 오리손을 만들었습니다.

1 다음 중 우리 주변에서 사는 동물에 대한 설명으로 옳지 않은 것은 어느 것입니까? (　　　)

① 달팽이는 다리가 있다.
② 참새는 몸이 깃털로 덮여 있다.
③ 벌은 투명한 날개가 있어 날 수 있다.
④ 사슴벌레는 집게 모양의 큰 턱이 있다.
⑤ 거미는 다리가 8개이고 거미줄을 만든다.

2 다음과 같은 특징을 가진 동물은 무엇입니까? (　　　)

- 몸이 여러 개의 마디로 되어 있습니다.
- 건드리면 몸을 공처럼 둥글게 만듭니다.

① 개　② 참새
③ 벌　④ 공벌레
⑤ 달팽이

3 땅속에서 사는 동물에 대한 설명으로 옳은 것을 보기에서 모두 찾아서 기호를 쓰시오.

보기
㉠ 지네는 6개의 다리가 있습니다.
㉡ 나비는 2개의 더듬이와 4개의 날개가 있습니다.
㉢ 지렁이는 다리가 없으며 기어서 이동합니다.

(　　　　　　　)

중요
4 다음 중 동물을 분류하는 기준으로 적합하지 않은 것은 어느 것입니까? (　　　)

① 알을 낳는가?
② 다리가 있는가?
③ 아름다운 편인가?
④ 지느러미가 있는가?
⑤ 물속에서 살 수 있는가?

5 다음 (　　) 안에 공통으로 들어갈 분류 기준으로 옳은 것은 어느 것입니까? (　　　)

- (　　　)이/가 있는 것: 벌, 메뚜기
- (　　　)이/가 없는 것: 토끼, 다람쥐

① 털　② 다리
③ 깃털　④ 더듬이
⑤ 지느러미

중요
6 물속에 사는 동물의 특징 중 헤엄을 잘 칠 수 있는 특징을 보기에서 모두 찾아서 기호를 쓰시오.

보기
㉠ 큰 귀를 갖습니다.
㉡ 지느러미가 있습니다.
㉢ 몸이 부드러운 곡선입니다.

(　　　　　　　)

7 다음 중 두 동물의 공통점으로 옳은 것은 어느 것입니까? (　　　)

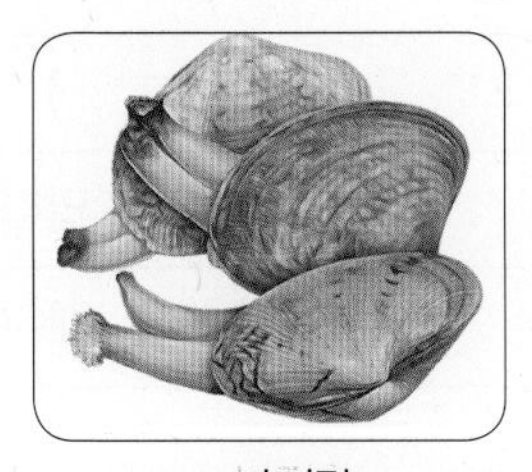
▲ 바지락

▲ 도요새

① 바닷가에서 산다.
② 다리에 물갈퀴가 있다.
③ 지느러미를 이용하여 헤엄친다.
④ 몸이 딱딱한 껍데기로 덮여 있다.
⑤ 물속의 바위에 붙어서 기어 다닌다.

중요

8 오른쪽 낙타가 사막에서 잘 살 수 있는 특징으로 옳은 것은 어느 것입니까? (　　　)

① 발바닥이 작다.
② 귀를 여닫을 수 있다.
③ 짧은 4개의 다리를 갖는다.
④ 온몸이 두꺼운 피부로 덮여 있다.
⑤ 혹이 있어 며칠 동안 물과 먹이가 없어도 생활한다.

9 다음 중 추운 환경에서 사는 동물에 대한 설명으로 옳지 않은 것은 어느 것입니까?
(　　　)

① 몸이 털로 덮여 있다.
② 보온이 잘되는 피부를 갖고 있다.
③ 몸속의 물이 밖으로 잘 빠져나가지 않는다.
④ 몸의 색깔이 눈이나 빙하와 비슷한 흰색이다.
⑤ 피부 아래에 바셀린 역할을 하는 부위가 있다.

중요

10 먹이에 따른 동물의 특징으로 옳은 것을 보기에서 모두 찾아서 기호를 쓰시오.

보기
㉠ 기린의 긴 목은 높은 곳에 있는 나뭇잎을 먹기 좋습니다.
㉡ 왜가리의 긴 부리는 물속의 먹이를 잡기에 알맞습니다.
㉢ 사자의 날카로운 이빨은 나뭇속 먹이를 꺼내 먹기 알맞습니다.

(　　　　　　　　)

11 다음은 메뚜기와 이구아나에 대한 설명입니다. (　　) 안에 들어갈 알맞은 말을 쓰시오.

메뚜기와 이구아나는 사는 곳의 환경과 몸의 (　　　　)이/가 비슷하여 자신을 잡아먹는 동물의 눈에 잘 띄지 않습니다.

▲ 메뚜기

▲ 이구아나

(　　　　　　　　)

중요

12 보기는 동물의 특징을 활용한 물건과 활용한 동물의 특징을 짝 지은 것입니다. 옳게 짝 지은 것을 찾아서 기호를 쓰시오.

보기
㉠ 오리손 – 오리의 날개
㉡ 비행기 날개 – 독수리의 발
㉢ 붙였다 뗄 수 있는 생활용품 – 문어의 빨판

(　　　　　　　　)

1 다음 중 개미에 대한 설명으로 옳지 않은 것은 어느 것입니까? (　　　)

① 더듬이가 있다.
② 땅속에서 산다.
③ 4개의 다리가 있다.
④ 몸이 머리, 가슴, 배로 구분된다.
⑤ 종류에 따라 날개가 달린 개미도 있다.

2 매미에 대한 설명으로 옳지 않은 것을 보기 에서 찾아서 기호를 쓰시오.

보기
㉠ 나무 사이를 날아다닙니다.
㉡ 매미 애벌레는 물에서 삽니다.
㉢ 4개의 날개와 6개의 다리가 있습니다.

(　　　　　　)

3 주로 땅속과 그 주변에서 볼 수 있는 동물을 보기 에서 찾아서 기호를 쓰시오.

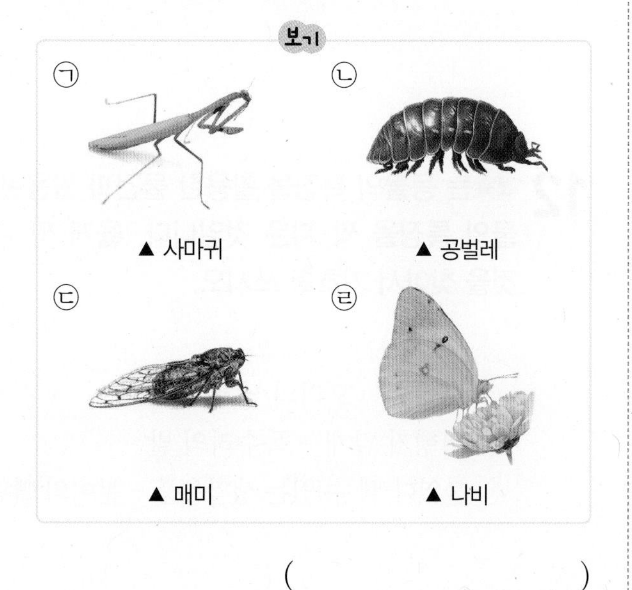

(　　　　　　)

중요
4 다음과 같이 동물을 분류한 기준으로 옳은 것은 어느 것입니까? (　　　)

분류 기준: (　　　　　　)	
그렇다.	그렇지 않다.
참새, 매미	달팽이, 개구리

① 알을 낳는가?
② 날개가 있는가?
③ 다리가 있는가?
④ 더듬이가 있는가?
⑤ 다른 동물을 먹는가?

5 오른쪽 수달에 대한 설명으로 옳지 않은 것은 어느 것입니까? (　　　)

① 더듬이가 없다.
② 몸이 털로 덮여 있다.
③ 몸이 물에 잘 젖는다.
④ 강가나 호숫가에서 산다.
⑤ 물갈퀴가 있어 헤엄을 잘 친다.

6 다음과 같은 특징을 가지고 있는 동물은 무엇입니까? (　　　)

- 물을 내뿜으며 헤엄칩니다.
- 달라붙기 쉬운 다리가 있어 먹이를 잡을 수 있습니다.

① 낙지　　② 수달
③ 전복　　④ 우렁이
⑤ 오징어

7 사막의 환경에 대한 설명으로 옳은 것을 보기에서 모두 찾아서 기호를 쓰시오.

보기
㉠ 물과 먹이가 부족합니다.
㉡ 기온이 높고 비가 자주 내립니다.
㉢ 낮에는 덥고 밤에는 매우 춥습니다.

( )

중요

8 사막에서 사는 동물과 그 동물의 특징을 선으로 바르게 연결해 보시오.

(1)  • • ㉠ 한 번에 두 발씩 번갈아 들어 올리며 열을 식힌다.

(2)  • • ㉡ 귀가 크며 귓속에 털이 많다.

(3)  • • ㉢ 매우 빠르게 이동한다.

중요

9 다음 중 추운 곳에서 사는 동물의 특징으로 옳은 것은 어느 것입니까? ( )

① 날개가 있다.
② 피부가 두껍다.
③ 더듬이가 있다.
④ 큰 귀를 갖고 있다.
⑤ 몸이 비교적 가볍다.

중요

10 다음 중 동물의 생김새와 먹이의 특징으로 옳지 않은 것은 어느 것입니까? ( )

① 왜가리는 부리가 짧아 물고기를 잘 잡는다.
② 앵무새는 부리가 단단해 딱딱한 열매를 잘 먹는다.
③ 사자는 날카로운 이빨이 있어 고기를 뜯어 먹기 좋다.
④ 기린은 긴 목이 있어 높은 곳의 나뭇잎을 뜯어 먹기 좋다.
⑤ 딱따구리는 단단하고 뾰족한 부리가 있어 나무속 벌레를 잡아먹기 좋다.

11 산가지를 색깔별로 5개씩 풀밭에 뿌리고, 1분 동안 산가지를 찾는 활동을 한 뒤 결과를 정리하였습니다. ( ) 안에 공통으로 들어갈 알맞은 말을 쓰시오.

산가지 색깔	초록색	노란색	파란색	빨간색	주황색
찾은 수 (개)	0	5	2	5	4

주변의 ( )와/과 비슷한 초록색 산가지를 찾기 어려웠습니다. 따라서 주위 환경의 ( )와/과 몸의 ( )이/가 비슷한 동물은 다른 동물의 눈에 잘 띄지 않습니다.

( )

12 다음 중 동물의 물갈퀴 모양을 활용하여 만든 물건을 찾아서 기호를 쓰시오.

㉠ 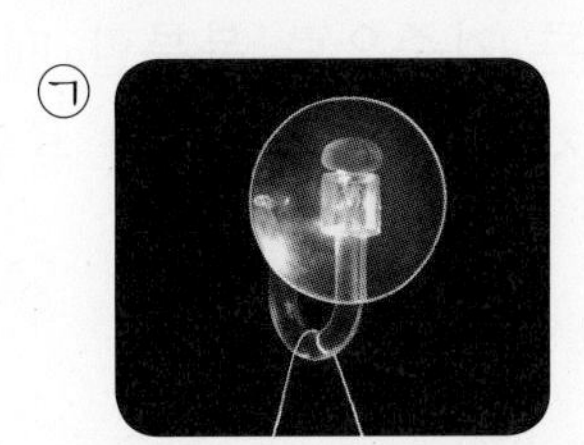
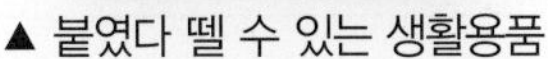
▲ 붙였다 뗄 수 있는 생활용품

㉡ 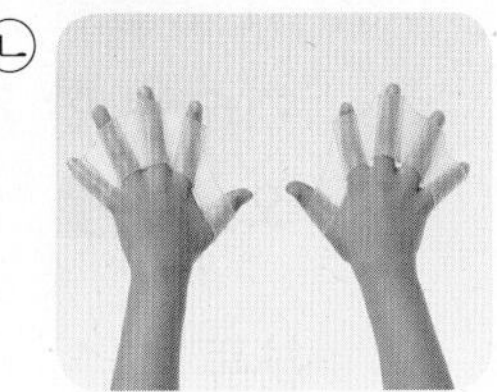
▲ 오리손

( )

서술형 · 사고력 문제

1 **다음 우리 주변에서 사는 동물을 보고, 물음에 답하시오.** 총 8점

▲ 공벌레

▲ 개미

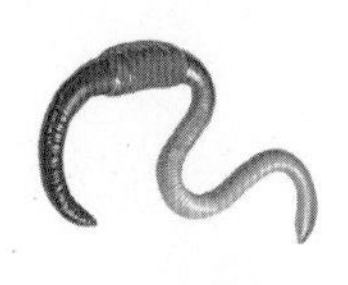
▲ 지렁이

(1) 위 동물이 사는 곳을 보기에서 골라 기호를 쓰시오. 4점

보기
㉠ 땅속과 그 주변　㉡ 풀과 그 주변　㉢ 나무와 그 주변

(　　　　　　　　　)

(2) 지렁이의 생김새의 특징을 2가지 쓰시오. 4점

도움말
• 땅속과 그 주변은 돌, 흙 등이 있어 다양한 동물이 살기에 좋은 환경입니다.

2 **다음은 어떤 분류 기준을 통해 동물을 분류한 것입니다. 물음에 답하시오.** 총 8점

분류 기준: (　　　)이/가 있는가?	
그렇다.	그렇지 않다.
▲ 토끼　▲ 참새　▲ 개구리	▲ 지렁이　▲ 달팽이

(1) 다음은 위의 동물을 두 무리로 분류하는 기준입니다. (　　) 안에 들어갈 알맞은 말을 쓰시오. 4점

(　　　　　　　　　)

(2) 위 동물을 다른 기준으로 분류할 때 어떻게 분류할 수 있는지 분류 기준을 한 가지 쓰고, 새로 정한 분류 기준에 맞춰 동물을 분류하시오. 4점

분류 기준:

분류 결과:

도움말
• 새는 하늘을 날 수 있고, 지렁이는 땅을 기어서 이동합니다.

다음은 낙타가 사막에서 잘 살 수 있는 까닭을 조사한 내용입니다. ㉠과 ㉡에 들어갈 알맞은 말을 각각 쓰시오. 총 6점

- (㉠)이/가 있어서 먹이가 없어도 며칠 동안 생활할 수 있습니다.
- 발바닥이 넓어 ㉡____________
- 콧구멍을 여닫을 수 있어 모래바람이 불어도 콧속으로 모래가 잘 들어가지 않습니다.

도움말
- 낙타는 혹 속에 영양분을 저장할 수 있습니다. 또한 발바닥이 넓어서 모래 위를 잘 걸을 수 있습니다.

1 단원

다음은 사막여우와 북극여우의 모습입니다. 두 동물을 보고, 물음에 답하시오. 총 4점

▲ 사막여우

▲ 북극여우

(1) 두 동물의 생김새의 차이점을 한 가지 쓰시오. 2점

(2) (1)의 답은 사막여우와 북극여우가 사막과 극지방을 살아가는 데 각각 어떤 점이 좋은지 쓰시오. 2점

도움말
- 북극여우는 눈과 같은 색깔의 털을 가지고 있고, 사막여우는 모래와 같은 색깔의 털을 가지고 있습니다.

수행 평가

1 **다음은 물에 사는 동물의 특징을 알아보는 활동입니다. 물음에 답하시오.**

(가) 나무 막대를 부채 모양으로 펼친 뒤, 물에서 저어 봅시다.

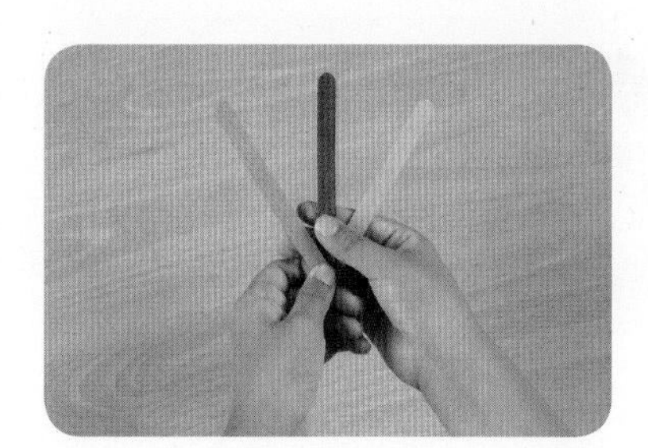

(나) 나무 막대에 넓은 테이프를 붙여 물갈퀴처럼 만든 뒤, 물에서 저어 봅시다.

(1) (가)와 (나) 과정에서 물의 흐름이 어떻게 다른지 쓰시오.

(2) 과정 (나)의 결과를 보고, 물에 사는 동물의 발에 물갈퀴가 있어 좋은 점을 쓰시오.

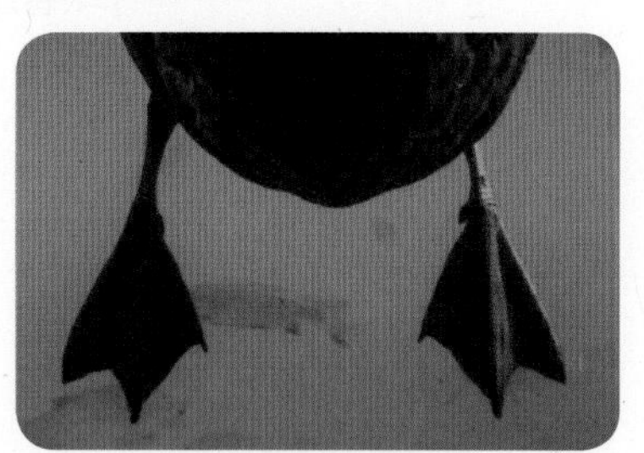

▲ 오리의 물갈퀴

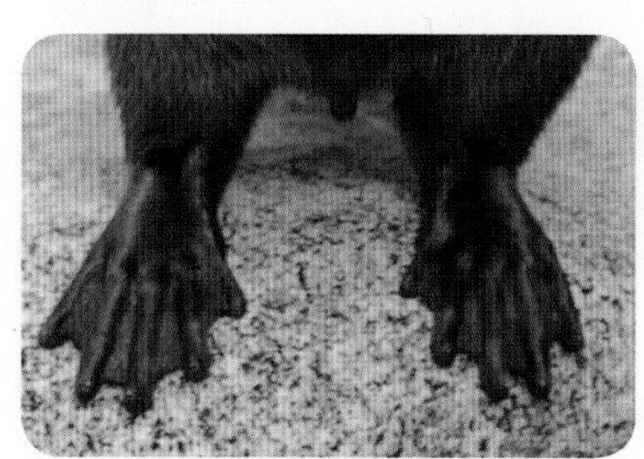

▲ 수달의 물갈퀴

도움말

• 수달, 개구리, 오리와 같이 땅과 물을 오가며 사는 동물의 발에 물갈퀴가 있습니다.

2 **다음은 추운 환경에서 사는 동물의 특징을 알아보는 활동입니다. 물음에 답하시오.**

(가) 지퍼 백에 바셀린을 절반 정도 넣습니다.

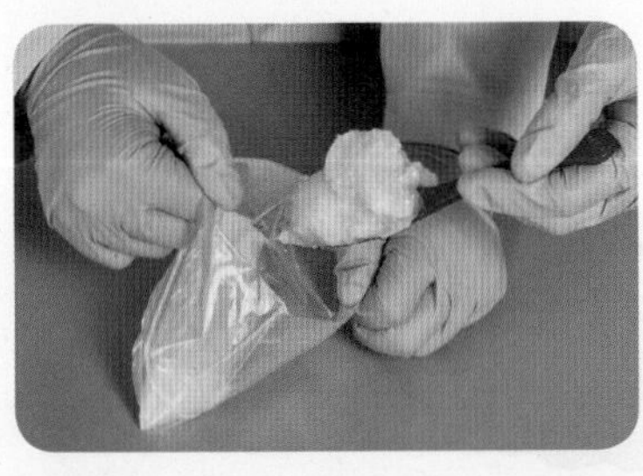

(나) 바셀린이 든 지퍼 백 안에 다른 빈 지퍼 백을 넣습니다.

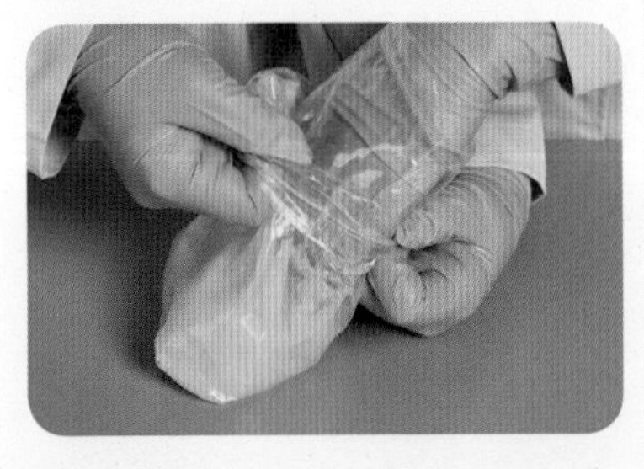

(다) 지퍼 백과 지퍼 백 사이에 바셀린이 골고루 펴지도록 다듬어 줍니다.

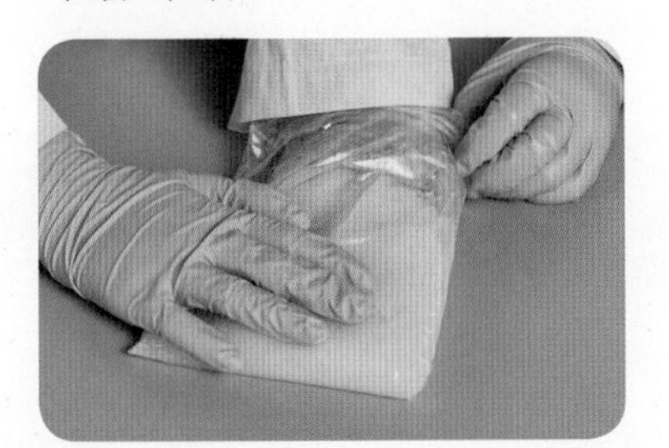

(라) 한 손은 빈 지퍼 백에, 다른 한 손은 (다)의 지퍼 백에 넣고 두 손을 얼음물에 담급니다.

(1) (라)의 결과 빈 지퍼 백과 바셀린이 담긴 지퍼 백에 넣은 두 손의 느낌이 어떻게 다른지 쓰시오.

(2) 위 실험에서 얼음물과 바셀린은 각각 무엇을 의미하는지 쓰시오.

(3) 위 실험을 통해 알 수 있는 극지방에 사는 동물의 특징을 쓰시오.

도움말
- 추운 환경에서 사는 동물은 보온이 잘되는 털이나 두꺼운 피부를 가지고 있습니다.

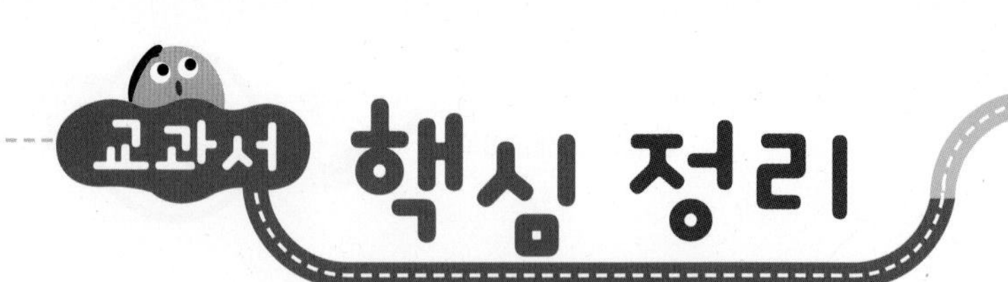

1 바윗돌을 깨뜨리면 무엇이 될까요?

(1) ❶ [　　　　]: 암석이 물이나 여러 요인에 의해 깎이거나 부서져 만들어진 작은 알갱이에 생물이 썩어 만들어진 물질이 섞인 것

(2) 흙이 만들어지는 과정

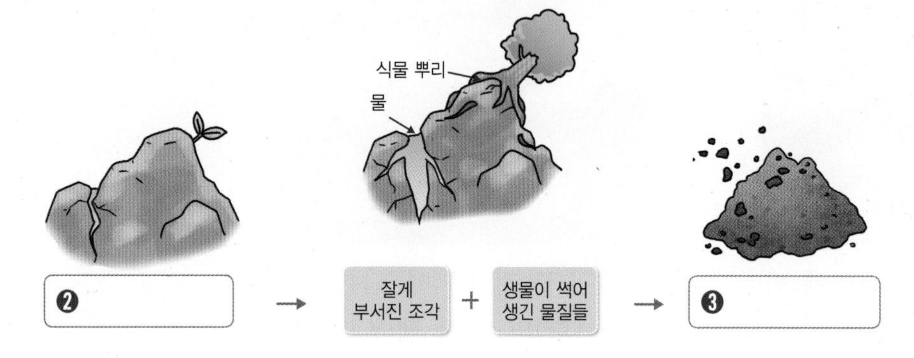

2 흙은 서로 달라요

▲ 운동장 흙　　▲ 화단 흙

• 운동장 흙과 화단 흙의 특징 비교

종류	색깔	알갱이 크기	촉감	물에 뜬 물질의 양
❹ [　　]	밝음.	❻ [　　].	거침.	적음.
❺ [　　]	어두움.	작음.	부드러움.	❼ [　　].

3 흙 언덕을 변화시켜 보아요

(1) ❽ [　　　　] 작용: 물의 영향으로 암석이 깎이거나 부서지는 것

(2) ❾ [　　　　] 작용: 침식 작용으로 만들어진 물질이 물에 의해 이동하는 것

(3) ❿ [　　　　] 작용: 물의 흐름이 약해지면서 운반되던 물질이 쌓이는 것

❶ 흙 ❷ 암석(바위, 돌) ❸ 흙 ❹ 운동장 흙 ❺ 화단 흙 ❻ 큼 ❼ 많음 ❽ 침식 ❾ 운반 ❿ 퇴적

4 흐르는 물로 땅의 생김새가 변해요

(1) 강 상류: 강물의 흐름이 빨라 ⓫ [ ] 작용이 잘 일어남.

(2) 강 중류: 흐르는 강물의 양이 많아 ⓬ [ ] 작용이 잘 일어남.

(3) 강 하류: 강물의 흐름이 약해 ⓭ [ ] 작용이 잘 일어남.

5 바닷가 주변 지형은 누가 만들었을까요?

(1) 바닷가 지형의 형성: 파도에 의한 ⓯ [ ] · 운반 · 퇴적 작용

(2) 바닷가 주변 지형의 종류

⓫ 침식 ⓬ 운반 ⓭ 퇴적 ⓮ 계곡 ⓯ 침식 ⓰ 침식 ⓱ 퇴적 ⓲ 동굴 ⓳ 갯벌

정답과 해설 9쪽

1 암석이 깎이거나 부서져 만들어진 작은 알갱이에 생물이 썩어서 만들어진 물질이 섞인 것이 (   )입니다.

2 암석 조각을 통 속에 넣고 (흔들기 전, 흔들어준 후)에 암석 가루의 양이 많습니다.

3 운동장 흙은 색깔이 (밝고, 어둡고) 알갱이 크기는 (큽니다, 작습니다).

4 화단 흙을 손으로 만져 보면 (거칠고, 부드럽고) 물에 넣으면 물 위로 뜨는 물질이 (많습니다, 적습니다).

5 물 빠짐이 더 좋은 흙은 (운동장 흙, 화단 흙)입니다.

6 흐르는 물이 지표에 있는 커다란 바위나 흙 언덕 등을 깎거나 부수는 것을 (   ) 작용이라고 합니다.

7 강 상류는 강 하류보다 강폭이 (좁고, 넓고), 강의 경사가 (급, 완만)합니다.

8 강 하류에서는 (바위, 모래)를 많이 볼 수 있습니다.

9 물의 흐름이 느려 퇴적 작용이 잘 일어나는 곳은 강 (상류, 하류)입니다.

10 갯벌과 모래사장은 파도의 (침식, 퇴적) 작용으로 만들어진 지형입니다.

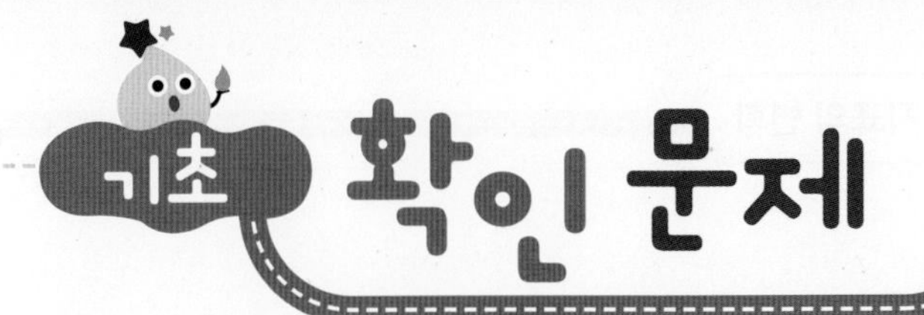

정답과 해설 9쪽

1 다음 ( ) 안에 들어갈 알맞은 말에 ○표 하시오.

- 암석 부숴 보기 실험에서 통을 흔든 후 암석 가루의 양이 흔들기 전보다 (많아, 적어)졌습니다.
- 암석 조각의 크기는 통을 (흔들기 전, 흔든 후)에 더 큽니다.

2 운동장 흙과 화단 흙에 대한 설명이 맞도록 바르게 선으로 연결하시오.

(1)  • • ㉠ 흙 알갱이의 크기가 큼.

▲ 운동장 흙

(2)  • • ㉡ 흙 알갱이의 크기가 작음.

▲ 화단 흙

3 다음 ( ) 안에 공통으로 들어갈 알맞은 말을 쓰시오.

- 죽은 식물이나 동물 등이 오랜 시간 썩어서 만들어진 것을 ( )(이)라고 합니다.
- 흙 속에 ( )이/가 많을수록 식물이 잘 자랍니다.

( )

4 다음 ( ) 안에 들어갈 알맞은 말을 쓰시오.

급류 타기를 하는 곳은 강의 ( ) 지역으로, 물의 흐름이 빠르고 주변에 큰 돌이 있는 것을 볼 수 있습니다.

( )

5 강 상류에서 많이 볼 수 있는 지형을 다음 보기에서 모두 찾아서 기호를 쓰시오.

보기

㉠ 갯벌	㉡ 계곡
㉢ 폭포	㉣ 모래사장

( )

6 바닷가의 지형과 설명이 맞도록 바르게 선으로 연결하시오.

(1) • • ㉠ 침식 작용으로 만들어진 지형

(2) • • ㉡ 퇴적 작용으로 만들어진 지형

7 다음 중 강 주변 지형에 대한 설명이 옳으면 ○표, 옳지 않으면 ×표시 하시오.

(1) 강 상류는 강 하류보다 강폭이 좁습니다. ( )

(2) 강 하류는 강 상류보다 강의 경사가 급합니다. ( )

(3) 강 상류에서는 바위를 많이 볼 수 있습니다. ( )

(4) 강 하류에서는 모래를 많이 볼 수 있습니다. ( )

(5) 강 하류에서는 침식 작용이 주로 일어납니다. ( )

1 다음 (　　) 안에 들어갈 알맞은 말은 어느 것입니까? (　　　　)

> 오랜 시간 동안 커다란 돌이 부서져 만들어진 작은 알갱이와 생물이 썩어 만들어진 것들이 섞여 (　　)이/가 됩니다.

① 물　② 흙
③ 공기　④ 나무
⑤ 화산

2 다음 중 암석 조각을 플라스틱 통에 넣고 흔든 뒤 나타난 변화를 관찰한 결과로 옳은 것은 어느 것입니까? (　　　　)

① 암석 가루의 양이 많아졌다.
② 암석 가루의 양이 적어졌다.
③ 암석 조각의 종류가 많아졌다.
④ 암석 가루의 양은 변화가 없다.
⑤ 암석 조각의 크기가 더 커졌다.

3 다음 중 화단 흙에 대한 설명으로 옳지 않은 것은 어느 것입니까? (　　　　)

① 운동장 흙보다 색깔이 어둡다.
② 운동장 흙보다 알갱이 크기가 작다.
③ 손으로 만지면 부드러운 느낌이 난다.
④ 운동장 흙보다 물 위에 뜨는 것이 적다.
⑤ 부식물이 많아 식물이 잘 자라는 흙이다.

4 다음과 같이 운동장 흙과 화단 흙의 물 위에 뜬 물질을 관찰하는 실험에서 다르게 해야 하는 조건은 어느 것입니까? (　　　　)

▲ 운동장 흙

▲ 화단 흙

① 물의 양　② 흙의 양
③ 흙의 종류　④ 컵의 모양과 크기
⑤ 나무 막대의 길이와 굵기

5 다음은 운동장 흙과 화단 흙에서 물 빠짐을 비교하는 실험입니다. 운동장 흙과 화단 흙 중 10초 동안 컵 아래로 빠진 물의 양이 더 많은 흙을 쓰시오.

(　　　　　　　　)

중요

6 5번 실험에서 운동장 흙과 화단 흙의 물 빠짐이 서로 다른 까닭은 무엇 때문입니까? (　　　　)

① 흙의 냄새가 다르기 때문이다.
② 흙의 모양이 다르기 때문이다.
③ 흙의 색깔이 다르기 때문이다.
④ 흙의 촉감이 다르기 때문이다.
⑤ 흙의 알갱이 크기가 다르기 때문이다.

7 다음은 물에 의한 흙 언덕의 변화 실험입니다. ㉠ 부분과 ㉡ 부분에서 주로 일어나는 작용을 보기 에서 찾아서 쓰시오.

보기
침식 작용, 운반 작용, 퇴적 작용

㉠ 부분: (　　　　　　)
㉡ 부분: (　　　　　　)

중요
8 다음 (가)의 강 주변 지역 ㉠과 ㉡ 중에서 (나)와 같은 지형을 볼 수 있는 지역에 대한 설명으로 옳은 것은 어느 것입니까? (　　　)

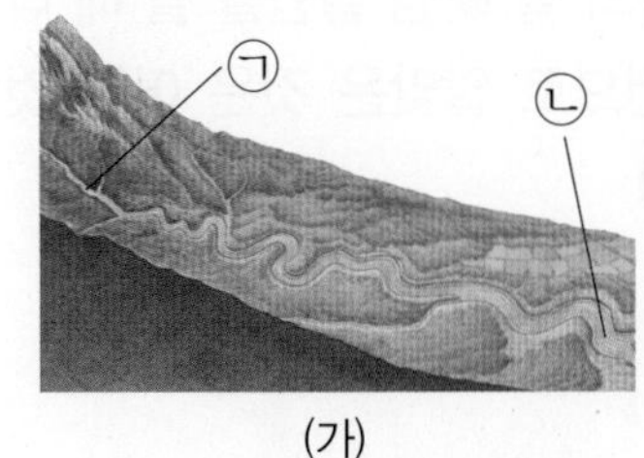

(가)

(나)

① ㉠, 강폭이 좁다.
② ㉠, 강의 경사가 급하다.
③ ㉠, 물의 흐름이 빠르다.
④ ㉡, 모래나 흙이 쌓여 있는 곳을 볼 수 있다.
⑤ ㉡, 많은 양의 물이 흘러 침식 작용이 잘 일어난다.

9 다음 중 강 주변의 지형에 대한 설명으로 옳은 것은 어느 것입니까? (　　　)

① 강 상류는 강의 경사가 급하다.
② 강 하류는 물의 흐름이 빠르다.
③ 강 상류는 강 하류보다 강폭이 넓다.
④ 강 하류에서는 폭포나 계곡을 볼 수 있다.
⑤ 강 상류에서는 바위보다 모래를 많이 볼 수 있다.

10 다음 (　　) 안에 공통으로 들어갈 알맞은 말을 쓰시오.

- 바닷가에서 (　　)에 의해 육지가 깎인 곳에서는 절벽이나 동굴이 나타납니다.
- (　　)이/가 세지 않은 곳에는 운반된 고운 흙이나 모래가 퇴적되어 갯벌이나 모래사장이 나타납니다.

(　　　　　　)

중요
11 다음은 우리나라 바닷가 지형입니다. 물에 의한 같은 작용으로 만들어진 것끼리 구분하여 기호를 쓰시오.

㉠

㉡

㉢

㉣
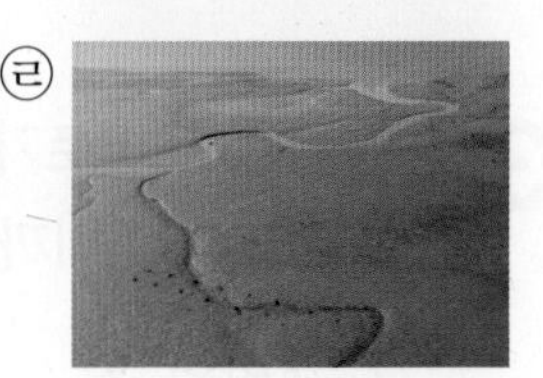

(1) 침식 작용: (　　　　　　)
(2) 퇴적 작용: (　　　　　　)

1 다음 커다란 돌이 흙이 되는 과정 중 암석 조각을 플라스틱 통에 넣고 흔드는 실험과 가장 비슷한 부분은 어느 것입니까? (　　　)

① 돌끼리 서로 부딪치면 깨진다.
② 생물이 썩어 만들어진 것들이 섞인다.
③ 돌이 바람이나 흐르는 물에 의해 깎인다.
④ 돌 틈으로 식물 뿌리가 자라면 갈라져 부서진다.
⑤ 돌 틈으로 들어간 물이 얼었다 녹기를 반복하면 부서진다.

2 다음과 같은 암석 부숴 보기 실험에 대한 설명으로 옳지 않은 것은 어느 것입니까? (　　　)

① 통을 흔든 후 암석의 크기가 작아진다.
② 통을 흔들기 전 암석의 크기가 더 크다.
③ 통을 흔든 후 암석 가루의 양이 많아진다.
④ 통을 흔든 후 암석 가루가 거의 없어진다.
⑤ 통을 흔들기 전 암석 가루의 양이 더 적다.

3 다음 중 토마토가 잘 자라기에 가장 알맞은 흙은 어느 것입니까? (　　　)

① 갯벌의 흙　② 사막의 흙
③ 정원의 흙　④ 모래사장의 흙
⑤ 돌이 많은 산 위쪽의 흙

중요

4 다음 중 운동장 흙과 화단 흙에 대한 설명으로 옳지 않은 것은 어느 것입니까? (　　　)

① 화단 흙이 운동장 흙보다 색깔이 어둡다.
② 화단 흙이 부식물이 많아 식물이 잘 자란다.
③ 운동장 흙이 화단 흙보다 알갱이 크기가 크다.
④ 화단 흙을 만졌을 때 운동장 흙보다 부드럽다.
⑤ 운동장 흙이 화단 흙보다 물 위에 뜨는 것이 많다.

5 다음은 운동장 흙과 화단 흙을 넣은 물 위에 뜬 물질을 건져 거름종이에 올려놓은 것입니다. 해당하는 흙을 쓰시오.

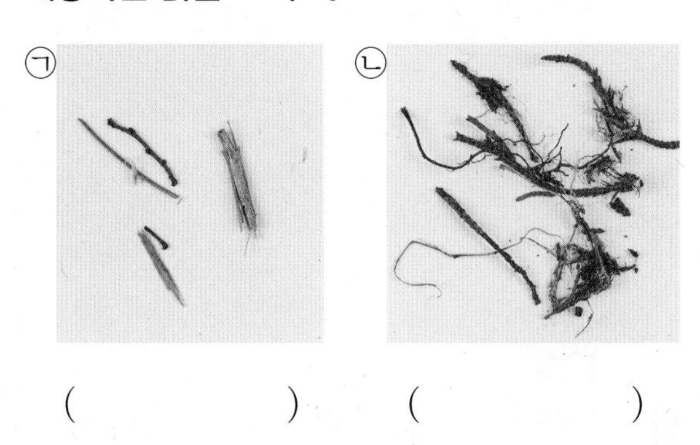

(　　　　　)　(　　　　　)

6 다음과 같은 흙의 물 빠짐 실험을 할 때 다르게 해야 하는 조건으로 알맞은 것은 어느 것입니까? (　　　)

① 물의 양　② 흙의 양
③ 컵의 크기　④ 흙의 종류
⑤ 물이 빠지는 것을 측정하는 시간

2 단원

중요

7 흐르는 물에 의한 흙 언덕 변화 실험에서 물을 부은 후 흙 언덕의 변화 모습에 대한 설명으로 옳지 않은 것은 어느 것입니까? (   )

① ㉠ 부분에서 흙이 많이 깎인다.
② ㉡ 부분에 흙이 많이 쌓이게 된다.
③ ㉠ 부분에서 퇴적 작용이 활발하게 일어난다.
④ 흐르는 물이 흙을 깎기도 하고, 쌓기도 한다.
⑤ ㉠ 부분에 있던 흙이 ㉡ 부분으로 내려와 쌓인다.

8 다음은 흐르는 물이 지표에 변화를 일으키는 작용을 설명한 것입니다. ㉠과 ㉡에 들어갈 알맞은 말을 쓰시오.

> • 흐르는 물이 바위, 돌, 흙 등을 깎거나 부수는 것을 (㉠) 작용이라고 합니다.
> • (㉠) 작용으로 만들어진 돌이나 흙이 다른 곳으로 이동하는 것을 (㉡) 작용이라고 합니다.

㉠: (   ) ㉡: (   )

중요

9 다음 중 강 주변 지형의 모습으로 옳지 않은 것은 어느 것입니까? (   )

① 강 하류는 강의 경사가 완만하다.
② 강 상류는 강 하류보다 강폭이 좁다.
③ 강 하류에서는 폭포나 계곡을 볼 수 있다.
④ 강 상류에서는 모래보다 바위를 많이 볼 수 있다.
⑤ 강 중류에서는 구불구불하게 흐르는 강의 모습을 볼 수 있다.

10 다음과 같은 폭포를 볼 수 있는 강 주변 지역에 대한 설명으로 옳은 것은 어느 것입니까? (   )

① 강폭이 넓다.
② 물의 흐름이 빠르다.
③ 강의 경사가 완만하다.
④ 모래나 흙이 쌓여 있는 곳을 볼 수 있다.
⑤ 많은 양의 물이 흘러 운반 작용이 잘 일어난다.

중요

11 다음은 우리나라 바닷가 주변 지형에 대한 설명입니다. (   ) 안에 들어갈 알맞은 말을 쓰시오.

> 우리나라는 주변이 바다로 둘러싸여 있어 파도에 의한 (㉠) 작용과 (㉡) 및 (㉢) 작용으로 만들어진 여러 종류의 지형을 볼 수 있습니다.

㉠: (   ), ㉡: (   ), ㉢: (   )

12 오른쪽과 같은 바닷가 지형에 대한 설명으로 옳은 것은 어느 것입니까? (   )

① 바람에 의해 만들어졌다.
② 육지가 깎인 곳에서 나타난다.
③ 짧은 시간 동안에 만들어졌다.
④ 바닷물이 얼었다 녹으며 만들어졌다.
⑤ 오랜 시간 고운 흙이나 모래가 쌓여 만들어졌다.

서술형·사고력 문제

1 **다음과 같이 운동장 흙과 화단 흙을 컵에 넣고 물을 부은 다음, 나무 막대로 젓고 가만히 놓아두었습니다. 물음에 답하시오.** 총 10점

▲ 운동장 흙

▲ 화단 흙

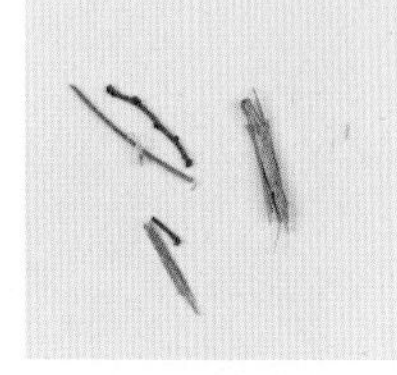
▲ 운동장 흙

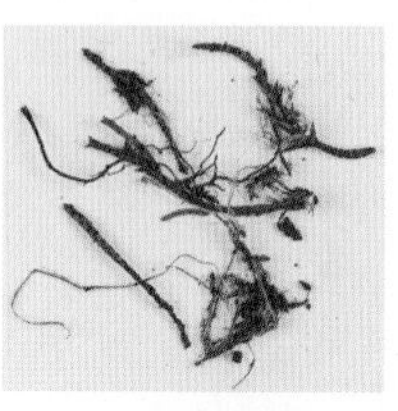
▲ 화단 흙

(1) 실험에서 같게 해야 할 조건, 다르게 해야 할 조건을 각각 한 가지씩 쓰시오. 4점

• 같게 해야 할 조건: ______

• 다르게 해야 할 조건: ______

(2) 물 위에 뜨는 것이 많은 것은 어느 흙인지 쓰시오. 2점

( )

(3) 식물이 잘 자라는 흙은 어느 흙인지 쓰고, 그 까닭도 쓰시오. 4점

______

도움말

• 실험에서 알아보려는 것이 다르게 해야 할 조건이고, 나머지는 같게 해야 할 조건입니다.

• 물 위에 뜨는 것이 많은 흙과 적은 흙 중 어느 흙이 식물이 잘 자라는 흙인지 생각해 봅니다.

2 **오른쪽 그림과 같은 강 주변의 모습을 보고 물음에 답하시오.** 총 8점

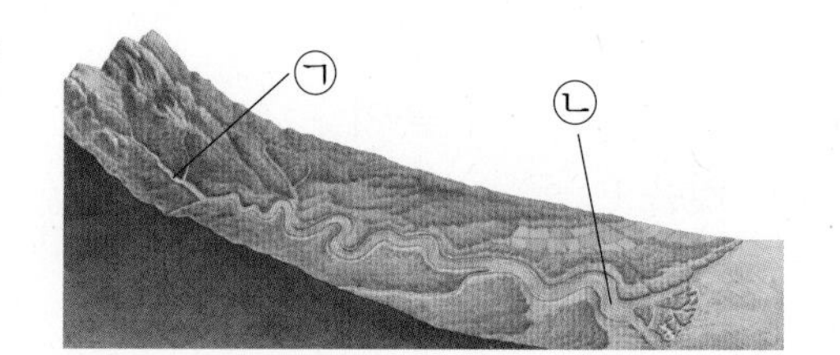

(1) ㉠ 부분 지역의 특징을 두 가지 쓰고, 이 지역에서 볼 수 있는 지형의 종류를 쓰시오. 4점

______

______

(2) ㉡ 부분 지역의 특징을 두 가지 쓰고, 이 지역에서 볼 수 있는 지형의 종류를 쓰시오. 4점

______

______

도움말

• 강의 상류, 중류, 하류에서 물이 흐르는 빠르기를 생각해 봅니다.

3 **오른쪽 그림은 운동장 흙과 화단 흙의 물 빠짐을 비교하는 실험입니다. 물음에 답하시오.** 총 10점

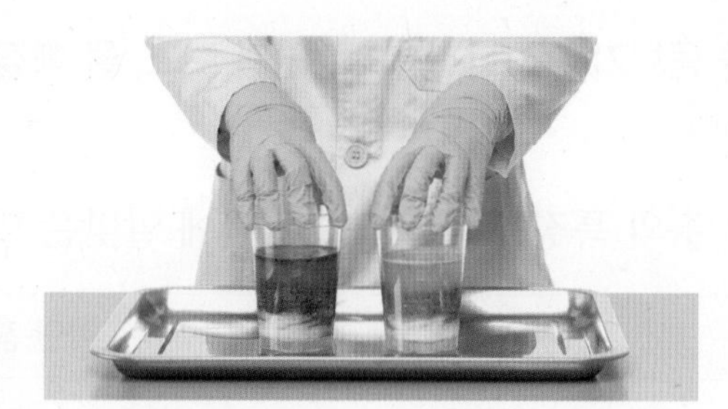

(1) 실험에서 같게 해야 할 조건, 다르게 해야 할 조건을 각각 한 가지씩 쓰시오. 4점

• 같게 해야 할 조건: ______

• 다르게 해야 할 조건: ______

(2) 위쪽에 있는 컵 두 개를 동시에 들어 올렸을 때 10초 동안 아래로 빠진 물의 양이 더 많은 흙을 그 까닭과 함께 쓰시오. 6점

______

______

도움말
- 이 실험에서 알아보려는 것이 다르게 해야 할 조건이고, 나머지는 같게 해야 할 조건입니다.
- 두 흙의 물 빠짐이 다른 것은 두 흙의 무엇의 크기가 다르기 때문인지 생각해 봅니다.

2 단원

4 **다음 바닷가 주변 지형을 보고, 물음에 답하시오.** 총 8점

㉠  ㉡  ㉢  ㉣ 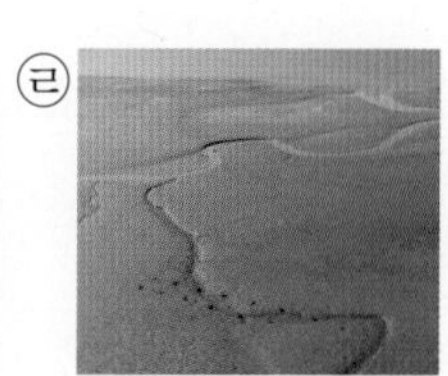

(1) ㉠과 ㉡ 지형의 이름을 쓰고, 어떤 과정으로 만들어졌는지 쓰시오. 4점

______

______

(2) ㉢과 ㉣ 지형의 이름을 쓰고, 어떤 과정으로 만들어졌는지 쓰시오. 4점

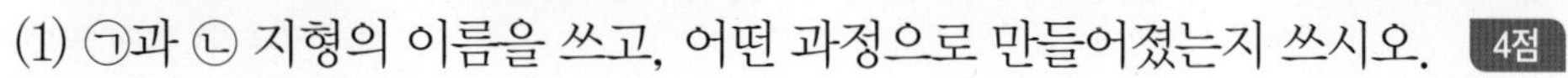

______

______

도움말
- 바닷가 주변의 지형은 파도에 의해서 만들어진다는 것을 생각해 봅니다.

수행 평가

1 **운동장 흙과 화단 흙을 돋보기로 보고, 손으로 만져 보고, 물 빠짐 실험을 하였습니다. 물음에 답하시오.**

(1) 운동장 흙과 화단 흙의 특징을 비교하여 빈칸에 알맞은 말을 쓰시오.

구분	운동장 흙	화단 흙
흙의 색깔		
알갱이의 크기		
촉감		

(2) 운동장 흙과 화단 흙을 컵에 넣고 물을 부은 다음, 나무 막대로 젓고 가만히 놓아 두었습니다. 물 위에 뜨는 것이 더 많은 흙을 쓰시오.

( )

(3) 두 가지 흙 중에서 식물이 더 잘 자라는 흙은 어느 것인지 쓰고, 그렇게 생각하는 까닭도 쓰시오.

- 식물이 더 잘 자라는 흙: ( )
- 까닭: ______

(4) 흙의 물 빠짐 실험에서 컵 아래로 빠진 물의 양이 더 많은 흙은 어느 것인지 쓰시오.

( )

(5) 다음은 두 가지 흙의 물 빠짐이 서로 다르게 나타난 까닭입니다. ( ) 안에 들어갈 알맞은 말을 쓰시오.

> 물 빠짐 실험에서 두 흙의 물 빠짐이 서로 다르게 나타난 까닭은 운동장 흙과 화단 흙의 ( )이/가 다르기 때문입니다.

( )

도움말

- 두 흙의 색깔, 알갱이의 크기, 만져본 촉감이 어땠는지 생각해 보고 빈칸을 채웁니다.
- 물 위에 뜨는 것이 많은 흙이 식물이 더 잘 자라는 흙이라는 것을 생각해 봅니다.
- 두 흙의 물 빠짐이 차이가 나는 것은 두 흙의 무엇의 크기가 다르기 때문인지 생각해 봅니다.

2 **다음은 흐르는 물에 의한 흙 언덕 변화 실험입니다. 물음에 답하시오.**

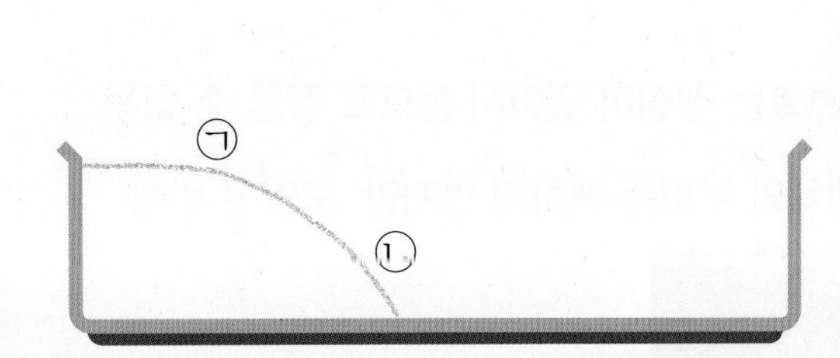

(1) 실험에서 흙 언덕 위쪽에서 구멍 뚫린 플라스틱 컵을 통하여 물을 부었을 때 흙 언덕의 ㉠과 ㉡ 부분이 변하는 모습에 맞게 (   ) 안에 알맞은 기호를 쓰시오.

(가) 흙이 깎이는 부분: (   )

(나) 흙이 쌓이는 부분: (   )

(2) ㉠과 ㉡ 부분에서 흙 언덕의 모양이 변한 원인에 대한 설명입니다. (   ) 안에 들어갈 알맞은 말을 쓰시오.

흙 언덕의 모양이 변한 원인은 (   ) 때문입니다.

(   )

(3) ㉠과 ㉡ 부분에서 일어나는 다음과 같은 작용을 무엇이라고 하는지 보기 에서 찾아 쓰시오.

보기

침식 작용, 운반 작용, 퇴적 작용

(가) 돌이나 흙을 깎거나 부수는 작용: (   ) 작용

(나) 운반된 돌이나 흙이 쌓이는 작용: (   ) 작용

(4) 실험에서 ㉠과 ㉡ 부분을 강 주변 지형의 모습과 비교해 보면 강의 어디에 해당하는지 기호를 쓰시오.

(가) 강의 상류에 해당하는 부분: (   )

(나) 강의 하류에 해당하는 부분: (   )

도움말

- 어느 부분의 흙이 깎이고, 깎인 흙이 어디로 옮겨져 쌓이는지 생각해 봅니다.
- 흙을 깎는 작용과 쌓이게 하는 작용이 무엇인지 생각해 봅니다.

1 옮겨 담으면 변해요

(1) ❶ [　　　]: 모양은 일정하지 않지만 부피는 거의 일정한 물질의 상태

(2) 눈으로 볼 수 있고, 흐르는 성질이 있어서 손으로 잡을 수 없음.

(3) 담는 용기에 따라 액체의 부피는 변하지 않지만, 모양은 변함.

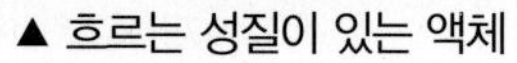
▲ 흐르는 성질이 있는 액체

▲ 다양한 용기에 들어 있는 같은 부피의 우유

2 옮겨 담아도 변하지 않아요

(1) 고체: 담는 용기에 관계없이 ❷ [　　　]와/과 ❸ [　　　]이/가 일정한 물질의 상태

(2) 눈으로 볼 수 있고, 손이나 도구로 잡을 수 있음.

(3) 담는 용기가 달라져도 고체의 부피와 모양은 변하지 않음.

▲ 다양한 용기에 들어 있는 가위와 풀

▲ 서로 다른 용기에 들어 있는 색연필

3 보이지도, 잡히지도 않아요

(1) ❹ [　　　]은/는 눈에 보이지 않고, 손으로 잡을 수 없음.

(2) 공기는 주어진 공간을 고르게 채우는 성질이 있음.

(3) 공기가 ❺ [　　　]을/를 채우는 성질을 이용한 예: 튜브, 구명조끼, 비치 볼, 풍선, 타이어, 열기구 등

▲ 구명조끼

▲ 비치 볼

▲ 타이어

▲ 열기구

❶ 액체 ❷ 모양(부피) ❸ 부피(모양) ❹ 공기 ❺ 공간

4 공기가 든 봉지가 점점 작아져요

(1) 부푼 풍선의 입구를 열면 풍선 속 ❻ ______ 가 풍선 안에서 밖으로 이동함.

(2) 공기가 ❼ ______ 하는 성질을 이용한 예: 공기 주입기, 코끼리 나팔, 선풍기, 비눗방울 등

▲ 공기 주입기

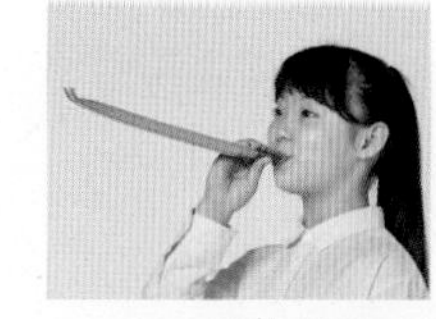
▲ 코끼리 나팔

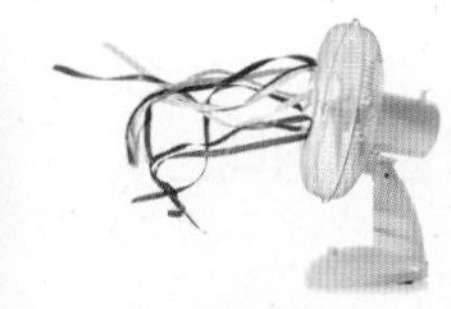
▲ 선풍기

▲ 비눗방울

(3) ❽ ______ : 공기와 같이 담는 용기에 따라 모양이 변하고, 그 공간을 항상 가득 채우는 물질의 상태

5 공기도 무게가 있을까요?

(1) 고체, 액체와 같이 기체도 ❾ ______ 이/가 있음.

(2) 페트병 입구에 공기 압축 마개를 끼우고, 들어 있는 공기의 양을 다르게 하여 각각의 무게를 측정하면 공기가 더 많이 들어 있는 페트병이 무게가 더 ❿ ______ 나가는 것을 확인할 수 있음.

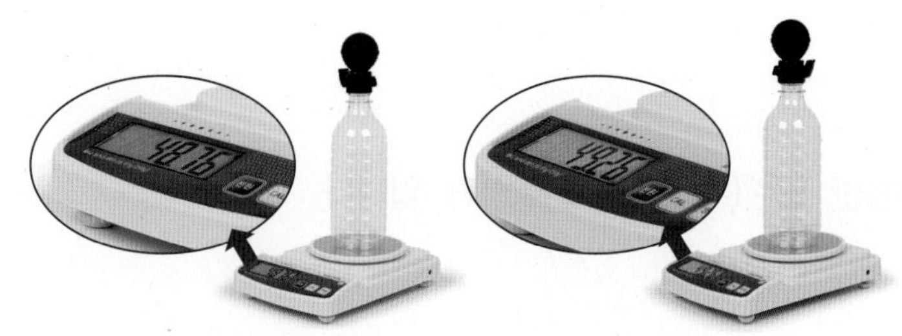
▲ 공기가 든 페트병의 무게 측정하기

6 세 가지 상태로 나누어 보아요

• 우리 주변에 있는 다양한 물질은 고체, 액체, 기체로 분류할 수 있음.

물질의 상태	생활 속 예시
⓫	건물, 자동차, 책, TV, 돌멩이, 연필, 가위, 딱풀, 가방 등
⓬	물, 주스, 우유, 간장, 식초, 식용유, 참기름, 바닷물, 강물 등
⓭	풍선 속 공기, 튜브 속 공기, 농구공 속 공기, 타이어 속 공기, 공기베개 속 공기 등

❻ 공기 ❼ 이동 ❽ 기체 ❾ 무게 ❿ 많이 ⓫ 고체 ⓬ 액체 ⓭ 기체

정답과 해설 11쪽

1 모양은 일정하지 않지만 부피는 거의 일정한 물질의 상태는 (   )입니다.

2 액체는 담는 용기에 따라 (   )은/는 변하지만 부피는 변하지 않습니다.

3 담는 용기에 관계없이 모양과 부피가 일정한 물질의 상태는 (   )입니다.

4 고체는 담는 용기에 따라 모양과 (   )이/가 변하지 않습니다.

5 공기와 같이 담는 용기에 따라 모양이 변하고, 그 공간을 항상 가득 채우는 물질의 상태는 (   )입니다.

6 공기는 (   )에 보이지 않고, 손에 잡히지 않습니다.

7 공기가 공간을 채우는 성질을 이용한 것은 (튜브, 공기 주입기)입니다.

8 바닥에 구멍이 뚫리지 않은 컵으로 물이 담긴 수조에 떠 있는 페트병 뚜껑을 덮어서 누르면 페트병 뚜껑이 (그대로 있습니다, 내려갑니다).

9 부푼 풍선의 입구를 막고 있던 손을 놓으면 풍선이 점점 (작아, 커)집니다.

10 페트병의 입구에 공기 압축 마개를 끼우고, 공기 압축 마개를 여러 번 누를수록 무게가 (줄어듭니다, 늘어납니다).

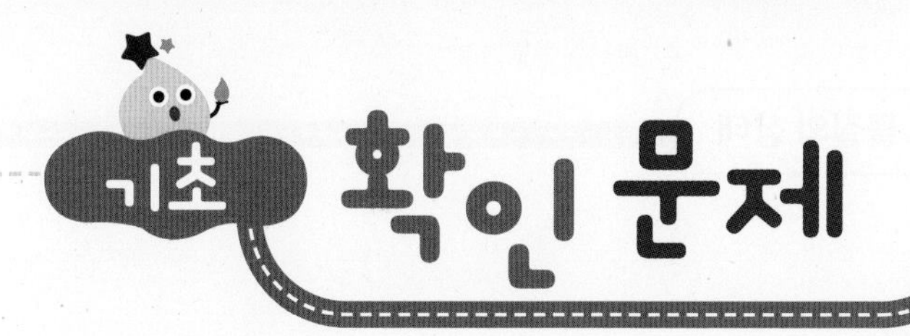

정답과 해설 11쪽

1 다음 중 물질의 상태가 나머지와 다른 하나는 어느 것입니까? (　　　　)

① 물　② 우유
③ 주스　④ 식초
⑤ 의자

2 다음은 다양한 용기에 가위와 딱풀을 옮겨 담은 모습입니다. 이것으로부터 알 수 있는 고체의 성질로 옳은 것은 어느 것입니까? (　　　　)

① 손으로 잡기 어렵다.
② 흐르는 성질이 있다.
③ 담는 용기에 따라 부피가 변한다.
④ 담는 용기에 따라 모양이 변한다.
⑤ 담는 용기를 바꿔도 모양과 부피가 변하지 않는다.

3 다음 물질의 상태에 알맞은 물질을 바르게 선으로 연결하시오.

(1) 고체 •　　• ㉠ 주스
(2) 액체 •　　• ㉡ 타이어 속 공기
(3) 기체 •　　• ㉢ 가위

4 부푼 풍선의 입구를 묶지 않고 손으로 잡고 있다가 놓으면 풍선의 크기가 줄어듭니다. 이때 풍선 밖으로 빠져나오는 물질로 옳은 것은 어느 것입니까? (　　　　)

① 빛　② 공기
③ 모래　④ 간장
⑤ 자갈

5 다음 중 공기가 주어진 공간을 가득 채우는 성질을 이용한 예로 옳지 않은 것은 어느 것입니까? (　　　　)

① 튜브　② 구슬
③ 타이어　④ 비치 볼
⑤ 공기베개

6 다음 설명이 옳으면 ○표, 옳지 않으면 ×표하시오.

(1) 공기는 무게가 없다. (　　　　)

(2) 공기는 눈에 보이지 않는다. (　　　　)

(3) 공기는 손으로 움켜잡을 수 없다 (　　　　)

(4) 공기는 담는 용기에 따라 모양이 변한다. (　　　　)

3
단원

1 다음 중 물질의 상태가 나머지와 다른 하나는 어느 것입니까? (　　　　)

① 물　　② 우유
③ 모래　　④ 간장
⑤ 식초

중요

2 다음 중 액체의 성질에 대한 설명으로 옳지 않은 것은 어느 것입니까? (　　　　)

① 흐르는 성질이 있다.
② 손으로 잡을 수 없다.
③ 만져 보면 항상 딱딱하다.
④ 용기에 따라 모양이 변한다.
⑤ 용기에 따라 부피가 변하지 않는다.

3 다음과 같이 크기와 모양이 다른 두 컵에 담겨 있는 물의 양을 비교하는 방법으로 옳은 것은 어느 것입니까? (　　　　)

① 손으로 들어 본다.
② 눈으로 어림해 본다.
③ 색깔이 같은 컵에 옮겨 담아 물의 양을 비교한다.
④ 높이가 같은 컵에 옮겨 담아 물의 양을 비교한다.
⑤ 크기와 모양이 같은 컵에 옮겨 담아 물의 양을 비교한다.

4 다음 중 눈으로 볼 수 있고, 손으로 잡을 수 있는 물체로 옳지 않은 것은 어느 것입니까?
(　　　　)

① 자　　② 의자
③ 딱풀　　④ 기름
⑤ 책상

5 다음에서 설명하는 물질의 상태를 쓰시오.

- 눈으로 볼 수 있습니다.
- 손으로 만질 수 있습니다.
- 용기와 관계없이 모양과 부피가 일정합니다.

(　　　　　　　　)

6~8 다음 실험을 보고, 물음에 답하시오.

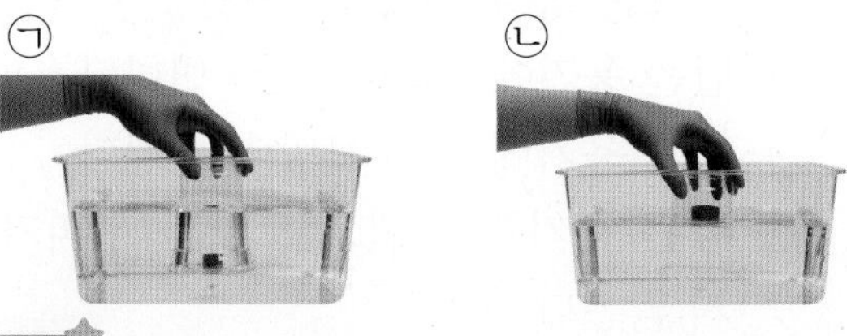

중요

6 위 실험에서 바닥에 구멍이 뚫리지 않은 컵으로 페트병 뚜껑을 누른 경우는 어느 것인지 기호를 쓰시오.

(　　　　　　　　)

7 ㉠에서 컵을 다시 천천히 들어 올리면 페트병 뚜껑이 어떻게 되는지 쓰시오.

(　　　　　　　　)

중요

8 앞의 실험에서 알 수 있는 공기의 성질로 가장 알맞은 것은 어느 것입니까? (　　　　)

① 공기는 무겁다.
② 공기는 눈에 보인다.
③ 공기는 공간을 차지한다.
④ 공기는 맛이나 냄새가 없다.
⑤ 공기는 손으로 잡을 수 없다.

9 다음과 같이 부풀어 있던 풍선이 시간이 지나면서 크기가 작아졌습니다. 풍선 안의 무엇이 빠져나왔을지 보기 에서 찾아서 기호를 쓰시오.

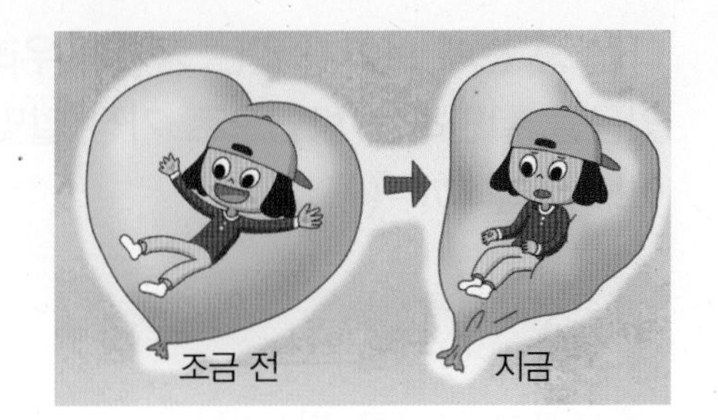

보기

㉠ 물　　㉡ 공기　　㉢ 먼지　　㉣ 꽃가루

(　　　　　　　　)

10 다음에서 설명하는 물질의 상태를 쓰시오.

- 대부분 눈에 보이지 않습니다.
- 주어진 공간을 가득 채웁니다.
- 다른 곳으로 이동할 수 있습니다.
- 담는 용기에 따라 모양이 변합니다.

(　　　　　　　　)

11 다음 중 공기의 이동과 가장 관련이 적은 것은 어느 것입니까? (　　　　)

① 부채 바람 쐬기
② 비눗방울 크게 불기
③ 튜브 위에서 물놀이하기
④ 움직이는 바람 인형으로 광고하기
⑤ 공기 주입기로 축구공에 공기 넣기

12~13 다음은 공기 압축 마개를 페트병에 끼우고, 마개를 누르기 전과 여러 번 누른 후의 무게를 비교한 실험입니다. 물음에 답하시오.

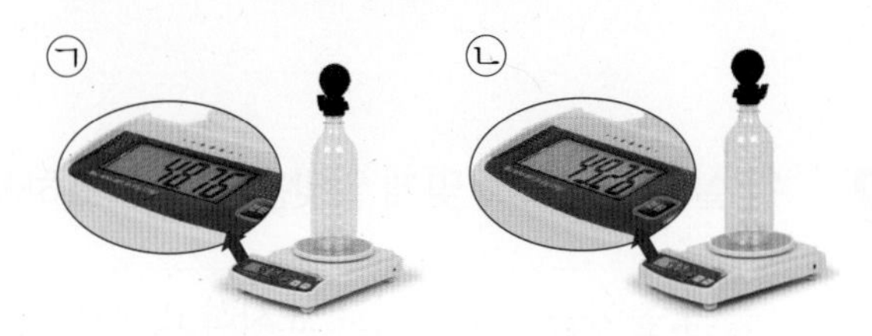

12 ㉠의 무게는 48.76 g이고, ㉡의 무게는 49.26 g입니다. 둘 중 공기 압축 마개를 여러 번 누른 뒤의 실험 결과인 것을 찾아서 기호를 쓰시오.

(　　　　　　　　)

중요

13 공기 압축 마개를 더 많이 누를수록 페트병의 무게가 어떻게 될지 쓰시오.

(　　　　　　　　)

3 단원

1~3 다음과 같이 액체의 모양과 부피 변화를 알아보는 실험을 하였습니다. 물음에 답하시오.

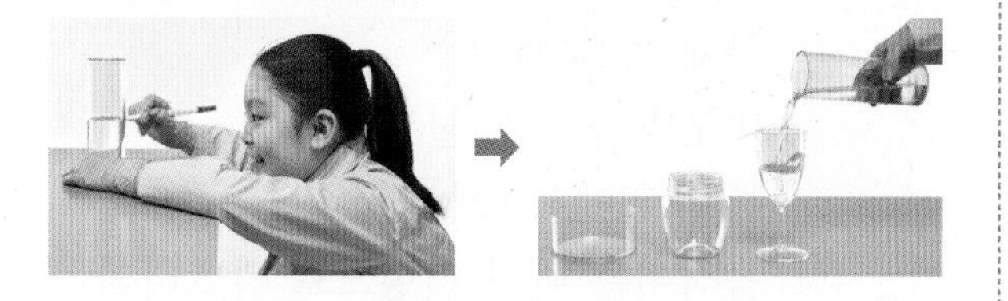

1 다음은 여러 가지 용기에 우유를 담은 모습입니다. (　　) 안에 알맞은 말을 쓰시오.

담는 용기에 따라 우유의 모양이 (　　　　).

2 위 실험의 결과에 맞게 알맞은 말에 ○표하시오.

물의 높이를 사인펜으로 표시하고, 다른 용기에 옮겨 담았다가 다시 처음에 사용한 용기로 옮기면 물의 높이가 처음과 (거의 같습니다, 매우 다릅니다).

중요

3 다음은 위 실험 결과로부터 알 수 있는 사실을 정리한 것입니다. (　　) 안에 알맞은 말을 순서대로 쓰시오.

액체는 담는 용기에 따라 (　　　　)은/는 변하고, (　　　　)은/는 변하지 않는다는 것을 알 수 있습니다.

(　　　　　　　　)

4 연필, 자, 인형의 공통점으로 옳은 것을 보기에서 모두 찾아서 기호를 쓰시오.

보기
㉠ 눈으로 볼 수 있습니다.
㉡ 손으로 만질 수 있습니다.
㉢ 담는 용기를 바꾸면 모양이 변합니다.
㉣ 담는 용기를 바꾸면 부피가 변합니다.

(　　　　　　　　)

5 다음 중 눈에 보이지 않는 공기가 우리 주변에 있음을 확인하는 방법으로 가장 알맞은 것은 어느 것입니까? (　　　　)

① 밥을 먹는다.
② 의자에 앉는다.
③ 연필로 글자를 적는다.
④ 스피커에서 노래를 재생한다.
⑤ 바람에 흔들리는 나뭇잎을 본다.

중요

6 다음 중 액체와 기체의 공통점으로 옳은 것을 2가지 고르시오. (　　　　,　　　　)

① 눈에 보인다.
② 무게가 있다.
③ 손으로 만질 수 있다.
④ 담는 용기에 따라 모양이 변한다.
⑤ 담는 용기에 따라 부피가 변한다.

7 튜브와 구명조끼에 공통적으로 이용된 기체의 성질로 (   ) 안에 알맞은 말을 쓰시오.

> 튜브, 구명조끼는 공기와 같은 기체가 주어진 (   )을/를 가득 채우는 성질을 이용한 것입니다.

(   )

8 다음과 같이 물이 든 수조에 띄운 페트병 뚜껑을 바닥에 구멍이 뚫리지 않은 컵으로 눌렀을 때, 페트병 뚜껑이 아래로 내려가는 것은 컵 안에 무엇이 들어 있기 때문인지 쓰시오.

(   )

9 다음은 풍선 보트가 움직이는 원리를 설명한 것입니다. 알맞은 말에 ○표하시오.

> 풍선 속을 가득 채우고 있던 공기의 일부가 풍선 밖으로 (이동, 정지)하면서 풍선의 크기가 (커지고, 작아지고) 풍선 보트가 움직이게 됩니다.

중요

10 다음 중 페트병에 끼운 공기 압축 마개를 누르기 전과 여러 번 누른 후의 무게에 차이가 나는 것으로부터 알 수 있는 기체의 성질은 어느 것입니까? (   )

① 눈에 보인다.
② 무게가 있다.
③ 만져 보면 매끈매끈하다.
④ 주어진 공간을 가득 채운다.
⑤ 담는 용기에 따라 모양이 변한다.

3 단원

11~12 다음에서 설명하는 성질에 해당하는 물질을 보기에서 찾아서 쓰시오.

> 보기
> 책, 안경, 시계, 우유, 주스, 튜브 속 공기, 간장, 풍선 속 공기, 타이어 속 공기

11 옮겨 담으면 부피는 일정하지만 모양은 변하는 물질을 찾아서 쓰시오.

(   )

12 담는 용기를 항상 가득 채우는 물질을 찾아서 쓰시오.

(   )

서술형·사고력 문제

1 물질의 상태에 따른 성질을 생각하며 물음에 답하시오. 총 8점

▲ 물

▲ 색연필

(1) 물과 색연필의 공통점을 2가지 이상 쓰시오. 4점

(2) 물과 색연필의 차이점을 2가지 이상 쓰시오. 4점

도움말
- 액체와 고체의 성질을 생각해 봅니다.

2 다음은 페트병 뚜껑을 물 위에 띄우고, 바닥에 구멍이 뚫린 컵과 뚫리지 않은 컵으로 누르는 실험입니다. 물음에 답하시오. 총 12점

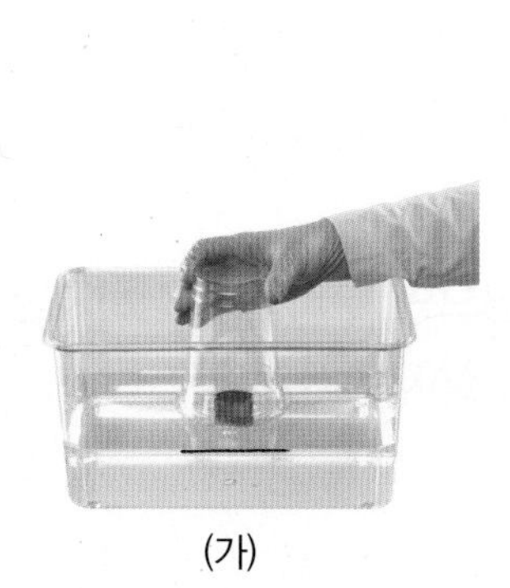

(가)

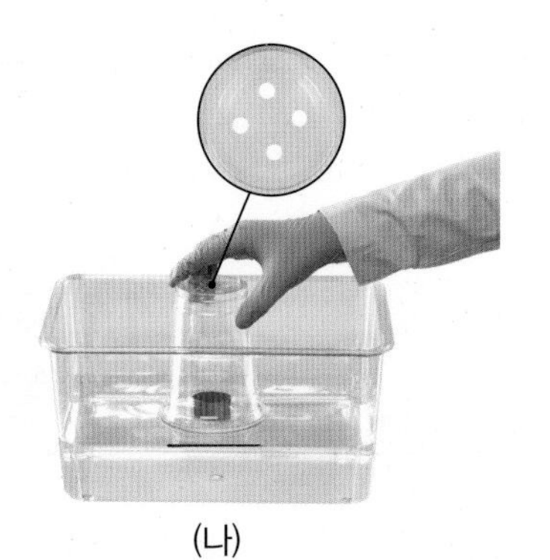

(나)

(1) (가)에서 컵을 누르면 나타나는 결과를 2가지 쓰시오. 4점

(2) (나)에서 컵을 누르면 나타나는 결과를 2가지 쓰시오. 4점

(3) 위 (1)번, (2)번의 답과 같은 결과가 나타나는 까닭을 쓰시오. 4점

도움말
- 페트병 뚜껑의 위치와 수조 속 물의 높이를 생각해 봅니다.
- 컵 안에 무엇이 들어 있었을지 생각해 봅니다.

3 **운동장에서 풍선을 크게 부풀린 뒤, 입구를 묶지 않고 공중에 날려 보았습니다. 물음에 답하시오.** 총 6점

(1) 공중에 날렸을 때 풍선의 움직임과 크기가 어떻게 변하는지 쓰시오. 2점

____

(2) 위 (1)번처럼 생각한 까닭을 쓰시오. 4점

____

• 풍선 안의 공기가 어떻게 되었을지 생각해 봅니다.

4 **다음은 페트병에 공기 압축 마개를 끼운 뒤, 공기 압축 마개를 누르기 전과 누른 후의 무게를 측정하는 실험입니다. 물음에 답하시오.** 총 6점

㉠

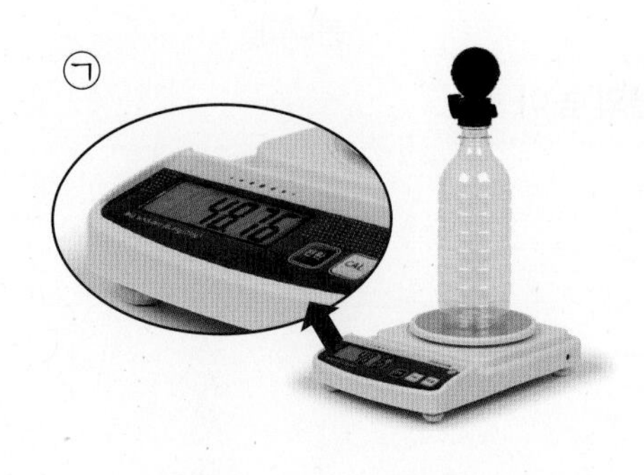

㉡

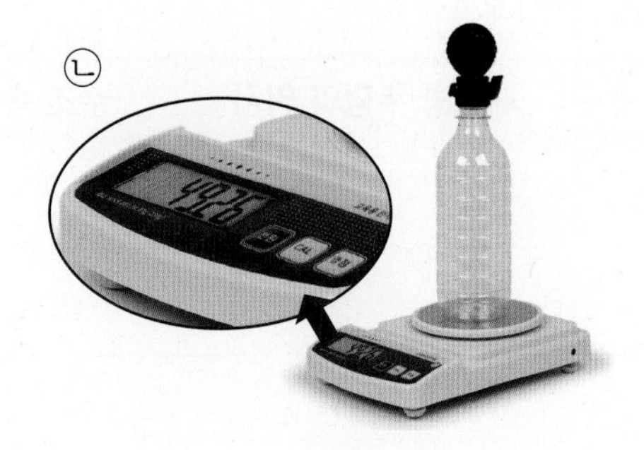

(1) 다음에 해당하는 결과를 찾아서 기호를 쓰시오. 2점

(가) 공기 압축 마개를 누르기 전: (   )

(나) 공기 압축 마개를 누른 후: (   )

(2) 페트병의 무게가 더 많이 나가게 하려면 어떻게 하면 되는지 쓰시오. 4점

____

• 전자저울에 표시된 숫자는 무게를 나타냅니다.

3 단원

수행 평가

1 다음은 페트병 뚜껑을 물 위에 띄우고, 바닥에 구멍이 뚫린 컵과 뚫리지 않은 컵으로 각각 누르는 실험입니다. 물음에 답하시오.

(1) 위 실험에서 바닥에 구멍이 뚫리지 않은 컵을 밀어 넣었다가 천천히 들어 올렸을 때의 결과를 각각 쓰시오.

구분	페트병 뚜껑의 위치	수조 속 물의 높이
컵을 밀어 넣을 때		
컵을 들어 올릴 때		

• 구멍이 뚫리지 않은 컵 안에 무엇이 들어 있을지 생각해 봅니다.

(2) 위 실험에서 바닥에 구멍이 뚫린 컵을 밀어 넣었다가 천천히 들어 올렸을 때의 결과를 각각 쓰시오.

구분	페트병 뚜껑의 위치	수조 속 물의 높이
컵을 밀어 넣을 때		
컵을 들어 올릴 때		

• 구멍이 뚫린 컵 안에 들어 있던 것이 어떻게 될지 생각해 봅니다.

(3) 다음은 위 (1)번, (2)번의 결과가 다르게 나타난 까닭에 대한 설명입니다. 빈칸에 알맞은 말을 쓰시오.

바닥에 구멍이 ______________ 플라스틱 컵을 사용했을 때, 페트병 뚜껑이 수조 아래로 내려가는 것을 볼 수 있었습니다. 그 까닭은 ______________________________ 때문입니다.

2 다음은 공기와 같은 기체도 무게가 있는지 확인하는 실험에 대한 내용입니다. 각 빈칸에 알맞은 말을 쓰시오.

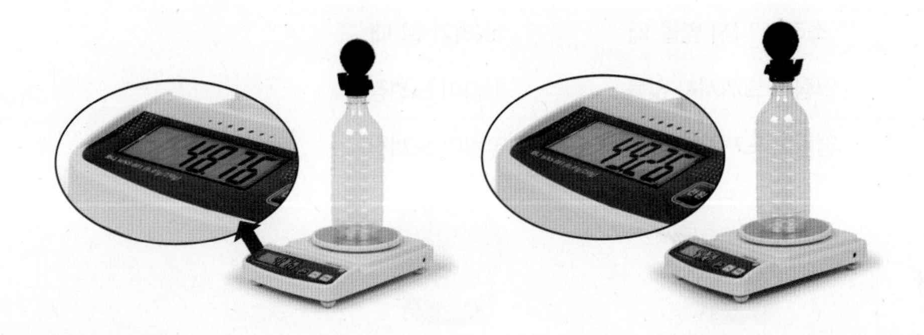

실험 주제	기체가 무게가 있는지 알아보기
실험 예상	공기와 같은 기체에 무게가 ㉠ ______ 것입니다.
실험 준비물	페트병, 공기 압축 마개, 전자저울, 보안경, 실험용 장갑, 실험복
실험 조건	1. 같게 해야 하는 조건: 실험에 사용할 페트병, 공기 압축 마개, 전자저울 2. 다르게 해야 하는 조건: ㉡ ______
결과 예상	공기 압축 마개를 여러 번 누르고 난 뒤 무게를 재면 무게가 ㉢ ______ 것입니다.
실험 결과 및 정리	공기 압축 마개를 여러 번 누른 뒤에는 무게가 ㉣ ______ 이 실험을 통해 ㉤ ______

도움말
- 공기 압축 마개로 페트병에 공기를 넣을 수 있습니다.
- 실험에서 알고자 하는 조건을 뺀 나머지 조건들은 모두 같게 해야 합니다.
- 페트병 안에 공기가 많고 적을 때 무엇이 달라지는지 생각해 봅니다.

1 소리, 알고 싶어요

(1) 물체에서 소리가 날 때의 특징

구분	소리가 나지 않을 때	소리가 날 때
목에 손을 댔을 때	떨림이 느껴지지 않음.	떨림이 느껴짐.
스피커에 손을 댔을 때	떨림이 느껴지지 않음.	떨림이 느껴짐.
소리굽쇠를 물에 댔을 때	아무 일도 일어나지 않음.	물이 튀어 오름.

(2) 물체에서 소리가 날 때의 공통된 특징: 물체가 ❶ ________.

2 똑똑, 내 소리가 들리나요?

(1) 여러 가지 물체를 통한 소리의 전달

소리의 전달			
소리 전달 물질	공기	물, 공기	나무
소리 전달 물질의 상태	❷ ________	❸ ________	❹ ________

(2) 소리의 전달: 소리의 대부분은 기체인 공기를 통해 전달되며, 액체, 고체를 통해서도 전달됨. 소리는 여러 가지 물질을 통해 전달됨.

3 큰 소리와 작은 소리, 어떻게 다를까요?

(1) 소리의 세기: 소리의 ❺ ________ 정도

(2) 소리의 세기 비교하기

구분	큰 소리가 날 때	작은 소리가 날 때
스피커에 손을 댔을 때	떨림이 크게 느껴짐.	떨림이 작게 느껴짐.
스피커 위에 좁쌀을 올려놓았을 때	좁쌀이 크게 움직임.	좁쌀이 작게 움직임.

(3) 소리의 세기와 물체의 떨림: 물체가 크게 떨리면 ❻ ________ 소리가 나고, 물체가 작게 떨리면 ❼ ________ 소리가 남.

❶ 떨림 ❷ 기체 ❸ 액체, 기체 ❹ 고체 ❺ 크고 작음 ❻ 큰 ❼ 작은

4 높은 소리와 낮은 소리, 어떻게 다를까요?

(1) 소리의 높낮이: 소리의 ❽ ______ 정도

(2) 악기를 이용해 소리의 높낮이 비교하기

실로폰	빨대 트롬본
• 음판의 길이가 길 때: ❾ ______ 소리가 남. • 음판의 길이가 짧을 때: ❿ ______ 소리가 남.	• 빨대의 길이가 길 때: ⓫ ______ 소리가 남. • 빨대의 길이가 짧을 때: ⓬ ______ 소리가 남.

(3) 일상생활에서 높은 소리와 낮은 소리를 이용하는 경우

- 관현악단, 합창단은 소리의 높낮이를 이용해 다양한 음악을 만들어 냄.
- 소방차 경보음이나 호루라기 소리, 화재경보기 소리 등 위험을 알릴 때 큰 소리와 함께 높은 소리를 이용함.

5 소리, 어디로 갈까요?

(1) 소리의 ⓭ ______ : 소리가 나아가다 물체에 부딪쳐 되돌아오는 성질

(2) 부딪치는 물체의 종류에 따른 소리 반사 정도: 소리가 딱딱한 물체에 부딪치면 잘 반사되지만, 부드러운 물체에 부딪치면 잘 반사되지 않음.

소리가 부딪친 물체의 종류	나무판	플라스틱 판	스타이로폼 판	스펀지 판
소리 반사 정도	반사 정도가 ⓮ ______.		반사 정도가 ⓯ ______.	
부딪친 물체의 공통점	딱딱함.		부드러움.	

6 시끌시끌, 소음을 줄여 보아요

(1) ⓰ ______ : 일상생활에서 사람의 기분을 좋지 않게 하거나 건강을 해칠 수 있는 시끄러운 소리

(2) 소음을 줄이는 방법

소음의 종류	음악실 소음	도로 소음
소음을 줄이는 방법	음악실 벽에 소리를 잘 ⓱ ______ 하지 않는 소재를 붙여 소음을 줄임.	도로 바깥에 소리를 잘 ⓲ ______ 하는 소재로 된 벽을 설치해 소음을 줄임.

❽ 높고 낮음 ❾ 낮음 ❿ 높음 ⓫ 낮음 ⓬ 높음 ⓭ 반사 ⓮ 큼 ⓯ 작음 ⓰ 소음 ⓱ 반사 ⓲ 반사

4 단원

정답과 해설 14쪽

1 소리가 나는 물체는 공통적으로 (   )이/가 있습니다.

2 공기가 없는 우주 공간에서는 소리를 전달할 수 (있습니다, 없습니다).

3 소리가 나지 않는 소리굽쇠에서는 떨림이 (느껴집니다, 느껴지지 않습니다).

4 실 전화기의 실을 (팽팽하게, 느슨하게) 하면 소리가 더 잘 전달됩니다.

5 좁쌀을 올린 작은북을 북채로 세게 치면 북이 (크게, 작게) 떨리면서 좁쌀이 (높게, 낮게) 튀어 오릅니다.

6 소리의 크고 작은 정도를 소리의 (   )(이)라고 합니다.

7 실로폰의 음판을 칠 때 음판의 길이가 길수록 (높은, 낮은) 소리가 납니다.

8 소리가 나아가다가 물체에 부딪쳐 되돌아오는 성질을 소리의 (   )(이)라고 합니다.

9 사람의 기분을 좋지 않게 만들거나 건강을 해칠 수 있는 시끄러운 소리를 (   )(이)라고 합니다.

10 도로 방음벽은 소리가 되돌아오는 성질인 소리의 (   )을/를 이용해 소음을 줄입니다.

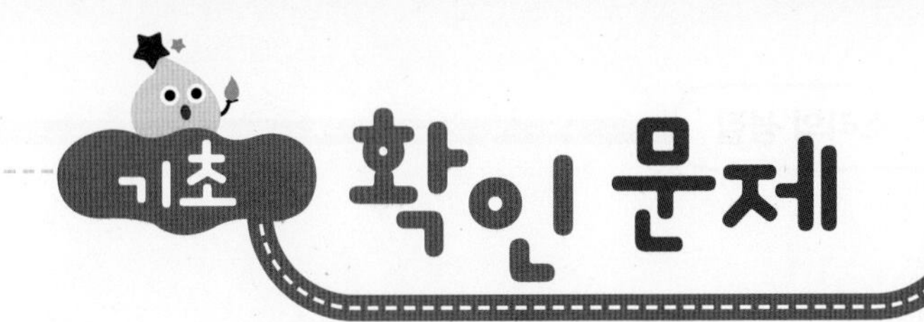

공부한 날 월 일 | 맞은 갯수 개

정답과 해설 14쪽

1 다음 중 떨림이 느껴지는 경우를 모두 찾아서 기호를 쓰시오.

㉠ 소리가 나는 스피커
㉡ 노래를 부를 때의 목
㉢ 소리가 나는 소리굽쇠
㉣ 소리가 나지 않는 스피커
㉤ 소리가 나지 않는 소리굽쇠
㉥ 노래를 부르지 않을 때의 목

( )

2 다음 그림에서 각각 어떤 상태의 물질을 통해 소리가 전달되는지 바르게 선으로 연결하시오.

(1)  • • ㉠ 고체

(2)  • • ㉡ 액체

(3)  • • ㉢ 기체

3 다음 설명이 옳으면 ○표, 옳지 않으면 ×표하시오.

(1) 소리는 기체를 통해서만 전달됩니다. ( )

(2) 소리가 나는 스피커에서는 떨림이 느껴집니다. ( )

(3) 실 전화기의 실을 손으로 잡으면 소리가 잘 전달됩니다. ( )

4 다음은 북 위에 좁쌀을 올린 뒤 북채로 북을 약하게 칠 때와 세게 칠 때의 모습을 설명한 것입니다. 알맞은 말에 ○하시오.

(1) 북을 약하게 치면 북이 작게 떨리면서 좁쌀이 (낮게, 높게) 튀어 오르고 (작은, 큰) 소리가 납니다.

(2) 북을 세게 치면 북이 크게 떨리면서 좁쌀이 (낮게, 높게) 튀어 오르고 (작은, 큰) 소리가 납니다.

4 단원

5 다음과 같은 팬 플루트를 불었을 때 가장 높은 소리가 나는 쪽의 기호를 쓰시오.

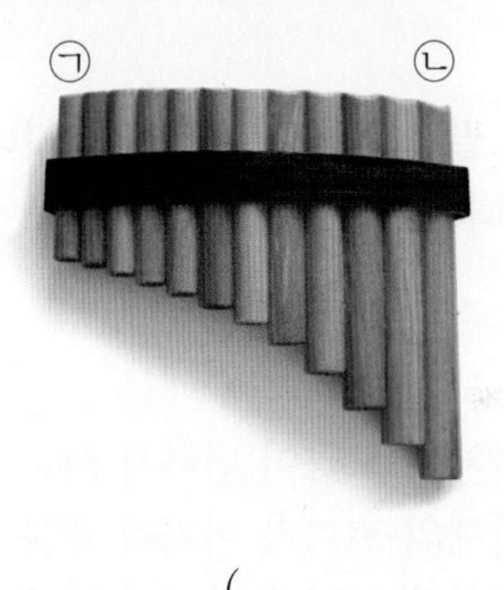

( )

6 다음 설명에서 알 수 있는 소리의 공통적인 성질을 쓰시오.

• 동굴에서 소리가 울립니다.
• 목욕탕에서 소리가 울립니다.
• 암벽으로 된 산에서 메아리가 들립니다.
• 체육관에서 손뼉을 치면 소리가 울립니다.

소리의 ( )

성취도 평가 문제 1회

1~2 다음과 같이 목과 스피커에 손을 대 보고 손의 느낌을 비교하는 실험을 하였습니다. 물음에 답하시오.

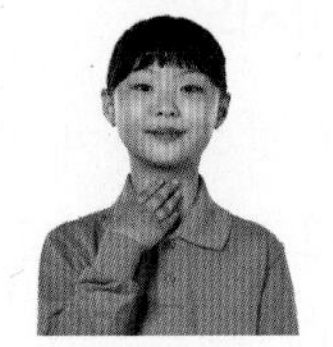
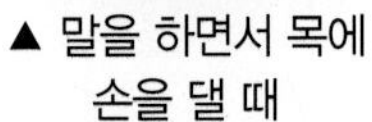

▲ 말을 하면서 목에 손을 댈 때

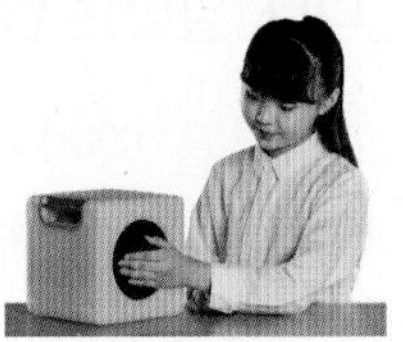

▲ 음악이 나오는 스피커에 손을 댈 때

1 다음은 목과 스피커에 손을 대 보았을 때의 공통된 특징입니다. (   ) 안에 알맞은 말을 쓰시오.

(   )을/를 느낄 수 있습니다.

(   )

2 위와 같이 공통된 특징을 나타내는 까닭은 무엇입니까? (   )

① 소리가 나기 때문
② 온도가 내려가기 때문
③ 물체의 모양이 변하기 때문
④ 물체의 크기가 커지기 때문
⑤ 물체의 크기가 작아지기 때문

중요

3 소리가 나는 트라이 앵글을 소리가 나지 않게 하는 방법으로 옳은 것을 모두 찾아서 기호를 쓰시오.

㉠ 트라이앵글을 작게 칩니다.
㉡ 트라이앵글을 크게 칩니다.
㉢ 트라이앵글이 떨리지 않게 합니다.

(   )

4 오른쪽과 같이 실 전화기로 대화를 할 때 소리가 들리지 않게 하는 방법으로 옳은 것은 어느 것입니까? (   )

① 실을 손으로 잡는다.
② 실을 팽팽하게 한다.
③ 실의 길이를 짧게 한다.
④ 실의 두께를 더 두껍게 한다.
⑤ 두 사람이 더 가까이 서서 대화한다.

중요

5 다음 중 소리를 전달하는 물질이 고체인 경우를 2가지 고르시오. (   )

① 실 전화기로 대화할 때
② 물속에서 잠수부가 소리를 들을 때
③ 땅에 귀를 대고 땅을 통해 소리를 들을 때
④ 멀리 있는 친구가 부르는 소리를 들을 때
⑤ 철봉 한쪽에 귀를 대고 다른 쪽에서 두드리는 소리를 들을 때

6 소리의 세기를 알아보기 위해 징 앞에 좁쌀을 올린 그릇을 두고 징을 쳤습니다. 다음 설명 중 옳지 않은 것은 어느 것입니까? (   )

① 징을 세게 치면 큰 소리가 난다.
② 징을 약하게 치면 작은 소리가 난다.
③ 징을 약하게 치면 징이 작게 떨린다.
④ 좁쌀의 튀어 오르는 정도로 소리의 세기를 알 수 있다.
⑤ 좁쌀이 높게 튀어 오르면 작은 소리가 나고, 낮게 튀어 오르면 큰 소리가 난다.

7 다음 중 큰 소리를 내는 경우를 모두 찾아서 기호를 쓰시오.

㉠ 자장가를 부를 때
㉡ 수업 시간에 발표할 때
㉢ 체육 대회에서 응원할 때
㉣ 멀리 있는 친구를 부를 때
㉤ 도서관에서 친구에게 이야기할 때

( )

8 다음 중 팬 플루트에서 가장 낮은 소리가 나는 것부터 순서대로 기호를 옳게 나열한 것은 어느 것입니까? ( )

① ㉠-㉡-㉢-㉣
② ㉠-㉢-㉡-㉣
③ ㉡-㉠-㉣-㉢
④ ㉢-㉠-㉣-㉡
⑤ ㉣-㉢-㉡-㉠

9 다음은 높은 소리와 낮은 소리에 대한 설명입니다. ( ) 안에 알맞은 말을 순서대로 쓰시오.

- 실로폰은 음판의 길이가 짧아질수록 더 ( ) 소리가 납니다.
- 빨대 트롬본은 관의 길이가 길어질수록 더 ( ) 소리가 납니다.

( )

중요

10 다음 중 소리의 반사와 관련이 적은 예는 어느 것입니까? ( )

① 체육관에서 손뼉을 치면 소리가 울린다.
② 목욕탕에서 노래를 부르면 소리가 울린다.
③ 도로의 소음을 줄이기 위해 방음벽을 설치한다.
④ 물속에 있는 잠수부가 뱃고동 소리를 들을 수 있다.
⑤ 공연장 천장에 딱딱한 판을 설치해 관객석에 소리가 고루 전달되도록 한다.

11 소리가 나아가다가 물체에 부딪쳤을 때 물체의 종류에 따라 반사되는 소리의 크기를 바르게 선으로 연결하시오.

(1) 딱딱한 물체에 부딪쳤을 때 • • ㉠ 소리가 작음.

(2) 부드러운 물체에 부딪쳤을 때 • • ㉡ 소리가 큼.

12 다음에서 생활 주변에서 발생할 수 있는 소음의 예를 모두 찾아서 기호를 쓰시오.

㉠ 자동차의 경적 소리
㉡ 기차가 지나가는 소리
㉢ 연주회에서 연주되는 음악 소리
㉣ 공사장에서 기계가 땅을 파는 소리
㉤ 도서관에서 친구와 귓속말하는 소리

( )

성취도 평가 문제 2회

1~2 다음은 소리가 나지 않는 소리굽쇠와 소리가 나는 소리굽쇠를 물에 대어 보는 실험의 결과입니다. 물음에 답하시오.

㉠ 
물이 튀어 오름.

㉡ 
아무 일도 없음.

1 ㉠과 ㉡ 중 소리가 나는 소리굽쇠는 어느 것인지 기호를 쓰시오.

( )

중요

2 다음은 위와 같은 실험 결과가 나온 까닭을 설명한 것입니다. 알맞은 말에 ○하시오.

> 물체에서 소리가 날 때 (떨림, 반사)이/가 있기 때문입니다.

3 다음과 같이 책상에 귀를 대고 책상을 두드리면 소리가 들립니다. 소리가 무엇을 통해 전달되는지 쓰시오.

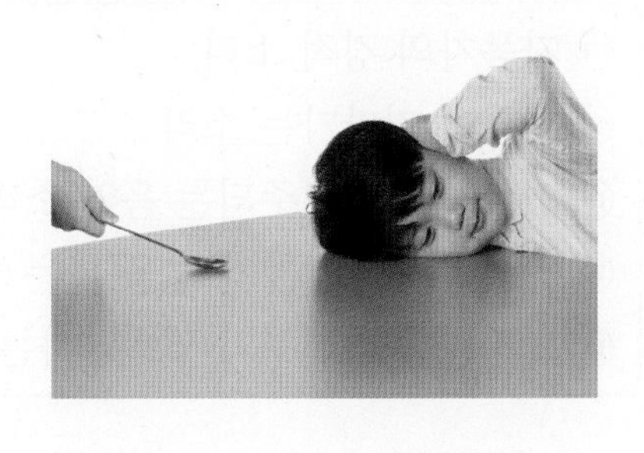

( )

4 오른쪽은 플라스틱 관을 귀에 대고 숟가락 악기의 소리를 들어 보는 실험입니다. 이 실험에서 소리를 전달하는 것을 2가지 고르시오.

(,)

① 책상
② 수조 속의 물
③ 플라스틱 관 안의 공기
④ 숟가락 악기를 잡고 있는 손
⑤ 플라스틱 관을 잡고 있는 손

5 다음 중 소리를 전달하는 물질이 나머지와 다른 하나는 어느 것입니까? ( )

① 공연장에서 가수의 노랫소리를 듣는 경우
② 수중발레를 할 때 물속의 스피커 소리가 들리는 경우
③ 스피커 소리로 인해 가까이 있는 촛불이 흔들리는 경우
④ 횡단보도 건너편에 있는 친구가 나를 부르는 소리를 듣는 경우
⑤ 운동장에서 친구들이 노는 소리가 교실에 있는 나에게 들리는 경우

6 다음은 공기를 뺀 장치와 우주 공간에서 소리가 잘 전달되지 않는 까닭입니다. ( ) 안에 알맞은 말을 쓰시오.

> 소리를 ( )하는 물질인 ( )이/가 없기 때문입니다.

7 **다음 중 소리의 높낮이에 대해 잘못 설명한 친구의 이름을 쓰시오.**

- **민아:** 소리의 높낮이란 소리의 높고 낮은 정도를 뜻해.
- **영호:** 화재경보기는 높낮이가 낮은 소리를 이용해 긴급 상황을 알려.
- **지영:** 팬 플루트는 관의 길이가 길수록 낮은 소리가 나고, 짧을수록 높은 소리가 나.

( )

중요

8 **다음 중 소리의 세기에 대한 설명으로 옳은 것을 2가지 고르시오. (,)**

① 물체가 떨리는 크기에 따라 다르다.
② 소리가 높고 낮은 정도에 따라 다르다.
③ 물체에서 나는 소리가 독특한 정도를 말한다.
④ 물체에서 나는 소리가 아름다운 정도를 말한다.
⑤ 물체에서 나는 소리의 크고 작은 정도를 말한다.

9 **다음 중 작은 소리를 내는 경우를 2가지 고르시오. (,)**

① 자장가를 부를 때
② 멀리 있는 친구를 부를 때
③ 야구장에서 우리 팀을 응원할 때
④ 도서관에서 친구에게 이야기할 때
⑤ 수업 시간에 다른 친구들 앞에서 발표할 때

10 **다음은 부딪치는 물체의 종류에 따라 소리가 반사되는 세기를 비교해 보는 실험입니다. 반사되는 소리의 세기가 큰 판과 작은 판을 구분하여 기호를 쓰시오.**

㉠ 나무판	㉡ 플라스틱 판
㉢ 스펀지 판	㉣ 스타이로폼 판

(1) 소리의 세기가 큰 판: (,)
(2) 소리의 세기가 작은 판: (,)

11 **오른쪽 동굴 음악회에서는 특수한 장치 없이도 멀리 있는 관객까지 음악을 크게 들을 수 있습니다. 이것은 소리의 어떤 성질 때문인지 다음 ( ) 안에 알맞은 말을 쓰시오.**

소리의 ( )

중요

12 **다음 중 소리의 반사를 이용하여 소음을 줄이는 경우는 어느 것입니까? ( )**

① 도로에 방음벽을 설치하는 경우
② 자동차의 경적 소리를 작게 줄이는 경우
③ 공동 주택에서 밤에 청소기를 사용하지 않는 경우
④ 공동 주택에서 발소리를 줄이기 위해 슬리퍼를 신는 경우
⑤ 음악실의 안쪽 벽에 소리를 잘 전달하지 않는 소재를 붙이는 경우

서술형·사고력 문제

1 **작은북을 칠 때 소리의 세기를 생각해 보고, 물음에 답하시오.** 총 6점

(1) 북을 칠 때 소리의 세기를 다르게 하려면 어떻게 하면 되는지 쓰시오. 2점

(2) 큰 소리와 작은 소리가 날 때 북의 떨림의 차이를 쓰시오. 2점

(3) 큰 소리와 작은 소리가 나는 것을 눈으로 직접 확인할 수 있는 방법을 쓰시오. 2점

• 소리는 물체의 떨림과 관계가 있습니다.

2 **최근 공동 주택에서 발생하는 층간 소음과 관련하여 물음에 답하시오.** 총 8점

(1) 공동 주택에서 발생할 수 있는 소음 문제를 2가지 쓰시오. 4점

(2) 위의 문제를 줄일 수 있는 방법을 소리의 성질을 이용하여 2가지 쓰시오. 4점

• 소음이란 사람의 기분을 좋지 않게 하거나 건강을 해칠 수 있는 시끄러운 소리를 뜻합니다.

다음은 실 전화기로 대화를 하는 모습입니다. 물음에 답하시오. 총 6점

(1) 실 전화기의 소리 전달 과정을 소리의 성질과 관련지어 쓰시오. 4점

(2) 실 전화기에서 소리를 멈출 수 있게 하는 방법을 쓰시오. 2점

- 실 전화기는 실의 떨림으로 소리를 전달합니다.

4 오른쪽은 소리의 성질을 활용하여 지은 공연장입니다. 물음에 답하시오. 총 6점

(1) 공연장 천장의 딱딱한 판은 소리의 어떤 성질을 활용하기 위한 것인지 쓰시오. 2점

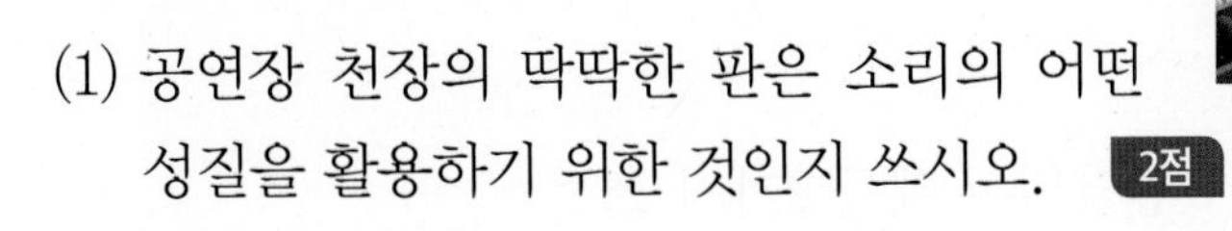

( )

(2) (1)의 소리의 성질을 알 수 있는 예를 일상생활에서 찾아 2가지 쓰시오. 4점

- 공연장 천장에 딱딱한 판을 설치한 까닭은 소리의 성질을 이용해 관객석에 소리가 고루 전달되도록 하기 위해서입니다.

수행 평가

1 다음 그림을 보고, 물음에 답하시오.

(1) 그림에서 두 친구 사이에 소리를 전달하는 물질을 쓰시오.

( )

(2) 다음 보기의 내용을 포함하여 그림에서 소리가 전달되는 과정을 쓰시오.

보기
- 소리 전달 물질(예 공기, 물, 철 등)
- 물질의 상태(예 기체, 액체, 고체)

(3) 일상생활에서 (1)과 같은 물질을 통해 소리가 전달되는 예를 2가지 쓰시오.

도움말
- 소리는 떨림을 전달할 수 있는 물질이 있으면 전달됩니다.
- 소리는 대부분 기체인 공기를 통해 전달되며, 기체 외에 액체, 고체를 통해서도 전달됩니다.

2 다음 실로폰을 보고, 물음에 답하시오.

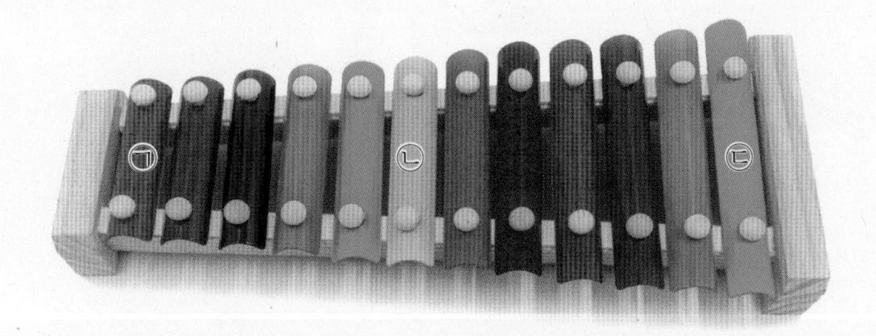

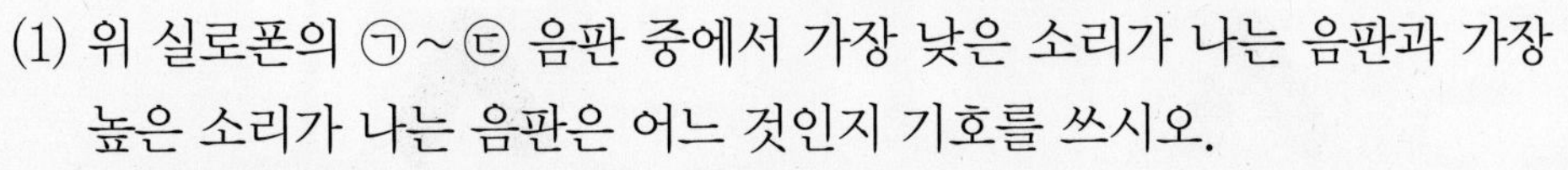

(1) 위 실로폰의 ㉠~㉢ 음판 중에서 가장 낮은 소리가 나는 음판과 가장 높은 소리가 나는 음판은 어느 것인지 기호를 쓰시오.

(가) 가장 낮은 소리가 나는 음판: (　　　　　　　　　　)

(나) 가장 높은 소리가 나는 음판: (　　　　　　　　　　)

(2) 실로폰 음판의 길이에 따라 소리의 높고 낮음이 어떻게 달라지는지 쓰시오.

(3) 일상생활에서 소리의 높고 낮음을 이용하는 예를 2가지 쓰시오.

도움말

- 소리의 높고 낮은 정도를 소리의 높낮이라고 합니다.
- 소리의 높낮이는 음판의 길이에 따라 달라집니다.

4 단원

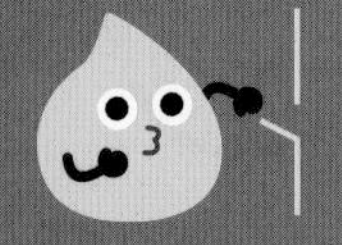

계단과 사다리로 된 미로를 헤쳐나가면 성을 만든 재료를 찾을 수 있어요. 중간에 사다리가 없거나 길이 막혀 있으면 다시 되돌아와서 다른 길을 찾아보세요.

재미있는 미로 찾기 문제

나는 성이에요.

나는 흙으로 만들어졌지만

처음 모습은 이렇지 않았답니다.

나는 무엇으로 만들었을까요?

미로 찾기를 하며 나의 예전 모습을 찾아볼까요?

출발!
도착!

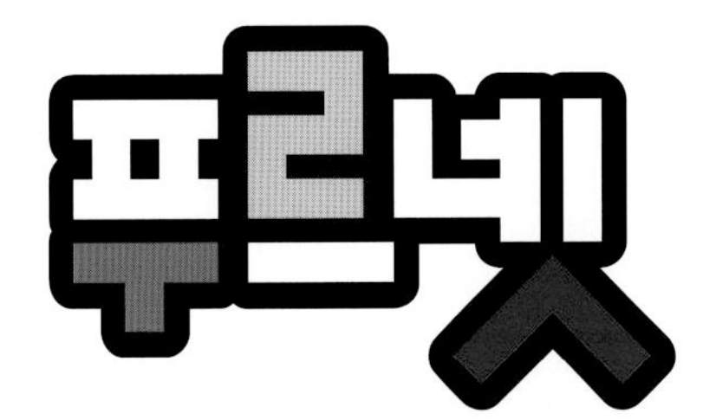

학교 성적에 날개를 달아 주는
완전 학습 프로그램

푸르넷 본교재
교과 내용을 철저히 분석하여 핵심 내용을 체계적으로 학습할 수 있는, 학교 내신 대비에 최적화된 교재

푸르넷 공부방 맞춤형 지도
'두 번째 담임 선생님'으로 불리는 풍부한 경험과 노하우를 갖춘 선생님의 전문적인 지도, 개별 밀착 지도로 체계적인 맞춤 지도가 가능!

초등 푸르넷 학습 시스템

푸르넷 아이스쿨
동영상 강의와 다양한 멀티미디어 학습 자료, 문제 은행을 지원하는 학습 평가 인증 시스템

온라인 보충 학습 콘텐츠
과목별 멀티미디어, 독서·논술, 영어 문법 및 내신 대비 등 다양한 보충 학습 자료로 학습과 재미를 동시에!

푸르넷 주간학습
본교재와 함께하는 주간별 자기 주도 학습. 온라인 강의와 수학 수준별 문제 제공!

우리학교 시험대비
기출문제를 분석하여 출제율 높은 문제로 엄선하여 구성한 학교 시험 대비 교재

전 과목 학습지 초등 푸르넷

본교재

개념 – 유형 – 서술형 – 단원 마무리까지 체계적인 학습
- 1~6학년 국어, 수학, 사회, 과학(월 1권)

주간 평가 교재

주간별 실력 점검으로 만점 대비
- 1~6학년 국어, 수학, 사회, 과학(월 1권)

보충 학습 교재

과목별 배경지식과 사고력 향상
- 1~6학년 푸르넷 프렌즈(월 1권)

온라인 강의

쉽고 재밌는 동영상 강의와 멀티미디어 학습
- 푸르넷 아이스쿨, 영어 보충 학습실

부록

- 1~6학년 우리학교 시험대비(학기별 1권)
- 3~6학년 사회 · 과학 알짜 핵심 노트(학기별 1권)

실험 관찰
초등 과학
자습서&평가문제집
3-2
정답과 해설
금성출판사

금성출판사

과학자처럼 탐구를 계획해 볼까요?

교과서 개념 확인 문제 9쪽

1 민지 **2** ⑤

1. 동물의 생활

교과서 개념 확인 문제 19쪽

1 ④ **2** 깃털 **3** ⑤ **4** 먹이

교과서 개념 확인 문제 23쪽

1 ② **2** 그렇지 않다. **3** (1) ○ (2) × (3) ○

교과서 개념 확인 문제 27쪽

1 ③ **2** (1) × (2) ○ (3) ○ **3** ④

교과서 개념 확인 문제 29쪽

1 ㉢ **2** ⑤ **3** 바셀린이 든 지퍼 백
4 털

교과서 개념 확인 문제 33쪽

1 먹이 **2** (1) ㉢ (2) ㉠ (3) ㉡
3 (1) 사자 (2) 딱따구리 (3) 기린

교과서 개념 확인 문제 35쪽

1 ③ **2** ④ **3** ㉠ 색깔 ㉡ 모양

교과서 개념 확인 문제 39쪽

1 물갈퀴 **2** ④ **3** ③

교과서 평가 문제 48쪽

1 공벌레 **2** ③ **3** ④ **4** ③
5 개구리 **6** ㉠ 지느러미 ㉡ 곡선 **7** ㉡
8 ② **9** ① **10** (1) ㉡ (2) ㉠ **11** 해설 참조
12 해설 참조

1 메뚜기와 나비는 화단의 식물 주변에서 많이 볼 수 있습니다.

2 제비는 날개가 있어 날 수 있으며, 몸이 하얀색과 검은색 깃털로 덮여 있고, 부리로 먹이를 먹습니다.

3 몸의 크기 정도나 예쁘거나 길쭉한 정도는 사람에 따라 기준이 달라질 수 있으므로 동물을 분류하는 기준으로 적합하지 않습니다.

4 나비는 꽃에 있는 꿀을 먹고, 6개의 다리와 4개의 날개가 있습니다.

5 개구리는 뒷다리가 앞다리보다 더 길어 긴 뒷다리를 힘차게 뻗어 뛰어오를 수 있으며, 뒷다리에 물갈퀴가 있어 물속에서 헤엄을 잘 칠 수 있습니다.

6 붕어와 같은 물고기는 지느러미를 이용하여 헤엄을 치며, 몸이 부드러운 곡선 모양이어서 물속에서 헤엄치기 좋습니다.

7 바닷가에는 농게, 따개비 등이 살며, 바닷속에는 오징어, 돌고래, 고등어 등이 삽니다. 강가나 호숫가에는 수달, 개구리 등이 삽니다.

8 매우 긴 다리는 몸속의 열이 밖으로 잘 빠져나가므로 추운 환경에 살기 적합하지 않습니다.

9 기린의 긴 목은 높은 곳에 있는 나뭇잎을 먹기 좋습니다.

10 비행기 날개는 독수리 날개의 특징을 활용하여 만든 것이고, 오리손은 물속에서 헤엄을 잘 치는 오리의 물갈퀴의 특징을 활용하여 만든 것입니다.

11 (1) 학교 화단

예시 답안

(2) 먹이가 많습니다. 숨을 수 있는 곳이 많습니다. 동물이 쉬거나 집짓기 좋습니다. 등

평가 항목	채점 기준	배점
동물을 많이 볼 수 있는 곳	장소를 맞게 쓴 경우	2
동물이 많이 사는 까닭	까닭을 2가지 모두 맞게 쓴 경우	4
	까닭을 한 가지만 맞게 쓴 경우	2

12 (1) 혹

예시 답안

(2) 발바닥이 넓어서 모래에 발이 잘 빠지지 않습니다.

평가 항목	채점 기준	배점
낙타의 생김새의 특징	'혹'이라고 맞게 쓴 경우	2
낙타가 적응한 모습	까닭을 발바닥의 생김새와 관련지어서 맞게 쓴 경우	4
	모래에 발이 잘 빠지지 않는다고만 쓴 경우	2
	발바닥이 넓다고만 쓴 경우	1

2. 지표의 변화

교과서 개념 확인 문제 55쪽

1 (1) 흙, (2) 물, (3) 식물의 뿌리
2 (1) ㉡, (2) ㉠ **3** (1) ㉡, (2) ㉠

교과서 개념 확인 문제 57쪽

1 부식물 **2** (1) ㉡, (2) ㉠
3 (1) ㉡, (2) ㉠

교과서 개념 확인 문제 61쪽

1 (1) 운동장, 운동장, (2) 알갱이 **2** (1) ○, (2) ○
3 (1) ㉡, (2) ㉠

교과서 개념 확인 문제 65쪽

1 (1) 침식, (2) 운반, (3) 퇴적 **2** (1) ㉠, (2) ㉡
3 (1) ×, (2) ○

교과서 개념 확인 문제 69쪽

1 물 **2** (1) ㉠, (2) ㉡
3 (1) ㉡, (2) ㉠

교과서 개념 확인 문제 71쪽

1 (1) 파도, 절벽 (2) 퇴적, 모래사장
2 (1) ○, (2) × **3** (1) ㉡, (2) ㉠, (3) ㉡

교과서 평가 문제 80쪽

1 ③ **2** ② **3** ⑤ **4** ④
5 ㉠ 침식, ㉡ 퇴적 **6** ② **7** ㉠, ㉡
8 ⑤ **9** ⑤ **10** 해설 참조 **11** 해설 참조

1 돌끼리 부딪치면 깨져서 크기가 작아집니다.

2 사막에 있는 흙에는 모래가 많고, 산 위쪽에 있는 흙에는 돌이 많습니다.

3 부식물이 많아 식물이 잘 자라는 흙은 화단 흙입니다.

4 물을 부으면 흙 언덕의 ㉠ 부분에서 흙이 깎여서 ㉡ 부분으로 내려와 쌓이게 됩니다.

5 경사가 급한 곳에서는 침식 작용이 활발하고, 경사가 완만한 곳에서는 퇴적 작용이 활발하게 일어납니다.

6 강 상류에서는 경사가 급합니다.

7 폭포는 강 상류인 ㉠ 지역에서 주로 볼 수 있고, 모래사장은 강 하류인 ㉡ 지역에서 주로 볼 수 있습니다.

8 ㉡ 지역은 강의 하류 지역이므로, 돌과 흙을 깎거나 부수는 침식 작용보다는 퇴적 작용이 잘 일어납니다.

9 바닷가 주변 지형 중에서 동굴과 절벽은 파도에 의한 침식 작용으로 만들어지고, 갯벌과 모래사장은 퇴적 작용으로 만들어집니다.

10 **예시 답안**

(1) ㉠ 어두움, ㉡ 큼, ㉢ 적음, ㉣ 많음

(2) 화단 흙, 화단 흙에는 죽은 동물이나 식물이 썩어서 만들어진 부식물이 많아 식물이 잘 자랍니다.

평가 항목	채점 기준	배점
운동장 흙과 화단 흙 비교	실험 결과 4가지를 모두 쓴 경우	4
	실험 결과 ㉠~㉣ 중 3가지를 쓴 경우	3
	실험 결과 ㉠~㉣ 중 2가지를 쓴 경우	2
	실험 결과 ㉠~㉣ 중 1가지만 쓴 경우	1
식물이 잘 자라는 흙	식물이 잘 자라는 흙을 옳게 고르고, 그 까닭을 정확하게 쓴 경우	3

11 **예시 답안**

(1) 운동장 흙

(2) 운동장 흙

(3) 화단 흙과 운동장 흙의 알갱이의 크기가 다르기 때문입니다.

평가 항목	채점 기준	배점
물 빠짐 결과	(1), (2)를 모두 정확하게 쓴 경우	4
	(1), (2) 중 한 가지만 정확하게 쓴 경우	2
운동장 흙과 화단 흙의 물 빠짐	물 빠짐이 서로 다른 까닭을 알갱이 크기 차이로 쓴 경우	4
	물 빠짐이 서로 다른 까닭을 단순히 알갱이가 다르다고만 쓴 경우	2

3. 물질의 상태

교과서 개념 확인 문제 87쪽

1 액체 2 모양, 부피 3 (1) ○ (2) × (3) × (4) ○
4 ⑤

교과서 개념 확인 문제 91쪽

1 모양, 부피 2 고체 3 (1) ○ (2) ○ (3) × (4) × (5) ×
4 ③

교과서 개념 확인 문제 93쪽

1 공간 2 ③ 3 ④ 4 ③

교과서 개념 확인 문제 97쪽

1 기체 2 ③ 3 ③ 4 ⑤

교과서 개념 확인 문제 99쪽

1 가볍습니다 2 ② 3 < 4 무게

교과서 개념 확인 문제 103쪽

1 (1) 고체 (2) 액체 (3) 기체 2 (1) ㉡ (2) ㉠ (3) ㉢
3 태호

교과서 평가 문제 110쪽

1 ④ 2 ④ 3 모양 4 ③
5 고체 6 ② 7 ⑤ 8 ②
9 늘었습니다 10 해설 참조 11 해설 참조

1 물은 액체로, 다른 용기에 옮겨 담아도 부피가 변하지 않습니다.

2 물병은 고체입니다.

3 액체는 담는 용기에 따라 모양이 변합니다.

4 연필은 눈으로 볼 수 있고, 다른 용기에 옮겨 담아도 모양과 부피가 변하지 않습니다. 만져 보면 대체로 딱딱하고, 손으로 움켜잡을 수 있습니다.

5 고체는 눈으로 볼 수 있고, 액체와 달리 손으로 잡을 수 있으며, 모양과 부피가 일정합니다.

6 부채는 공기가 이동하는 성질을 이용한 물체입니다.

7 바닥에 구멍이 뚫린 컵에서는 구멍으로 공기가 빠져나가므로 페트병 뚜껑의 위치가 변하지 않습니다.

8 풍선 안에 있던 공기가 풍선 밖으로 이동하여 풍선의 크기가 작아집니다.

9 공기 압축 마개를 누르면 페트병 안으로 공기가 들어가게 됩니다. 공기는 무게가 있으므로, 공기 압축 마개를 여러 번 누른 뒤 무게를 재면 페트병의 무게가 더 많이 나갑니다.

10 예시 답안

(1) 페트병 뚜껑이 아래로 내려갑니다. 수조 속 물의 높이가 높아집니다.

(2) 공기가 컵 속 공간을 차지하여 물을 밀어냈기 때문입니다.

평가 항목	채점 기준	배점
실험 결과 정리	실험의 결과를 2가지 모두 바르게 쓴 경우	4
	실험의 결과를 한 가지만 바르게 쓴 경우	2
공간을 차지하는 공기의 성질	공기의 성질과 관련지어 바르게 쓴 경우	4

11 예시 답안

고체는 옮겨 담아도 모양이 변하지 않습니다. 고체는 옮겨 담아도 부피가 변하지 않습니다.

평가 항목	채점 기준	배점
고체의 성질	2가지 모두 바르게 쓴 경우	4
	한 가지만 바르게 쓴 경우	2

4. 소리의 성질

교과서 개념 확인 문제 117쪽

1 떨림 2 (1)○, (2)×, (3)○ 3 떨리

교과서 개념 확인 문제 121쪽

1 (1) 기체, (2) 액체, (3) 고체 2 (1) ×, (2) ×, (3) ○ 3 ㉢

교과서 개념 확인 문제 123쪽

1 (1) ×, (2) ○ 2 실 3 손으로 실을 잡지 않습니다.

교과서 개념 확인 문제 127쪽

1 (4) 2 > 3 (1) 크게, 큰, (2) 작게, 작은

교과서 개념 확인 문제 131쪽

1 (1) ㉢, (2) ㉠ 2 높은 소리 3 (1)○, (2)○, (3)○, (4)×

교과서 개념 확인 문제 135쪽

1 반사 2 ⑤ 3 다르므로, 다릅니다.

교과서 개념 확인 문제 139쪽

1 ㉡, ㉢, ㉣ 2 (1) ○, (2) ○, (3) × 3 (1)

교과서 평가 문제 148쪽

1 떨림 2 ⑤ 3 ⑤ 4 ㉡
5 반사 6 ②, ③ 7 ③ 8 ④
9 ㉡, ㉣ 10 해설 참조 11 해설 참조

1 우리 목이나 스피커, 악기 등 물체에서 소리가 날 때는 떨림을 느낄 수 있습니다.

2 소리의 높고 낮은 정도를 소리의 높낮이라고 합니다. 실로폰은 음판의 길이에 따라 높낮이가 달라지며, 음판의 길이가 길수록 낮은 소리, 짧을수록 높은 소리가 나는 악기입니다. 북은 소리의 세기를

이용한 악기입니다.

3 ①은 고체와 기체, ②, ④는 고체, ③은 기체를 통해 소리가 전달되는 예입니다.

4 소리는 나아가다가 물체에 부딪치면 되돌아옵니다. 따라서 두 종이관의 끝을 막지 않았을 때 들리는 소리와 나무판으로 막았을 때 들리는 소리의 크기를 비교해 보면 나무판으로 막았을 때 소리의 크기가 더 큽니다.

5 소리가 나아가다가 물체에 부딪쳐 되돌아오는 현상을 소리의 반사라고 합니다.

6 소리의 크고 작은 정도를 소리의 세기라고 합니다. 물체가 크게 떨리면 큰 소리가 나고, 물체가 작게 떨리면 작은 소리가 납니다.

7 일상생활에서 사람의 기분을 좋지 않게 하거나 건강을 해칠 수 있는 시끄러운 소리를 소음이라고 합니다.

8 실 전화기는 실을 통해 소리가 전달되기 때문에 실을 팽팽하게 해야 소리가 잘 들립니다.

9 일상생활 속 소리의 반사 예로는 텅 빈 체육관에서의 소리의 반사, 암벽으로 된 산의 메아리, 동굴에서의 소리의 반사, 목욕탕에서의 소리의 반사가 있습니다.

10 **예시 답안**

소리가 나는 소리굽쇠는 (㉡)입니다.

왜냐하면 소리가 나는 물체는 떨림이 있기 때문입니다.

평가 항목	채점 기준	배점
소리가 나는 소리굽쇠 알기	소리가 나는 소리굽쇠를 올바르게 쓴 경우	4
소리가 나는 까닭 알기	'떨림'이라는 용어를 사용한 경우	4
	'떨림'이라는 용어를 사용하지는 않았지만 비슷하게 쓴 경우	2

11 **예시 답안**

(1) 실내에서 뛰어다니는 소리, 자동차 경적 소리, 공사 현장의 소리, 기차 소리, 확성기 소리

(2) 소리의 세기를 줄입니다. 소리가 잘 전달되지 않도록 합니다. 소리를 반사시킵니다.

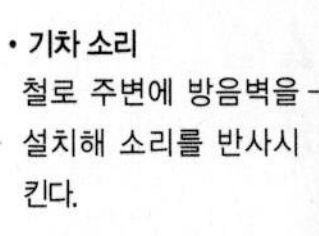

평가 항목	채점 기준	배점
소음의 종류 알기	소음을 찾아 2가지 쓴 경우	4
	소음을 찾아 한 가지만 쓴 경우	2
소음을 줄이는 방법 알기	방법을 2가지 쓴 경우	4
	방법을 한 가지만 쓴 경우	2

우리학교 시험 대비 평가 문제

1. 동물의 생활

쪽지 시험 154쪽

1 땅속 2 분류 3 기준 4 곡선
5 사막 6 귀 7 피부 8 생김새
9 색깔 10 물갈퀴

기초 확인 문제 155쪽

1 ㉠, ㉡, ㉣, ㉢ 2 다리 3 낙타, 사막여우, 사막전갈
4 (1) × (2) ○ (3) × 5 (가) ㉠, (나) ㉢
6 물갈퀴

성취도 평가 문제 1회 156쪽

1 ① 2 ④ 3 ㉡, ㉢ 4 ③ 5 ④
6 ㉡, ㉢ 7 ① 8 ⑤ 9 ③ 10 ㉠, ㉡
11 색깔 12 ㉢

1 달팽이는 다리가 없어 기어 다니며, 땅을 미끄러지듯이 움직입니다.

2 공벌레는 몸이 여러 개의 마디로 되어 있고, 건드리면 몸을 공처럼 둥글게 만듭니다.

3 지네는 다리가 많은 동물입니다.

4 '아름다운 편인가?'와 같이 사람마다 생각하거나 느끼는 기준이 다른 것은 분류 기준으로 적합하지 않습니다.

5 벌과 메뚜기는 더듬이가 있고, 토끼와 다람쥐는 더듬이가 없습니다.

6 지느러미가 있고 몸이 부드러운 곡선 모양인 동물은 물속에서 헤엄치기 좋습니다.

7 바지락과 도요새는 모두 바닷가에서 사는 동물입니다.

8 낙타는 발바닥이 넓고 콧구멍을 여닫을 수 있습니다. 또한 긴 다리를 갖고 있으며 피부는 털로 싸여 있습니다.

9 몸속의 물이 밖으로 잘 빠져나가지 않는다는 특징은 건조한 사막에 사는 동물의 특징입니다.

10 사자의 날카로운 이빨은 고기를 뜯어 먹기에 알맞습니다.

11 메뚜기와 이구아나는 주변 환경과 몸 색깔이 비슷합니다.

12 오리손은 오리의 물갈퀴, 비행기 날개는 독수리의 날개를 활용해서 만들었습니다.

성취도 평가 문제 2회 158쪽

1 ③ 2 ㉡ 3 ㉡ 4 ② 5 ③
6 ⑤ 7 ㉠, ㉢ 8 (1) ㉡ (2) ㉢ (3) ㉠ 9 ②
10 ① 11 색깔 12 ㉡

1 개미는 땅속에서 살며 6개의 다리가 있고, 종류에 따라 날개가 있습니다.

2 매미 애벌레는 땅속에서 삽니다.

3 땅속과 그 주변에서는 공벌레를 볼 수 있으며, 사마귀와 나비는 풀과 그 주변, 매미는 나무와 그 주변에서 주로 볼 수 있습니다.

4 참새와 매미는 날개가 있고, 달팽이와 개구리는 날개가 없습니다.

5 수달은 털에 기름기가 있어 물에 잘 젖지 않습니다.

6 오징어는 바닷속에서 물을 내뿜으며 헤엄치고, 달라붙기 쉬운 다리를 이용해 먹이를 잡습니다.

7 사막은 비가 거의 내리지 않아 매우 건조합니다.

8 사막여우는 몸에 비해 귀가 크며 귓속에 털이 많습니다. 사막뱀은 매우 빠르게 이동하며, 사막도마뱀은 한 번에 두 발씩 번갈아 들어 올리며 이동합니다.

9 추운 곳에서 사는 동물은 피부가 두꺼워서 체온을 유지할 수 있습니다.

10 왜가리의 부리는 길어서 물속에 머리를 넣지 않고도 물고기를 잡을 수 있습니다.

11 풀밭의 색깔과 비슷한 초록색인 산가지를 찾기 어렵습니다. 같은 이유로 주위 색깔과 몸의 색깔이 비슷한 동물은 다른 동물의 눈에 잘 띄지 않습니다.

12 오리손은 물속에서 헤엄을 잘 치는 오리의 발에 있는 물갈퀴 모양을 활용하여 만든 것입니다.

서술형·사고력 문제 160쪽

1

(1) ㉠

예시 답안

(2) • 다리가 없습니다.
• 기어서 이동합니다.

평가 항목	채점 기준	배점
주변에 사는 동물	정확히 맞은 경우	4
지렁이의 특징	특징을 2가지 이상 쓴 경우	4
	특징을 한 가지만 쓴 경우	2

2 예시 답안

(1) 다리

(2) 분류 기준: 날개가 있는가?

분류 결과: 참새는 날개가 있고, 토끼, 개구리, 지렁이, 달팽이는 날개가 없습니다.

평가 항목	채점 기준	배점
분류 기준	정확히 맞은 경우	4
동물의 분류	분류 기준을 잘 세우고, 분류 결과를 맞게 쓴 경우	4
	분류 기준만 맞게 쓴 경우	2

3 예시 답안

(1) ㉠ 혹, ㉡ 모래에 발이 잘 빠지지 않습니다.

평가 항목	채점 기준	배점
낙타의 특징	2가지 모두 맞게 쓴 경우	6
	한 가지만 맞게 쓴 경우	3

4 예시 답안

(1) • 사막여우는 몸에 비해 귀가 크고, 북극여우는 귀가 작습니다.

• 사막여우의 털은 모래와 색깔이 비슷하고, 북극여우의 털은 눈과 색깔이 비슷합니다.

(2) • 귀의 크기를 쓴 경우: 사막여우는 몸에 비해 큰 귀로 몸의 열을 식힙니다. 북극여우는 귀가 작아 열이 덜 빠져나갈 수 있습니다.

• 털의 색깔을 쓴 경우: 환경과 비슷한 색깔의 털을 가져 자신을 잡아먹는 동물의 눈을 피해 살기에 좋습니다.

평가 항목	채점 기준	배점
동물의 생김새	2가지 모두 맞게 쓴 경우	2
	한 가지만 맞게 쓴 경우	1
환경과 생김새	(귀의 크기를 쓴 경우) 사막여우와 북극여우 모두 맞게 쓴 경우	2
	(털의 색깔을 쓴 경우) 정확히 맞은 경우	
	(귀의 크기를 쓴 경우) 사막여우와 북극여우 중 한 가지만 맞은 경우	1
	(털의 색깔을 쓴 경우) 환경과 비슷한 색깔의 털을 가졌다는 사실만 쓴 경우	

수행 평가

162쪽

1 예시 답안

(1) (나)에서 나무 막대에 넓은 테이프를 붙여 물에 저었을 때가 (가)에서 테이프를 붙이지 않고 저었을 때보다 물의 흐름이 더 크게 나타났습니다.

(2) 물에 사는 동물의 발에 물갈퀴가 있으면 물의 흐름을 더 크게 변화시키므로 물속에서 헤엄치기 좋습니다.

관련 주제

3 물에 사는 동물을 살펴보아요

채점 기준

평가 항목	채점 기준	배점
(1) 물의 흐름의 변화	(가)와 (나) 과정에 대한 결과를 맞게 쓴 경우	4
	(가) 과정에 대한 결과만 맞게 쓴 경우	2
(2) 물갈퀴의 장점	물갈퀴의 좋은 점을 맞게 쓴 경우	4

※ 8~6점: 상, 5~4점: 중, 3점 이하: 하

2 예시 답안

(1) 빈 지퍼 백에 넣은 손은 매우 차갑지만, 바셀린이 든 지퍼 백에 넣은 손은 덜 차갑습니다.

(2) 얼음 물은 추운 환경을, 바셀린은 동물의 두꺼운 피부를 의미합니다.

(3) 피부에 바셀린과 같은 부분이 매우 두껍게 있어 추운 환경에서 살아갈 수 있습니다.

관련 주제

4 극한 환경에서 동물을 살펴보아요

채점 기준

평가 항목	채점 기준	배점
(1) 탐구 활동 결과	실험 결과를 맞게 쓴 경우	4
(2) 탐구에 대한 이해	추운 환경과 두꺼운 피부 모두 맞은 경우	2
	추운 환경만 맞게 쓴 경우	1
(3) 추운 환경에 사는 동물의 특징	추운 환경에 사는 동물의 특징을 맞게 쓴 경우	2

※ 8~6점: 상, 5~4점: 중, 3점 이하: 하

2. 지표의 변화

쪽지 시험 166쪽

1 흙 2 흔들어준 후 3 밝고, 큽니다.
4 부드럽고, 많습니다. 5 운동장 흙 6 침식
7 좁고, 급 8 모래 9 하류 10 퇴적

기초 확인 문제 167쪽

1 많아, 흔들기 전 2 (1) ㉠, (2) ㉡ 3 부식물
4 상류 5 ㉡, ㉢ 6 (1) ㉡, (2) ㉠
7 (1) ○, (2) ×, (3) ○, (4) ○, (5) ×

성취도 평가 문제 1회 168쪽

1 ② 2 ① 3 ④ 4 ③ 5 운동장 흙
6 ⑤ 7 ㉠ 부분: 침식 작용, ㉡ 부분: 퇴적 작용 8 ④
9 ① 10 파도 11 (1) ㉠, ㉢, (2) ㉡, ㉣

1 커다란 돌이 부서져 만들어진 작은 알갱이와 생물이 썩어 만들어진 것들이 섞여 흙이 됩니다.

2 암석 조각을 플라스틱 통에 넣고 흔들었을 때 암석 조각이 부서져서 더 작은 알갱이가 생기고 가루가 많아집니다.

3 화단 흙은 운동장 흙보다 물 위에 뜨는 것이 많습니다.

4 운동장 흙과 화단 흙의 물 위에 뜬 물질을 관찰하는 실험에서 다르게 해야 하는 조건은 흙의 종류입니다.

5 실험에서 컵 아래로 빠진 물의 양이 더 많은 흙은 운동장 흙입니다.

6 흙의 물 빠짐이 서로 다른 것은 흙의 알갱이 크기가 다르기 때문입니다.

7 물에 의한 흙 언덕 변화 실험에서 물을 부었을 때 흙이 깎이는 ㉠ 부분에서는 침식 작용이 주로 일어나고, 흙이 쌓이는 ㉡ 부분에서는 퇴적 작용이 주로 일어납니다.

8 (나)에서 보여 주는 모래사장을 볼 수 있는 지역은 강 하류인 ㉡입니다. ㉡ 지역은 강폭이 넓고, 경사가 완만하고, 물의 흐름이 느립니다. 모래나 흙이 쌓여 있는 곳을 볼 수 있고, 퇴적 작용이 잘 일어나는 지역입니다.

9 강 상류는 강폭이 좁고, 바위를 많이 볼 수 있습니다. 강 하류는 물의 흐름이 느리고, 흙이나 모래가 쌓인 평평한 땅이나 모래사장을 볼 수 있습니다.

10 바닷가에서 파도에 의해 육지가 깎인 곳에서는 절벽이나 동굴이 나타납니다. 파도가 세지 않은 곳에서 흙이나 모래가 퇴적되어 갯벌이나 모래사장이 나타납니다.

11 ㉠ 절벽과 ㉢ 동굴은 침식 작용으로 만들어지고, ㉡ 모래사장과 ㉣ 갯벌은 퇴적 작용으로 만들어집니다.

성취도 평가 문제 2회 170쪽

1 ① 2 ④ 3 ③ 4 ⑤
5 ㉠: 운동장 흙, ㉡: 화단 흙 6 ④ 7 ③
8 ㉠ 침식, ㉡ 운반 9 ③ 10 ②
11 ㉠ 침식, ㉡ 운반(퇴적), ㉢ 퇴적(운반) 12 ⑤

1 커다란 돌이 흙이 되는 과정에서 돌끼리 서로 부딪쳐 깨지는 것은 암석 조각을 플라스틱 통에 넣고 흔들어서 암석 조각이 부서져 더 작은 알갱이와 가루가 생기는 것과 비슷합니다.

2 암석 조각을 플라스틱 통에 넣고 흔든 후에 암석 가루의 양이 더 많아집니다.

3 식물이 자라기에 가장 알맞은 흙은 정원의 흙입니다. 갯벌의 흙은 물 빠짐이 좋지 않으며, 사막과 모래사장의 흙에는 모래가 많이 들어 있습니다. 돌이 많은 산 위쪽에 있는 흙에는 부식물이 많지 않아 식물이 자라기에 적당하지 않습니다.

4 운동장 흙이 화단 흙보다 물 위에 뜨는 것이 적습니다.

5 운동장 흙이 화단 흙보다 물 위에 뜬 물질인 부식물의 양이 적습니다.

6 운동장 흙과 화단 흙의 물 빠짐을 비교하는 것이므로 다르게 해야 하는 조건은 흙의 종류입니다.

7 흙이 깎이는 ㉠ 부분에서 주로 일어나는 것은 침식 작용입니다.

8 침식 작용은 흐르는 물이 바위 · 돌 · 흙 등을 깎거나 부수는 것이고, 침식 작용으로 만들어진 돌 · 흙이 다른 곳으로 이동하는 것을 운반 작용이라고 합니다.

9 강 상류 지역에서 폭포나 계곡을 볼 수 있습니다.

10 폭포를 볼 수 있는 지역은 강 상류입니다. 강 상류 지역의 특징은 강폭이 좁고, 물의 흐름이 빠르며, 경사가 급합니다. 모래보다 바위를 많이 볼 수 있고, 침식 작용이 잘 일어납니다.

11 우리나라는 주변이 바다로 둘러싸여 있어 파도에 의한 침식 작용과 운반 및 퇴적 작용으로 만들어진 여러 종류의 지형을 볼 수 있습니다.

12 모래사장은 오랜 시간 고운 흙이나 모래가 쌓여 만들어진 지형입니다.

서술형 · 사고력 문제 172쪽

1 예시 답안

(1) • 같게 해야 할 조건: 물의 양, 흙의 양, 컵의 모양과 크기, 나무 막대의 길이와 굵기 등
• 다르게 해야 할 조건: 흙의 종류

(2) 화단 흙

(3) 화단 흙, 화단 흙에는 부식물이 많이 포함되어 있어 식물이 잘 자랍니다.

평가 항목	채점 기준	배점
같게 해야 할 조건과 다르게 해야 할 조건	두 조건에 해당하는 것을 각각 한 가지씩 맞게 쓴 경우	4
	한 조건만 맞게 쓴 경우	2
물 위에 뜨는 것이 많은 흙	정확하게 선택한 경우	2
식물이 잘 자라는 흙과 까닭	정확하게 선택하고 까닭을 맞게 쓴 경우	4
	정확하게 선택하였으나 까닭을 맞게 쓰지 못한 경우	2

2 예시 답안

(1) 강폭이 좁고, 강의 경사가 급하고, 모래보다 바위를 많이 볼 수 있습니다. 물 흐름이 빠르고, 침식 작용이 잘 일어납니다. 폭포나 계곡을 볼 수 있습니다.

(2) 강폭이 넓고, 강의 경사가 완만하고, 바위보다 모래를 많이 볼 수 있습니다. 물 흐름이 느리고, 퇴적 작용이 잘 일어납니다. 모래사장이나 흙이 쌓이며 만들어진 넓고 평평한 땅을 볼 수 있습니다.

평가 항목	채점 기준	배점
강 상류의 특징과 볼 수 있는 지형	지역의 특징 2가지와 볼 수 있는 지형을 모두 맞게 쓴 경우	4
	지역의 특징 2가지만 맞게 쓴 경우	2
	지형만 맞게 쓴 경우	1
강 하류의 특징과 볼 수 있는 지형	지역의 특징 2가지와 볼 수 있는 지형을 모두 맞게 쓴 경우	4
	지역의 특징 2가지만 맞게 쓴 경우	2
	지형만 맞게 쓴 경우	1

3 예시 답안

(1) • 같게 해야 할 조건: 물의 양, 흙의 양, 컵의 모양과 크기, 거즈의 크기, 물 빠짐을 측정하는 시간 등
• 다르게 해야 할 조건: 흙의 종류

(2) 운동장 흙, 운동장 흙의 알갱이 크기가 화단 흙보다 크기 때문입니다.

평가 항목	채점 기준	배점
같게 해야 할 조건과 다르게 해야 할 조건	두 조건에 해당하는 것을 모두 맞게 쓴 경우	4
	한 조건만 맞게 쓴 경우	2
빠진 물의 양이 많은 흙과 그 까닭	빠진 물의 양이 많은 흙과 그 까닭을 모두 맞게 쓴 경우	6
	빠진 물의 양이 많은 흙만 쓴 경우	2

4 예시 답안

(1) ㉠ 동굴, ㉡ 절벽 / 바닷가에서 파도에 의해 육지가 깎인 곳에서 절벽이나 동굴이 나타납니다. / 바닷물에 의한 침식 작용으로 동굴과 절벽이 만들어집니다.

(2) ㉢ 모래사장, ㉣ 갯벌 / 파도가 세지 않은 곳에 운반된 고운 흙이나 모래가 퇴적되어 갯벌이나 모래사장이 나타납니다. / 강에서 운반된 모래나 해안 침식으로 만들어진 모래가 퇴적되어 모래사장이 만들어집니다. / 육지나 바다에서 떠내려온 고운 흙이나 모래가 퇴적되어 갯벌이 만들어집니다.

평가 항목	채점 기준	배점
바닷가의 침식 지형	지형의 이름과 만들어지는 과정을 모두 맞게 쓴 경우	4
	지형의 이름과 만들어지는 과정 중 하나만 맞게 쓴 경우	2
바닷가의 퇴적 지형	지형의 이름과 만들어지는 과정을 모두 맞게 쓴 경우	4
	지형의 이름과 만들어지는 과정 중 하나만 맞게 쓴 경우	2

수행 평가

174쪽

1 예시 답안

(1)

구분	운동장 흙	화단 흙
흙의 색깔	밝은 색깔	어두운 색깔
알갱이의 크기	큼.	작음.
촉감	거침.	부드러움

(2) 화단 흙

(3) 화단 흙, 식물이 자라는 데 필요한 부식물이 많습니다.

(4) 운동장 흙

(5) 알갱이의 크기

관련 주제

2 흙은 서로 달라요

채점 기준

평가 항목	채점 기준	배점
(1) 운동장 흙과 화단 흙의 특징	운동장 흙과 화단 흙의 특징을 6가지 모두 쓴 경우	4
	운동장 흙과 화단 흙의 특징을 3~5가지 쓴 경우	2
	운동장 흙과 화단 흙의 특징을 2가지 이하로 쓴 경우	1
(2) 운동장 흙과 화단 흙에 섞여 있는 물질	물 위에 더 많은 물질이 뜨는 흙을 맞게 쓴 경우	2
(3) 식물이 잘 자라는 흙	식물이 잘 자라는 흙과 그 까닭을 모두 맞게 쓴 경우	4
	식물이 잘 자라는 흙과 그 까닭 중 한 가지만 맞게 쓴 경우	2

(4), (5) 운동장 흙과 화단 흙에서 물 빠짐의 차이	물이 더 잘 빠지는 흙과 그 까닭을 모두 맞게 쓴 경우	2
	물이 더 잘 빠지는 흙과 그 까닭 중 한 가지만 맞게 쓴 경우	1

※ 12~9점: 상, 8~4점: 중, 3점 이하: 하

2 예시 답안

(1) (가) ㉠, (나) ㉡

(2) 흐르는 물

(3) (가) 침식, (나) 퇴적

(4) (가) ㉠, (나) ㉡

관련 주제

3 흙 언덕을 변화시켜 보아요

채점 기준

평가 항목	채점 기준	배점
(1) 흙 언덕 변화 실험에서 흙이 깎이는 부분과 쌓이는 부분 찾기	흙 언덕 변화 실험에서 흙이 깎이는 부분과 쌓이는 부분을 모두 맞게 쓴 경우	2
	흙 언덕 변화 실험에서 흙이 깎이는 부분과 쌓이는 부분 중 한 가지만 맞게 쓴 경우	1
(2) 흙 언덕의 모양이 변한 원인 찾기	흙 언덕의 모양이 변한 원인을 맞게 쓴 경우	2
(3) 침식 작용과 퇴적 작용 구분하기	침식 작용과 퇴적 작용을 2가지 모두 맞게 쓴 경우	2
	침식 작용과 퇴적 작용 중 한 가지만 맞게 쓴 경우	1
(4) 흙 언덕과 강 주변 지형 비교하여 연결하기	강 상류와 강 하류에 해당하는 것을 모두 맞게 쓴 경우	2
	강 상류와 강 하류에 해당하는 것 중 한 가지만 맞게 쓴 경우	1

※ 8~6점: 상, 5~3점: 중, 2점 이하: 하

3. 물질의 상태

쪽지 시험 178쪽

1 액체 **2** 모양 **3** 고체 **4** 부피
5 기체 **6** 눈 **7** 튜브 **8** 내려갑니다
9 작아 **10** 늘어납니다

기초 확인 문제 179쪽

1 ⑤ **2** ⑤ **3** (1) ㉢ (2) ㉠ (3) ㉡
4 ② **5** ② **6** (1) × (2) ○ (3) ○ (4) ○

성취도 평가 문제 1회 180쪽

1 ③ **2** ③ **3** ⑤ **4** ④ **5** 고체
6 ㉠ **7** 위로 올라갑니다. **8** ③ **9** ㉡
10 기체 **11** ③ **12** ㉡ **13** 늘어날 것입니다.

1 물, 우유, 간장, 식초는 액체이고, 모래는 고체입니다.

2 액체는 흐르는 성질이 있기 때문에 딱딱하지 않습니다.

3 크기와 모양이 다른 두 컵에 담긴 물의 양을 비교하려면 크기와 모양이 똑같은 컵 2개에 각각 옮겨 담은 뒤 높이를 비교해 보면 됩니다.

4 고체에 대한 설명으로, 자, 의자, 딱풀, 책상은 고체이고, 기름은 액체입니다.

5 고체의 성질에 대한 설명입니다.

6 물이 든 수조에 띄운 페트병 뚜껑을 바닥에 구멍이 뚫리지 않은 컵으로 누르면, 페트병 뚜껑이 아래로 내려갑니다.

7 페트병 뚜껑이 아래로 내려간 상태에서 컵을 다시 천천히 들어 올리면 페트병 뚜껑은 다시 위로 올라갑니다.

8 구멍이 뚫리지 않은 컵 속을 가득 채우고 있는 공기에 의해 페트병 뚜껑의 위치가 달라지는 것을 볼 수 있습니다.

9 부푼 풍선 안은 공기로 가득 차 있습니다.

10 기체의 성질에 대한 설명입니다.

11 튜브는 공기가 공간을 차지하는 성질을 주로 이용한 예입니다. 부채의 바람, 비눗방울이 커지는 모습, 바람 인형의 움직임, 공기 주입기로 축구공에 공기를 넣는 모습 등을 보고 우리 생활 속 공기의 이동을 확인할 수 있습니다.

12 공기 압축 마개를 누르면 페트병 속으로 공기가 들어갑니다. 이때 공기는 무게가 있기 때문에 공기 압축 마개를 여러 번 누른 페트병의 무게가 더 많이 나갑니다.

13 공기 압축 마개를 더 많이 누를수록 페트병 속으로 공기가 더 많이 들어가기 때문에 무게가 늘어날 것입니다.

성취도 평가 문제 2회 182쪽

1 변합니다 **2** 거의 같습니다 **3** 모양, 부피
4 ㉠, ㉡ **5** ⑤ **6** ②, ④ **7** 공간 **8** 공기
9 이동, 작아지고 **10** ② **11** 우유, 주스, 간장
12 튜브 속 공기, 풍선 속 공기, 타이어 속 공기

1 우유는 액체이므로 담는 용기에 따라 모양이 변합니다.

2 액체는 담는 용기에 따라 부피가 변하지 않으므로, 처음에 표시한 높이와 나중에 옮겨 담은 뒤의 높이가 거의 비슷합니다.

3 액체는 담는 용기에 따라 모양은 변하지만, 부피는 변하지 않습니다.

4 연필, 자, 인형은 모두 고체이므로 눈으로 볼 수 있고, 손으로 만질 수 있으며, 담는 용기를 바꿔도 모양과 부피가 변하지 않습니다.

5 가만히 있던 나뭇잎이 바람에 흔들리는 것을 보며 눈에 보이지 않는 공기가 우리 주변에 있다는 것을 알 수 있습니다.

6 액체와 기체의 공통점은 무게가 있다는 것과 담는 용기에 따라 모양이 변한다는 것입니다.

7 튜브와 구명조끼는 안을 공기로 채워 사용하는 물건으로, 공간을 차지하는 공기의 성질을 이용한 예입니다.

8 바닥에 구멍이 뚫리지 않은 컵 안에는 공기가 가득 들어 있기 때문에 페트병 뚜껑을 컵으로 누르면 아래로 내려가게 됩니다.

9 풍선의 입구가 열리면 풍선 속에 들어 있던 공기가 풍선 밖으로 이동하여 공기가 빠져나가므로 풍선이 작아지게 됩니다.

10 공기 압축 마개를 누르면 페트병 속으로 공기가 더 들어가면서 무게가 늘어납니다. 따라서 이 실험을 통해 공기와 같은 기체도 무게가 있음을 알 수 있습니다.

11 우유, 주스, 간장과 같은 액체는 담는 용기에 따라 모양은 변하지만, 부피는 변하지 않습니다.

12 공기와 같은 기체는 주어진 공간을 고르게 채울 수 있습니다.

서술형 · 사고력 문제 184쪽

1 예시 답안

(1) 눈에 보입니다. 담는 용기에 따라 부피가 변하지 않습니다. 무게가 있습니다.

(2) 물은 담는 용기에 따라 모양이 변하지만, 연필은 변하지 않습니다. 물은 흐르는 성질이 있지만, 연필은 흐르지 않습니다. 물은 손으로 움켜잡을 수 없지만, 연필은 움켜잡을 수 있습니다.

평가 항목	채점 기준	배점
(1) 물과 연필의 공통점	공통점을 2가지 이상 맞게 쓴 경우	4
	공통점을 한 가지만 맞게 쓴 경우	2
(2) 물과 연필의 차이점	차이점을 2가지 이상 맞게 쓴 경우	4
	차이점을 한 가지만 맞게 쓴 경우	2

2 예시 답안

(1) 페트병 뚜껑이 내려갑니다. 수조 속 물의 높이가 높아집니다.

(2) 페트병 뚜껑은 그대로 있습니다. 수조 속 물의 높이는 변화가 없습니다.

(3) 구멍이 뚫리지 않은 컵에서는 공기가 컵 속 공간을 차지하고 있고, 구멍이 뚫린 컵에서는 구멍으로 공기가 빠져나갔기 때문입니다.

평가 항목	채점 기준	배점
(1) 구멍이 뚫리지 않은 컵 실험 결과	실험 결과 2가지를 맞게 쓴 경우	4
	실험 결과를 한 가지만 맞게 쓴 경우	2
(2) 구멍이 뚫린 컵 실험 결과	실험 결과 2가지를 맞게 쓴 경우	4
	실험 결과를 한 가지만 맞게 쓴 경우	2
(3) 공간을 차지하는 공기의 성질	공기의 성질을 맞게 쓴 경우	4

3 예시 답안

(1) 풍선이 이리저리 빠르게 움직입니다. 풍선의 크기가 작아집니다.

(2) 공기가 풍선 안에서 밖으로 이동했을 것이기 때문입니다.

평가 항목	채점 기준	배점
(1) 풍선의 변화	움직임과 크기 변화 2가지를 맞게 쓴 경우	2
	움직임과 크기 변화 중 한 가지만 맞게 쓴 경우	1
(2) 풍선의 변화가 나타난 까닭	공기의 이동을 맞게 설명한 경우	4

4 예시 답안

(1) (가) ㉠, (나) ㉡

(2) 공기 압축 마개를 더 눌러 페트병 속에 공기를 더 많이 넣으면 됩니다.

평가 항목	채점 기준	배점
(1) 공기의 무게 변화 해석	2가지 모두 맞게 쓴 경우	2
(2) 공기 압축 마개의 사용과 공기의 무게	페트병의 무게를 늘릴 방법을 맞게 설명한 경우	4

수행 평가 186쪽

1 예시 답안

(1)

구분	페트병 뚜껑의 위치	수조 속 물의 높이
컵을 밀어 넣을 때	내려갑니다.	높아집니다.
컵을 들어 올릴 때	올라갑니다.	낮아집니다.

(2)

구분	페트병 뚜껑의 위치	수조 속 물의 높이
컵을 밀어 넣을 때	그대로 있습니다.	변화가 없습니다.
컵을 들어 올릴 때	그대로 있습니다.	변화가 없습니다.

(3) 뚫리지 않은, 공기가 컵 속 공간을 차지하여 물을 밀어냈기

관련 주제

3 보이지도, 잡히지도 않아요

채점 기준

평가 항목	채점 기준	배점
(1) 구멍이 뚫리지 않은 컵으로 눌렀을 때	구멍이 뚫리지 않은 컵으로 눌렀을 때의 실험 결과를 4가지 모두 맞게 쓴 경우	4
	구멍이 뚫리지 않은 컵으로 눌렀을 때의 실험 결과를 2~3가지만 맞게 쓴 경우	2
	구멍이 뚫리지 않은 컵으로 눌렀을 때의 실험 결과를 한 가지만 맞게 쓴 경우	1
(2) 구멍이 뚫린 컵으로 눌렀을 때	구멍이 뚫린 컵으로 눌렀을 때의 실험 결과를 4가지 모두 맞게 쓴 경우	4
	구멍이 뚫린 컵으로 눌렀을 때의 실험 결과를 2~3가지만 맞게 쓴 경우	2
	구멍이 뚫린 컵으로 눌렀을 때의 실험 결과를 한 가지만 맞게 쓴 경우	1
(3) 공기가 공간을 차지하는 성질	실험 결과와 공기의 성질을 모두 맞게 쓴 경우	2
	실험 결과만 맞게 쓴 경우	1

※ 10~8점: 상, 7~4점: 중, 3점 이하: 하

2 예시 답안

㉠: 있을

㉡: 공기 압축 마개를 누르는 횟수

㉢: 늘어날 / 무거워질

㉣: 늘어납니다. / 무거워집니다.

㉤: 눈에 보이지 않는 공기와 같은 기체도 무게가 있음을 알 수 있습니다.

관련 주제

5 공기도 무게가 있을까요?

채점 기준

평가 항목	채점 기준	배점
기체에 무게가 있음을 알아보는 실험의 설계와 결과 해석	실험 결과를 바르게 예상하고, 실험할 때 다르게 해야 할 조건과 실험 결과를 모두 맞게 쓴 경우	6
	실험 결과를 바르게 예상하고, 실험할 때 다르게 해야 할 조건을 맞게 쓴 경우	4
	실험 결과만 바르게 예상한 경우	2

※ 6~5점: 상, 4~3점: 중, 2점 이하: 하

4. 소리의 성질

쪽지 시험 190쪽

1 떨림 2 없습니다 3 느껴지지 않습니다 4 팽팽하게
5 크게, 높게 6 세기 7 낮은 8 반사 9 소음
10 반사

기초 확인 문제 191쪽

1 ㉠, ㉡, ㉢ 2 (1) ㉢, (2) ㉡, (3) ㉠
3 (1) ×, (2) ○, (3) × 4 (1) 낮게, 작은, (2) 높게, 큰
5 ㉠ 6 반사

성취도 평가 문제 1회 192쪽

1 떨림 2 ① 3 ㉢ 4 ① 5 ③, ⑤
6 ⑤ 7 ㉡, ㉢, ㉣ 8 ⑤ 9 높은, 낮은 10 ④
11 (1) ㉡, (2) ㉠ 12 ㉠, ㉡, ㉣

1~2 소리가 나는 물체의 공통된 특징은 떨림입니다.

3 소리가 나지 않게 하기 위해서는 소리가 나는 물체를 떨리지 않게 해야 합니다.

4 실 전화기는 실의 떨림으로 소리를 전달하기 때문에, 실을 손으로 잡아 떨림을 없애면 소리가 전달되지 않습니다.

5 ①은 기체와 고체, ②는 액체, ③, ⑤는 고체, ④는 기체를 통해 소리가 전달되는 예입니다.

6 소리의 크고 작은 정도를 소리의 세기라고 합니다. 물체가 크게 떨리면 큰 소리가 나고, 물체가 작게 떨리면 작은 소리가 납니다. 징이 크게 떨리면 큰 소리가 나면서 좁쌀이 높게 튀어 오르고, 징이 작게 떨리면 작은 소리가 나면서 좁쌀이 낮게 튀어 오릅니다.

7 ㉡, ㉢, ㉣은 일상생활에서 큰 소리가 나는 경우이고, ㉠, ㉤은 작은 소리가 나는 경우입니다.

8 팬 플루트는 관의 길이가 길수록 낮은 소리, 짧을수록 높은 소리가 납니다.

9 소리의 높고 낮은 정도를 소리의 높낮이라고 합니다. 실로폰과 빨대 트롬본 모두 길이가 짧을수록 더 높은 소리가, 길수록 더 낮은 소리가 납니다.

10 소리가 나아가다 물체에 부딪쳐 되돌아오는 현상을 소리의 반사라고 합니다. 물속에 있는 잠수부가 뱃고동 소리를 들을 수 있는 것은 액체를 통해 소리가 전달되었기 때문으로, 반사와 관련이 없습니다.

11 소리는 딱딱한 물체에서는 잘 반사되어 되돌아오는 정도가 크지만 부드러운 물체에서는 잘 반사되지 않아 되돌아오는 정도가 작습니다.

12 일상생활에서 사람의 기분을 좋지 않게 하거나 건강을 해칠 수 있는 시끄러운 소리를 소음이라고 합니다.

성취도 평가 문제 2회 194쪽

1 ㉠ 2 떨림 3 책상(나무) 4 ②, ③ 5 ②
6 전달, 공기 7 영호 8 ①, ⑤ 9 ①, ④
10 (1) ㉠, ㉡, (2) ㉢, ㉣ 11 반사 12 ①

1~2 소리가 나는 소리굽쇠는 떨림이 있기 때문에 물에 넣었을 경우 물이 튀어 오릅니다.

3 소리는 기체, 액체, 고체 물질을 통해 전달됩니다. 이 경우 고체인 책상(나무)을 통해 소리가 전달되었습니다.

4 숟가락 악기에서 나는 소리는 수조의 물(액체)과 플라스틱 관 안의 공기(기체)를 통해 전달됩니다.

5 ①, ③, ④, ⑤는 모두 공기(기체)를 통한 소리의 전달이며, ②는 물(액체)을 통한 소리의 전달입니다.

6 소리는 고체, 액체, 기체와 같은 전달해 주는 물질이 있어야 전달될 수 있습니다. 사진의 장치와 우주 공간에서는 소리를 전달할 수 있는 공기가 없기 때문에 소리가 들리지 않습니다.

7 소리의 높낮이란 소리의 높고 낮은 정도를 의미합니다. 긴급하고 위험한 상황에서는 높은 소리를 이용합니다. 경찰차 소리, 구급차 소리, 호루라기 소리, 화재경보기 소리는 모두 높은 소리를 이용합니다.

8 소리의 세기는 소리의 크고 작은 정도를 의미합니다. 소리가 나는 물체는 공통적으로 떨림을 가지고 있으며, 떨림이 클수록 큰 소리, 작을수록 작은 소리가 납니다.

9 ②, ③, ⑤는 큰 소리를 내는 경우이고, ①, ④는 작은 소리를 내는 경우입니다.

10 나무판, 플라스틱 판과 같은 딱딱한 물체에서는 소리가 잘 반사되기 때문에 소리가 크게 들립니다. 스펀지 판, 스타이로폼 판과 같은 부드러운 물체에서는 소리가 잘 반사되지 않기 때문에 소리가 작게 들립니다.

11 동굴에서는 소리의 반사가 잘 이루어져 특수한 장치 없이도 음악 소리를 잘 들을 수 있습니다.

12 소음을 줄이는 방법 중 ②, ③은 소리의 세기를 줄이는 방법이며, ④, ⑤는 소리가 잘 전달되지 않도록 하는 방법입니다.

서술형 · 사고력 문제 196쪽

1 예시 답안

(1) 큰 소리를 내기 위해서는 북을 세게 쳐야 하고, 작은 소리를 내기 위해서는 북을 약하게 쳐야 합니다.

(2) 큰 소리가 날 때는 북의 떨림이 크고, 작은 소리가 날 때는 북의 떨

림이 작습니다.

(3) 큰 소리와 작은 소리가 나는 것을 직접 확인하기 위해서는 북 위에 좁쌀을 올려놓고 튀어 올라오는 정도를 보고 확인할 수 있습니다.

평가 항목	채점 기준	배점
소리의 세기 차이	소리의 세기를 다르게 하는 방법을 맞게 쓴 경우	2
큰소리와 작은 소리의 차이	떨림의 차이를 구분하여 비교하여 쓴 경우	2
큰소리와 작은 소리 비교	떨림을 눈으로 직접 확인할 수 있는 예시를 쓴 경우	2

2 예시 답안

(1) 문을 닫는 소리, 늦은 밤 큰 음악 소리, 쿵쿵 뛰는 소리, 악기 연주 소리, 애완견 짖는 소리 등

(2) 문이 부딪칠 때 생기는 소리가 잘 전달되지 않도록 문이 닿는 곳에 부드러운 소재의 물체를 붙여 놓습니다. 늦은 밤 음악 소리는 이웃에 피해를 주기 때문에 소리의 세기를 줄이도록 합니다. 발소리로 인한 소음을 줄이기 위해 부드러운 소재로 된 슬리퍼를 신습니다. 등

평가 항목	채점 기준	배점
일상생활에서의 소음	2가지 쓴 경우	4
	한 가지만 쓴 경우	2
소음 방지에 대한 과학적 의견 제시	소음, 소리의 반사, 소재의 특성 등의 용어를 사용하여 2가지를 바르게 쓴 경우	4
	소음, 소리의 반사, 소재의 특성 등의 용어를 사용하여 한 가지만 바르게 쓴 경우	2

3 예시 답안

(1) 실 전화기의 한쪽에 입을 대고 소리를 내면 공기를 통해 소리의 떨림이 종이컵 바닥에 전달되고, 실을 통해 이 떨림이 반대편에 전달되어 소리를 들을 수 있게 됩니다.

(2) 실을 손으로 잡아 실의 떨림을 멈추게 합니다.

평가 항목	채점 기준	배점
소리의 전달 과정	소리의 떨림이 실을 통해 반대편으로 전달된다는 내용을 포함한 경우	4
	과정은 설명하였으나 소리의 떨림을 연관 짓지 못한 경우	2
소리 전달 이해	떨림을 쓴 경우	2

4 예시 답안

(1) 소리의 반사

(2) 목욕탕에서 목소리가 울립니다. 암벽으로 된 산을 향해 소리를 지르면 메아리가 들립니다. 텅 빈 체육관에서 손뼉을 치면 소리가 울립니다. 등

평가 항목	채점 기준	배점
소리의 반사	'소리의 반사'라고 바르게 쓴 경우	2
일상생활 속 소리의 반사	일상생활 속 소리의 반사 예를 2가지 이상 쓴 경우	4
	일상생활 속 소리의 반사 예를 한 가지만 쓴 경우	2

수행 평가

198쪽

1 예시 답안

(1) 공기

(2) 관 속의 기체인 공기를 통해 친구의 소리가 전달됩니다.

(3) 멀리 있는 친구를 부를 때, 스피커에서 나오는 소리가 공기를 통해 전달되어 촛불이 흔들릴 때, 운동장에서 친구들이 노는 소리가 교실에서 들릴 때 등

관련 주제

2 똑똑, 내 소리가 들리나요?

채점 기준

평가 항목	채점 기준	배점
(1) 그림에서 소리 전달 물질 찾기	그림에서 소리 전달 물질을 찾아 바르게 쓴 경우	2
(2) 소리 전달 물질과 소리 전달 물질의 상태	'공기'와 '기체'의 용어를 사용하여 소리가 전달되는 과정을 설명한 경우	4
	'공기'와 '기체' 중 한 가지 용어만을 사용한 경우	2
(3) 소리를 전달하는 예	공기를 통해 전달되는 예를 2가지 쓴 경우	4
	공기를 통해 전달되는 예를 한 가지만 쓴 경우	2

※ 10~8점: 상, 7~5점: 중, 4점 이하: 하

2 예시 답안

(1) (가) ㉢, (나) ㉠

(2) 실로폰 음판의 길이가 짧을수록 높은 소리가 나고, 음판의 길이가 길수록 낮은 소리가 납니다.

(3) 긴급 환자를 옮기는 구급차의 경보음이나 불이 났음을 알리는 화재경보기 소리에 높은 소리를 이용합니다. 함께 노래하는 합창단과 여러 악기를 연주하는 관현악단은 높낮이가 다름을 이용해 다양한 음악을 만듭니다.

관련 주제

4 높은 소리와 낮은 소리, 어떻게 다를까요?

채점 기준

평가 항목	채점 기준	배점
(1) 악기에서 소리의 높낮이	가장 높은 소리와 낮은 소리의 음판을 모두 쓴 경우	2
	가장 높은 소리와 낮은 소리 중 하나의 음판만 쓴 경우	1
(2) 악기에서 소리의 높낮이	음판의 길이에 따른 소리의 높고 낮음을 모두 바르게 쓴 경우	4
	음판의 길이에 따른 소리의 높고 낮음을 하나만 바르게 쓴 경우	2
(3) 일상생활에서 높고 낮은 소리를 이용하는 예	일상생활에서 높고 낮은 소리를 이용하는 예를 2가지 쓴 경우	4
	일상생활에서 높고 낮은 소리를 이용하는 예를 한 가지만 쓴 경우	2

※ 10~8점: 상, 7~5점: 중, 4점 이하: 하

실험 관찰

초등 과학

자습서&평가문제집 3-2

정답과 해설